C000146948

Y N

ᵣ y ɳorᵈᵈ dy hun' ac
'Ar olwyn yn Eire'

Cyhoeddir y cyfieithiad hwn gyda chymorth Literature Ireland

ⓗ Mo Bhealach Féin (1940) a
This Road is Mine; (2020, cyfieithiad Micheál Ó hAodha):
The Lilliput Press, Dulyn

Argraffiad cyntaf: 2022

ⓗ testun: 'Fy ffordd fy hun', Seosamh Mac Grianna
ⓗ testun: 'Ar olwyn yn Eire', David Thomas
Golygydd: Angharad Tomos

Rhif Llyfr Safonol Rhyngwladol:
ISBN elyfr: 978-1-84524-463-7
ISBN clawr meddal: 978-1-84527-851-9

Cyhoeddwyd gyda chymorth Cyngor Llyfrau Cymru

Llun tudalen 11: Lilliput Press; llun tudalen 117: teulu Angharad
Llun clawr: Luned Rhys Parri
Llun o waith celf y clawr: Meical Jones

Cyhoeddwyd gan Wasg Carreg Gwalch,
12 Iard yr Orsaf, Llanrwst, Dyffryn Conwy, Cymru LL26 0EH
☎ 01492 642031
e-bost: llyfrau@carreg-gwalch.cymru
lle ar y we: www.carreg-gwalch.cymru

Y Naill yng Ngwlad y Llall

'Fy ffordd fy hun'

Seosamh Mac Grianna

(cyhoeddwyd yn wreiddiol yn yr Wyddeleg
a chyfieithiad Saesneg gan Micheál Ó hAodha)

ac

'Ar olwyn yn Eire'

David Thomas

(cyhoeddwyd yn *Y Gwyliedydd Newydd*,
wythnosol yn y Wesleaid, 1939-40)

Gol: Angharad Tomos

Rhagair

'Fy ffordd fy hun' / *'Mo Bhealach Féin'*

Mae hon yn gyfrol wahanol i ddim a ddarllenais o'r blaen. Pan fyddwn i'n croesi Môr Iwerddon ddechrau'r nawdegau i gyrraedd Gaeltacht Connemara ar gwrs dysgu Gwyddeleg, ro'n i ar bererindod i ganfod yr Iwerddon 'go iawn'. Heb gael gair o addysg am Iwerddon erioed (er 'mod i'n byw yn nes at Ddulyn na Chaerdydd), mi fûm yn ymweld â Dulyn yn gyson er pan oeddwn yn ddeunaw oed. Ar y teithiau undydd rhad, byddwn yn dal y cwch dri yn bore efo fy map, ac yn crwydro strydoedd Dulyn yn addysgu fy hun am Wrthryfel y Pasg a'r Newyn Mawr, merthyron 1916 a llenyddiaeth y Gwyddel. Yna mi benderfynais weld chydig yn fwy ar Iwerddon a chawsom daith fel teulu yno yn 1981. Dyma deithio arfordir de Iwerddon hyd Galway ac yn ôl; teithiais i Donegal ar wyliau efo ffrindiau. Ond roedd y tu hwnt i Galway yn ddieithr i mi, a phan hysbysebwyd cwrs i ddysgu'r Wyddeleg, ymaith â fi i Spiddeal. Bûm ar y cwrs hwnnw am dair blynedd yn olynol, ond ni chefais lwyddiant mawr yn dysgu'r iaith. Yr hyn wnaeth y cyrsiau hynny oedd gadael i mi dreulio wythnos ar y tro yn nhir gwyllt Connemara, a ffolais yn llwyr ar y lle. Ond roedd yr Wyddeleg, a'i llenyddiaeth yn fyd caeedig i mi.

Chwarter canrif yn ddiweddarach, dyma amlen frown yn cyrraedd y tŷ gan Wyddel yr oeddwn wedi dod ar ei draws yn Aberystwyth mhell yn ôl yn yr ugeinfed ganrif. Roedd Mícheál Ó hAodha newydd gyfieithu *Mo Bhealach Féin* i'r Saesneg, ac o'r farn y byddai gen i ddiddordeb ynddo. Efallai y byddai gen i ddiddordeb yn ei gyfieithu ar gyfer cynulleidfa Gymraeg. Doeddwn i erioed wedi clywed am yr awdur, Seosamh Mac Grianna. Yr hyn a wnâi *Mo Bhealach Féin* yn arbennig o ddiddorol oedd mai disgrifiad o daith a wnaeth yr awdur i Gymru yw hanner y llyfr. Felly am y tro cyntaf yn y Gymraeg, dyma daith ryfeddol Mac Grianna i'r wlad drws nesaf iddo, gwlad 'nad oes llawer o Wyddelod yn gwybod fawr amdani – Cymru'.

Mewn bydysawd arall, byddai Seosamh Mac Grianna wedi gallu cael bywyd llawer mwy dedwydd. Byddai wedi ei fagu yn Gaeltacht Donegal, lle bach o'r enw Rann na Feirste, ac wedi cael llonydd i fyw y bywyd a ddymunai, a chael llonydd gan y byd. Wedi'r cwbl, roedd o wedi cael y trysor mwyaf, fe'i trwythwyd yn chwedloniaeth Iwerddon, ac roedd gwybodaeth am arwyr hynafol y Gael ar flaenau ei fysedd. Ond anlwc Mac Grianna oedd cael ei eni yn y flwyddyn 1900.

Yn y flwyddyn honno, fel y noda Pól Ó Muirí, awdur cofiant Mac Grianna *Míreanna Saoil*, roedd y Newyn Mawr yn dal o fewn cof pobl, roedd Donegal yn rhan o Brydain pan nad oedd yr haul yn machludo ar yr Ymerodraeth Brydeinig. Gwelodd gychwyn y Rhyfel Mawr, a bu'n ystyried ymuno â hi, ond aeth Gwrthryfel y Pasg ag o ar lwybr gwahanol. Erbyn hynny, roedd wedi'i ddiarddel o'r ysgol am fod 'ym meddiant dogfennau chwyldroadol anaddas i lanc o'i oed o'. Tymor fuo fo yn y coleg cyn cael ei ddiarddel o fan'no hefyd, am broblemau disgyblaeth. Bu'n dyst i Ryfel Annibyniaeth Iwerddon, ac erbyn y Rhyfel Cartref roedd o'n 23 oed. Dewisodd yr ochr a gollodd, sef y Gweriniaethwyr, a chanfu ei hun yn y carchar. Bu ar streic newyn cyn cael ei ryddhau yn 1923. Gwelodd y wlad yn cael ei rhannu, a ffin yn cael ei chodi rhwng Donegal a Deri. Gwelodd lywodraeth ifanc newydd yn Nulyn yn rhoi statws arbennig i'r Wyddeleg.

Oes ryfedd iddo ddod i gasgliad cynnar iawn nad oedd yn ffitio yn y byd hwnnw? Dewisodd lwybr unig iddo'i hun, sef awdur yn yr iaith Wyddeleg. Dyma a ddywed Pól Ó Muirí,

'y Wyddeleg dlawd, anwybodus, a anwybyddwyd, y Wyddeleg wyrthiol, ddirgel oedd (ac sy'n dal i fod) yn iaith gymunedol Rann na Feirste a llawer o Donegal hyd yn oed yr adeg honno. Nid yw (ac ni fu) yn iaith o unrhyw werth masnachol; Saesneg oedd, ac ydi, iaith y grymus a'r dylanwadol. Mae'r Wyddeleg yn adlais o oesau eraill, o ryfeloedd, concwest a newyn, o ddigwyddiadau a phobl sydd ddim am gael eu trafod mewn cymdeithas boléit. Iaith y tlodion oedd hi, y rhai mwyaf ymylol a dirmygedig.

Mi ganfu Mac Grianna, fodd bynnag, ei lais a'i weledigaeth yn yr Wyddeleg, gan ei chofleidio. Gwyddeleg oedd y dewis anodd iddo ef, iaith a ddyry'r sgwennwr o fewn cylch bach iawn o ddarllenwyr – ac ni allai llawer o siaradwyr cynhenid hyd yn oed ddarllen Gwyddeleg yn ystod ieuenctid Mac Grianna.'

Mewn bydysawd arall, byddai nofel fawr Seosamh Mac Grianna

wedi'i chyhoeddi, ond am ryw reswm, mae'r cyhoeddwyr (a oedd hefyd yn gyflogwyr iddo) yn gwrthod *An Droma Mór/Y Drwm Mawr*, ac ni chaiff weld golau dydd tan 1969. Erbyn hynny, roedd Mac Grianna wedi rhoi'r gorau i sgwennu. 'Sychodd y ffynnon yn 1935,' meddai.

Ni fu bywyd yn garedig wrtho. Yn y 30au, Peggy O'Donnell oedd ei gymar, a ganed mab iddynt, Fionn. Gan na allent ofalu amdano, rhoddwyd Fionn yng ngofal y Christian Brothers, cymuned Gatholig sy'n darparu cartrefi i'r amddifad ac ysgolion i blant a phobl ifanc. Yn 1959, lladdodd Peggy ei hun, ac yn yr un flwyddyn boddodd Fionn – hunanladdiad arall. Tua'r un pryd, nid yw'n syndod deall fod Mac Grianna yn cael ei dderbyn i Ysbyty St Conall yn Letterkenny lle mae'n treulio gweddill ei oes, ac yn marw yno yn 1990.

Ond mae'n gadael ar ei ôl ysgrifau, ei erthyglau, ei lyfrau a chofnod o'i daith epig, *Mo Bhealach Féin*. Ar adegau, yn ystod y daith, mae'n fy atgoffa o Waldo, yn y modd yr oedd yn fodlon gweld ei hun yn un efo'r ddaear, ac yn barod i wynebu brwydrau anodd bywyd. Ond mae o'n gymeriad mwy pigog na Waldo, ac er ei fod yn well ganddo gyfeillgarwch y cymeriadau hynny sydd ar gyrion cymdeithas, mae'n well byth ganddo ei gwmni ei hun. Fydda fo ddim yn edrych allan o'i le yn un o ddramâu Aled Jones Williams. Mae o'n llais rhyfeddol, ac yn un gwerth ei glywed. Mwynhewch gyd-gerdded gydag o.

Angharad Tomos

Gair gan y Cyfieithydd o'r Wyddeleg

Anrhydedd oedd cyfieithu *Mo Bhealach Féin* (This Road of Mine) er mwyn sicrhau fod y gwaith unigryw hwn a'i greawdwr, Seosamh Mac Grianna, yn derbyn cynulleidfa ehangach, a'r gydnabyddiaeth mae'n ei haeddu.

Dim ond llond dwrn o lyfrau Gwyddelig sydd wedi'u cyfieithu. Er bod technolegau newydd wedi gwneud y byd yn 'llai' nag a fu erioed, mae gwir ddeialog ystyrlon a chyd-ddealltwriaeth yn cael ei werthfawrogi'n aruthrol. Mewn cymdeithas lle mae gwybodaeth (a chamwybodaeth) yn cael ei cham-ddefnyddio a'i 'thrin', mae'r cwestiynau, beth yw'r gwirionedd a sut mae'i ddehongli wedi ailgodi fel rhai o brif gwestiynau athronyddol hollbwysig ein dydd. Fel gyda gweithiau Orwell, mae myfyrdodau Mac Grianna ar natur gwirionedd yn *Mo Bhealach Féin* yn dangos synnwyr o ragwelediad sydd yn rhyfedd ac yn rymus.

Mae'n wireb dweud fod cyfieithiadau llenyddol yn gymorth inni ymddiddan â'r byd a ffurfio ein dealltwriaeth ohono mewn ffyrdd newydd a hanfodol. Mae'n wireb y mae'n rhaid ei hailadrodd fodd bynnag. A dydi cyfieithu erioed wedi bod mor hanfodol nag yn achos gwlad ôl-drefedigaethol ar gyrion eithaf Ewrop megis Iwerddon, cenedl gymharol ifanc wrth siarad yn hanesyddol. Mae'n wlad lle mae dwy iaith dra gwahanol a dau ddiwylliant gwahanol iawn wedi cyd-fodoli ers canrifoedd, ond am gymhlethdod o resymau – economaidd, hanesyddol a diwylliannol – mae'r byd Saesneg wedi hawlio goruchafiaeth.

O holl sgwenwyr Gwyddeleg eu hiaith yr G20 wnaeth greu idiom newydd, radical i'r iaith yn gyfochrog ag ymddangosiad gwladwriaeth Wyddelig newydd, drefol, Mac Grianna oedd y mwyaf llwyddiannus i gyfuno traddodiad llafar Gaeleg oedd yn ymestyn yn ôl filoedd o flynyddoedd efo persbectif llenyddol modernydd. Yn amlwg, roedd yn ŵr hynod ddiwylliedig, yn ymwybodol o fudiadau llenyddol a chelfyddydol a materion y dydd – fel y gwelwn o'i ddiddordeb personol mewn celf a throsiadau abswrdaidd, ymysg eraill, yn ei destun. Roedd gan Mac Grianna chwilfrydedd ynglŷn â dieithriaid ac mae'r modd y'i cyfareddwyd gan unrhyw un oedd yn herio'r *status quo* yn atseinio mor gryf ag erioed efo diwylliant heddiw. Mi gyfunodd y fath themâu efo agweddau o ddiwylliant Gwyddelig sydd wedi'u colli dros amser ond sy'n parhau i ailgodi eu pennau yn y naratif. Dyma un esiampl: mae term mor amlwg a diniwed â '*leath-chairde*' (ffrindiau ymylol) yn sawru o ddirgelwch diwylliant Celtaidd neu Aeleg hŷn efo'i haenau hierarchaidd o gyfeillgarwch a chlymau teuluol, y mae eu harwyddocâd wedi hen ddiflannu yn Iwerddon.

O ddiddordeb arbennig hefyd mae'r modd y mae Mac Grianna yn ailgysylltu efo cymeriadau o'n gorffennol Gaeleg, pobl a lleoedd o arwyddocád aruthrol i bobl Iwerddon mewn dyddiau a fu. Yn *Ma Bhealach Féin*, mae Mac Grianna yn rhoi anadl newydd i rai agweddau o'n diwylliant sydd wedi bod yn gorwedd yn dawel am amser rhy faith – Parthalán, Taeog y Gôt Lwyd, Macha Mongrua a'r Táin i enwi dim ond rhai – ac mae'n rhoi iddynt hwb grymus a pherthnasedd newydd.

Pan drafodir llenyddiaeth fawr yn y dyddiau hyn yn y cylch Seisnig, mae pobl dragwyddol yn dyfynnu Shakespeare, Joyce, Dickens, Wilde, Twain ac ati. Ond chafodd yr iaith Saesneg rioed fonopoli ar sgwennu gwych fodd bynnag, fel y tystia awduron mor amrywiol â Homer, Dante, Proust, Cervantes, Tolstoy, Chekov a Dostoyevsky, bob un yn sgrifennu mewn ieithoedd iach efo poblogaethau mawr yn eu siarad. Bellach, gellir ychwanegu enw Seosamh Mac Grianna, un a ysgrifennai yn yr hyn a oedd hyd yn oed bryd hynny yn iaith gynhenid lleiafrif bychan iawn – yr iaith ysgrifenedig hynaf yn Ewrop. Mae *Mo Bhealach Féin* yn rhithiol yn synnwyr gorau'r gair. Ar yr wyneb, ymddengys yn llyfr go denau yn disgrifio siwrnai galed ond uniongyrchol ar droed ar hyd ffyrdd Lloegr a Chymru, efo arwyddion ffyrdd a cherrig milltir, ond gwelwn fod mwy nag un haen, ac mai'r hyn sydd yma mewn gwirionedd yw siwrnai fewnol y meddwl ble mae'r artist yn cwestiynu natur creadigrwydd, y gwir ac ystyr bywyd a chelf. Ar ben hyn oll, fe'i cyfansoddwyd mewn iaith foel, sy'n hardd yn ei symlrwydd, iaith sy'n hynod farddonol. Ymdrechais i gyfleu blas hon yn Saesneg, tra'n aros yn ffyddlon i'r testun Gwyddelig gorau medrwn i, ond heb lynu yn rhy gaeth at y patrwm gwreiddiol megis toriad y paragraffau.

O ran y gwaith cyfieithu, cefais gyfle i gyfieithu meddyliau dyfnaf dau o'r eneidiau mwyaf dychmyglon a sgrifennodd mewn Gwyddeleg yn yr ugeinfed ganrif, yn y de a'r gogledd – Seosamh Mac Grianna a Séan Ó Ríordáin – ac am hyn, rwy'n hynod ddiolchgar. Carwn ddiolch i Seán Ó Murchú am ei anogaeth a'i gefnogaeth a Bridget Farrell am ei llygad olygyddol ragorol.

Mícheál Ó hAodha,
Gorffennaf 2020
(Rhagair i'r cyfieithiad Saesneg
o *Mo Bhealach Féin,* a gyhoeddwyd yn 1940)

FY FFORDD FY HUN

Seosamh Mac Grianna

Talfyriad o'r testun gwreiddiol sydd yma gan ganolbwyntio ar grwydriadau Seosamh yng Nghymru – ac mae'r rheiny'n dechrau codi stêm o ddifri o Bennod 2 ymlaen. Os am ddarllen y testun gwreiddiol yn gyflawn, cafodd This Road of Mine *ei gyhoeddi gan Wasg Lilliput, Dulyn yn 2020.*

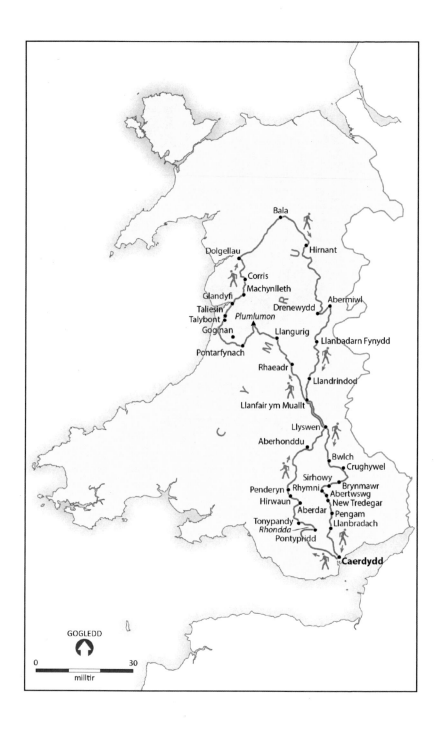

Bala
Hirnant
Dolgellau
Corris
Machynlleth
Glandyfi
Abermiwl
Drenewydd
Taliesin
Plumlumon
Talybont
Goginan
Llangurig
Llanbadarn Fynydd
Pontarfynach
Rhaeadr
Llandrindod
Llanfair ym Muallt
Llyswen
Aberhonddu
Bwlch
Crughywel
Sirhowy
Penderyn
Rhymni
Brynmawr
Hirwaun
Abertwswg
Aberdar
New Tredegar
Tonypandy
Pengam
Rhondda
Llanbradach
Pontypridd
Caerdydd

GOGLEDD

0   30
milltir

Pennod 1

Maen nhw'n deud fod y gwir yn brifo, a chredwch fi mae o'n chwerw, a dyma pam mae pobl yn ei osgoi.

Yn gynnar yn fy mywyd, dyna pryd y gwelais hi, yn 'mestyn o'm blaen, ffordd dyhead fy nghalon, y llwybr troellog wrth droed y cribau tlysaf a welwyd, ac anadl y gwynt uwch ben yn fwy perffaith nac unrhyw chwa ddaearol. Mae'r hen bont yn gwrando ar sisial yr afon cyhyd ag y mae'r atgofion cyntaf, byrhoedlog yn para, ac mae'r pentrefi gwyngalchog yn machludo rhwng cyfnos a gwawr.

Ffordd ydyw nad oes modd dychwelyd arni, y ffordd anwadal honno rhwng gofal ac ofn. Pwy a'm cyhudda o beidio ei cherdded – myfi, brenin y beirdd Gwyddelig yn yr ugeinfed ganrif? Pwy ddywedith wrthyf 'mod i wedi fy nhywys gan eiriau ffrindiau byrhoedlog holl ddyddiau fy mywyd? A hyd yn oed os o'n i'n gyndyn o gael fy nhywys, roeddwn yn dal i ganfod fy hun hanner ffordd rhwng edmygedd a dirmyg. Mi fyddwch angen amynedd efo fy siort i, ac mi ddyweda i wrthych pam. Ac mae gen i ofn na fyddant yn deall hyd yn oed pan lefaraf y gwir yn blaen.

Ond dyna fo, i ba ddiben y sgwennaf y llyfr hwn os ydyn nhw am barhau i'm camddeall? Felly mi egluraf yn syth pam na wnes i ymbellhau oddi wrth y cyfeillion ymylol rheini a gefais y rhan fwyaf o'm hoes, a pham na chymrais lwybr hapusrwydd a chrwydriadau hudol fel y dylwn fod wedi'i wneud; aeth amser maith heibio ers i mi ddiosg yr arfwisg y mae mwyafrif y ddynoliaeth yn ei gwisgo – swydd saff a safbwyntiau sy'n golygu eich bod yn ffitio i mewn efo pawb arall. Waeth pa mor ddrwg o'n i, doedd gen i'm amser i ddim byd felly. Ond ar y llaw arall, roedd gen i ofn dwfn a difrifol ohonof fy hun. Dydi hynny ddim yn syndod – o ystyried bod fy nghriw fy hun wastad yn tynnu'n groes, fel tase 'na berygl ynof na allai'r byd byth ei weld. Ac fel hyn oedd hi o hyd: pan oedd unrhyw un arall yn dal annwyd, roedden nhw'n tosturio wrthynt; os o'n i'n ei ddal, rhywbeth i gywilyddio o'i blegid ydoedd. Os oedd rhywun arall yn colli ei limpyn, roedden nhw'n iawn achos fe wyddent sut i reoli eu hunain; ond os o'n i'n ei cholli hi, tarw gwyllt o ddyn oeddwn i. Os gwnâi rhywun arall gam â pherson, caent faddeuant yn fuan; ond os mai fi oedd yn pechu, faswn i byth yn clywed ei diwedd hi. Dda gen i mo'r math hwn o Gristnogaeth, os mai Cristnogaeth ydi peth felly, ond mae lot ohono yn y byd. Efallai mod i'n meddu ar rym nad o'n i yn ei ddeall; falle mod i'n dal i fethu ei ddeall. Ydi o'n syndod mod i'n teimlo mod i wedi nghlymu yn fil o glymau cyn mod i wedi cyflawni unrhyw beth, dwedwch? A dyma fi'n gwrthryfela. Rhedais i ffwrdd o ysgolion a cholegau. Yn 1916, gadewais Saint Eunan efo bwriad o ymuno efo Byddin Prydain, ond roddodd Wythnos y Pasg y ceibosh ar hynny. Diflannais o golegau eraill hefyd, ac eto, er gwaethaf popeth, dyma ganfod fy hun yn un ar hugain oed ac wedi nghymhwyso i fod yn athro. Tawn i heb gael arweiniad gan eraill, tawn i ddim ofn fy hun i'r fath raddau, y gwir amdani ydi na fyddwn wedi cael unrhyw fath o addysg. Doedden nhw ddim yn deall yr hyn oedd yn fy ngyrru, a hyd yn oed os ceisient roi ambell gyngor i mi, digwyddiad prin oedd hynny. Mewn gwirionedd, gwyddwn mai ceisio torri fy ysbryd i oedden nhw, ac felly o ganlyniad, ro'n i'n wyllt ac yn amhosib i'm trin. Ro'n i'n ochelgar o bobl eraill. Ro'n i hefyd yn sgwennu straeon na fyddai byth wedi gweld golau dydd oni bai am eraill. Dydw i erioed wedi credu y dylai bardd buteinio ei gelfyddyd. Unwaith y daeth pobl i wybod am fy sgwennu, a bod eraill yn deall y ddawn oedd yn hynod brin yn Iwerddon fy nyddiau i – y ddawn i farddoni – dwi'n credu eu bod yn disgwyl i mi rannu fy stôr efo nhw. Gwrthodais fodd bynnag. Wnes i 'rioed ddatgelu beth oedd ar fy meddwl go iawn. Mi wnes i amddiffyn fy enaid. Roedd pobl agos ataf yn fy nghyhuddo o fod yn ddiog, ac eto, roedd yr un bobl yn gweld mod i'n gweithio – yn galetach na neb arall. Ddaru nhw geisio fy nal, a'm stwffio i focs, ond lwyddon nhw 'rioed. Roedd gormod o ochrau yn perthyn i mi. Dyna fy nawn. Yn y diwedd, dyma nhw'n gadael llonydd i mi.

Falle nad o'n i'n deall bryd hynny yr hyn dwi'n ei ddeall yn awr – ei fod yn ein natur i ddwyn y cyfoeth – y naill ddyn oddi wrth y llall. Gobeithio nad ydw i 'rioed wedi brifo unrhyw un. I dorri stori hir yn fyr, bûm yn stachu am ddeng mlynedd i wneud bywoliaeth 'run fath â phawb arall, er y byddai dyn dall wedi gallu deud nad o'n i 'run fath â phobl eraill. Ro'n i ofn 'radeg honno, taswn i'n canfod fy hun mewn trwbwl, na fyddai neb yn fy helpu. A rhan o'm natur ydi nad ydwi'n hidio run ffadan am neb arall. Tu ôl i'r safbwynt yma, mae yna ddewrder a gonestrwydd treiddgar. Dwi wedi gwybod erioed – achos mae gen i ben doeth ar f'ysgwyddau – fod gonestrwydd yn beth anodd iawn os wyt ti'n rhy dlawd, ac mae'r un peth yn wir am ddewrder. Fedrwch chi ddefnyddio eich doniau i'r eithaf os oes gennych chi dipyn o gysuron materol. Ond doedd gen i ddim taten o ots am ddynoliaeth, canfyddais fy hun ar y cyrion. Er gwaethaf hyn, roedd yr arwahanrwydd hwn fel tase fo'n ffafriol i'm dychymyg a'm celf. Ro'n i'n rhydd o lygredd y meddwl sy'n nodweddu perthynas ag eraill. Falle bod pobl yn amrywio o'r naill i'r llall, ond mae gan bawb archwaeth, ac roedd f'un i gystal ag unrhyw un. Roedd rhaid i mi lenwi fy mol. Roedd rhaid i mi ennill fy mara rywsut; a fedr y gwenith ddim tyfu ar ei ben ei hun.

Wna i ddim trafferthu yma efo'r naw ysgol y bûm yn dysgu ynddynt ar draws y naw sir yn Iwerddon. Nac efo'r ffaith mod i wedi rhoi'r gorau i ddysgu yn y diwedd pan gefais freuddwyd fod y byd cyfan wedi ei glymu'n dynn efo rhaffau – i fyny, i lawr ac ar draws – megis y llinellau mewn llyfr cofrestru mewn ysgol. Fedrwn i ddim goddef y byd mwyach os oedd wedi cael ei rwymo fel hyn. Yr ail swydd a gefais oedd cyfieithu llyfrau i'r Wyddeleg. Roedd gan y Llywodraeth gynllun i ddyrchafu barddoniaeth a chelf. A'r ffaith amdani oedd nad oedd gen i na'r lleill fawr o amynedd efo An Gúm (cwmni cyhoeddi yn perthyn i'r Wladwriaeth). Rhoddwyd llyfrau i mi eu cyfieithu. Y ffordd rown i'n ei gweld hi – roeddent yn fodlon fy nhalu am waith oedd mor rhwydd â chlymu criau eich sgidiau, felly doedd affliw o ots gen i beth oedd enw'r lle neu pa bethau gwirion roedd o'n ei wneud.

Ni fûm yn gweithio yno'n hir beth bynnag cyn canfod nad oedd y busnes yn unrhyw fath o hwyl. Ro'n i'n gweithio efo llenyddiaeth yn yr un modd ag y mae dyn arall yn torri coed. An Gúm oedd y bobl fwyaf llym y deuthum ar eu traws erioed. Roedd yn gas gen i An Gúm, a'r casineb hwn a gadwai'r marwor yn fy nghalon yn boeth – nes daeth dydd o brysur bwyso. Ro'n i wedi gobeithio erioed gallu dinistrio An Gúm ryw fodd, a faswn i'n malio dim am y canlyniadau i mi fy hun chwaith. Nid mod i'n gwadu fod yna rai manteision o weithio yno wrth gwrs. Doedd dim rhaid i mi godi'n rhy fuan yn y bore neu ruthro o gwmpas y lle fel pobl eraill. Ac ro'n i'n cael fy nghyflog yn un swm, ac ro'n i'n mwynhau ei wario. Ond wedyn, ro'n i wedi nghlymu mewn ffyrdd eraill hefyd. Wnes i 'rioed ymddiried yn llwyr yn y gweision sifil oedd yn gwasanaethu'r drefn.

Cymrais gyngor fy ffrindiau dros dro, a wnes i ddim mynd uwchben fy safle chwaith – drwy ennill mwy o bres nag eraill neu beri trafferthion yn y gwaith. Yn hytrach dyma fi'n gwylio a dysgu yn dawel am ffyrdd y byd, ac yn fy ffordd fach fy hun. Ac ro'n i wrth fy modd efo'r rhyddid o weithio yno hyd yn oed os o'n i'n cael fy nghlymu mewn modd arall gan y mân reolau a'r cyfyngiadau. Roedd o'n dal yn llawer gwell na bod yn gaethwas a phob awr yn cael ei mesur gan y cloc.

Bûm yn gweithio yno am bedair blynedd pan newidiodd y llywodraeth. Mae'n debyg mai hwn oedd dydd y cyfrif, dywedais wrthyf fy hun yn fuan wedi Calan 1932. A dyma fi'n gadael y lle. Petawn wedi treulio llawer mwy o amser yn An Gúm yn cyfieithu llyfrau i'r Wyddeleg, fasa gen i ddim rhithyn o greadigrwydd yn weddill ynof. Mae'n siŵr y byddwn wedi canfod ffordd amgen o ennill fy nhamaid, ond byddwn wedi bod fel rhywun arall oedd heb ennill na cholli – dim ond peiriant diflas, awtomatig. Collais swyddi hawdd, gan mod i wedi fy melltithio, ond o leiaf ro'n i'n rhydd i fynd fy ffordd fy hun.

A dyma ddweud wrthyf fy hun, Hei, An Gúm! Dwi'n mynd ymaith i ddilyn fy ffordd fy hun rŵan, a hynny heb eich caniatâd chi hefyd!

Pennod 2

Unwaith y setlais yn fy lojings newydd, dyma ddechrau meddwl am y ffordd orau i ennill fy mara menyn. Dwi'n cofio meddwl tase gen i ogof rhywle ym mynyddoedd Wicklow mi allwn oroesi drwy ddwyn defaid a thatws a ballu. Gallwn weld fy hun mor glir â'r dydd yn gorwedd ar fy nghefn, ac yn ymlacio ar fy rŷg croen dafad heb unrhyw genfigen na drygioni gan eraill i'm poeni. Ro'n i wedi mwydro cymaint efo'r syniad hwn fel yr es i'r llyfrgell i astudio dipyn ar y mapiau i weld lle'r oedd y lle gorau i wneud fy nghuddfan, ac ro'n i rhwng dau feddwl p'un ai Glenmalure neu Sally Gap oedd y lle gorau. Roedd yn bwysig iddo fod yn ymyl dŵr ac mor agos â phosib i gyflenwad bwyd, ond ar yr un pryd yn bell oddi wrth lygaid busneslyd pobl. Gan astudio'r map, sylweddolais cyn lleied o dir gwyllt sydd yn weddill yn Iwerddon bellach, a chyn lleied o dir sydd yna heb ei fod wedi ei amgylchynu gan ffosydd a ffensys a rhywun yn cadw llygad barcud arno.

Anghofiais yr holl syniad am Wicklow rai dyddiau yn ddiweddarach a'r unig beth da ddaeth ohono oedd y sylweddoliad pa mor dlawd ydi'r wlad hon mewn gwirionedd. Nesaf, dyma fi'n meddwl gosod hysbyseb yn y papur – rhywbeth tebyg i hyn:

Dyn, 30, cryf, iach a brwdfrydig iawn. Yn fwy dysgedig na'r mwyafrif o ddoctoriaid llenyddol. Dim yn y byd na fedr wneud joban arbennig ohono – yn ei ffordd ei hun – ac ugain o jobsys eraill na fedr eu gwneud yn well na'r arferol.

Cyn gynted ag ro'n i wedi cyfansoddi hwn, dyma feddwl – wnaiff 'run copa walltog ymateb i hysbys fel hwn. Fyddai rhywun ddim yn cyflogi person o'r math yma ychwaith. Doedd gen i ddim dewis ond aros ar y clwt. Gallaf ddeall cymaint â hynny rŵan. Doeddwn i ddim ar werth i'r cynigydd mwyaf. Dim ond caethweision sydd ar werth. Roedd rhaid i mi ymladd drosof fy hun.

Doedd gen i ddim tir nac arian i sefydlu busnes fodd bynnag.

Gallwn fynd allan ar y stryd a chardota ceiniogau, ond synhwyrwn y byddai'r cynhaeaf yn un go dila. Neu gallwn fod yn lleidr pen ffordd fel Redmond O'Hanlon yn yr hen ddyddiau gynt, rhyw Rob Roy o ddyn, neu Dwm Siôn Cati. Crwydrais o amgylch y ddinas a gwirio'r llefydd lle'r oedd yna bres a chymrodd hi fawr i mi sylweddoli fod angen amser a chynlluniau i drefnu lladrad mawr, a falle y byddai'n cymryd chwe mis o wylio safle gan aros eich cyfle. Es yn fy mlaen i astudio pobl yn hytrach na llefydd. Ond roedd gan y cyfoethogion i gyd geir a phwy bynnag y deuwn ar eu traws, roeddent allan ohoni gymaint â mi, a'r siawns debygol oedd – petawn yn llwyddo i ddwyn eu pwrs, roeddent mor dlawd â mi.

Dyma fi'n ystyried politics wedyn. Fuo gen i fawr o ddiddordeb mewn gwleidyddiaeth am y rheswm syml nad oedd gen i ddiddordeb mewn pobl. Peth da fyddai rheoli pethau yn Iwerddon, meddyliais, ond petawn yn mynd mor bell â hynny, byddwn yn crogi llawer o bobl ac yn gwneud eraill yn gaethweision. Achos mae llawer o bobl yn haeddu hynny, (medda fi wrthof fy hun), a gwn y gwahaniaeth rhwng du a gwyn yn ddigon da. Ro'n i'n meddwl am sefydlu cyfundrefn Aeleg yn Iwerddon a phwy bynnag oedd ddim yn siarad Gwyddeleg, caent aredig, neu fod yn bostman, neu'n gaethwas o ryw fath. Mi wnes i fynychu un neu ddau gyfarfod gwleidyddol go iawn i weld beth oedd yn mynd ymlaen ond unwaith y canfyddais y byddai'n rhaid i mi wneud y gwaith i gyd fy hun, dyma fi'n rhoi y sosban honno i aros ar y tân am dipyn.

Yn y man, dyma'r pres yn dechrau mynd yn brin, a dyma fi'n rhoi hysbyseb yn y papur yn cynnig dosbarthiadau Gwyddeleg. Nid fod dysgu Gwyddeleg yn rhywbeth ro'n i 'rioed wedi ei fwynhau. Pwy bynnag a fagwyd yn yr iaith Saesneg, fasa chi ddim yn deall hyn. Ond os oes gan rywun Saesneg da, a bod rhaid iddynt ddysgu'r iaith i rywrai efo Saesneg gwirioneddol giami, mi fyddent yn deall fy mhwynt yn syth. Mae dysgwyr Gaeleg wastad yn fy atgoffa o labrwyr sydd yn gorfod gweithio efo'u dwylo, yn swigod a phothelli i gyd. Roedd gen i'r teimlad hefyd y byddai rhai pobl ryfedd yn dod i ddosbarth dim ond i ddysgu gen i.

Ches i 'rioed unrhyw ymdeimlad na chafodd ei brofi'n wir chwaith, achos dim ond llond dwrn o bobl ddaru ymateb i mi, a dim ond un o'r rhai hynny oedd werth eu 'nabod. Tom Kerrigan oedd hwnnw. Dim ond deunaw oed oedd o, ac yn eithriadol o ddoeth. Roedd hi'n haws dysgu Gwyddeleg i Tom na'r un o'r lleill, ond wedi iddo ddod i rai o'r dosbarthiadau, stopiais ddysgu Gwyddeleg iddo'n gyfan gwbl. Roedd gan y ddau ohonom ormod o heyrn yn y tân. Roeddem yn gwylio ac yn archwilio'r byd i weld lle gallen ni ganfod rhyw gornel neu gyfle i'n hunain. Ro'n i'n hŷn nag o wrth gwrs a gwyddwn y byddai'n rhaid i mi wneud rhywbeth ohoni yn fuan, tra'r oedd gan Tom holl obaith ieuenctid a gallai fanteisio ar siawns mewn modd na allwn i.

Roedd o'n un da am ddwyn. Mae 'na lawer o lanciau o gwmpas y dyddiau hyn sy'n feistri ar ddwyn, a thorri i mewn i dai oedd hoff destun sgwrs Tom. Ar un cyfnod, roeddem wedi nodi un tŷ yn benodol ar yr ochr ddeheuol roeddem yn bwriadu torri mewn iddo. Y munud olaf beth bynnag, dyma fi'n meddwl am gynllun gwell. Un da oeddwn i am ddarllen y natur ddynol. Fedra i edrych ar wyneb ac ymddygiad person, a hyd yn oed ddeud eu ffortiwn wrth edrych ar eu dwylo. Does gen i ddim syniad o le ges i'r ddawn hon, ond ro'n i'n meddwl y byddai yn ffordd o wneud pres. Dyma rannu fy syniad efo Tom.

'Mi fyddet yn gwneud pres yn bendant,' meddai. 'Dylet roi hysbŷs yn y papur "Seosamh Mac Grianna – un da am ddeud ffortiwn – swllt y tro".'

'Aros funud,' medda finna, 'Fasa ddim well i'r creadur yma gael enw o'r Dwyrain Canol?'

'Byddai.'

'A byddai'n rhaid iddo fod yn enwog dros y byd i gyd. Gad inni feddwl.'

'Sori,' medda Tom, 'Dwi wedi anghofio rhywbeth adre a rhaid i mi redeg adre i'w nôl.'

'Popeth yn iawn,' atebais, 'Wela i di fory.'

Sgwennais yr hysbyseb y noson honno. Dyma fo, mae o gen i ar y bwrdd o'm blaen i rŵan:

RHYFEDDOL!!!

Dywed ELI BEN ALIM fod modd dweud eich ffortiwn, ac un eich cariad, a'ch plentyn a'ch ffrind sydd mewn trafferthion.

Mae ELI BEN ALIM, proffwyd Arabaidd, yn gwybod am y dyfodol gystal ag y mae peilot yn gwybod am y creigiau a'r llefydd diogel i lanio. Mae wedi teithio'r pum cyfandir, wedi dweud ffortiwn y *General Williamson, UDA*, ac un *M. Henri Beauvais*, yr actor Ffrengig enwog, *Mahatma Gandhi*, a chyn-Frenin *Bulgaria*.

Anfonwch air at ELI BEN ALIM yn dweud yn blaen beth yw eich problem. Nodwch eich rhyw a'ch dyddiad geni.

Anfonwch archeb bost gwerth 1s 2d neu stampiau.

Cyfeiriad..

'Ydi pobl fel hyn yn bodoli go iawn?' holodd Tom pan ddangosais yr hysbyseb iddo.

'Hm, mae hwnnw'n gwestiwn mawr iawn!' meddwn. 'Person dinod iawn fyddai'n gwrthod credu ym modolaeth Gandhi, a'r brenin gollodd Bwlgaria. Am y ddau arall, tydw i 'rioed wedi clywed amdanynt – ond mae siawns eu bod yn bobl go iawn. Am Eli Ben Alim ei hun, wel ti'n ei weld o o flaen dy lygaid, dwyt?'

'Mae hwnna'n hysbyseb gwych,' meddai, 'a dwi'n nabod person wnaiff ei deipio'n iawn i ti.'

Rhoddais yr hysbyseb i wahanol bapurau, a phwy bynnag sydd gan amynedd i bori drwy hen bapurau, fe ddônt o hyd i'r union un. A'r pethau a glywais i wedi hynny, chlywodd yr un enaid arall – hyd yn oed offeiriaid ei hunain – gyfaddefiadau tebyg iddynt. Merched, merched, merched a chymaint o ddynion a fyddai'n rhoi sioc i chi. Gwyddwn o'r blaen, os oeddech eisiau gwneud ffŵl go iawn ohonoch eich hun, mi fyddai gennych ddigonedd o bobl o'r byd hwn i gadw cwmni i chi. Ac mi ges i gymaint o lythyrau fel na allai Tom ddal i fyny efo'r gwaith clercio. Dipyn o dasg oedd deall y llawysgrifen weithiau, ond roeddem yn gwneud beth allen ni efo nhw. Dyma'r unig ffordd oedd gen i o gasglu unrhyw wybodaeth am y person oedd wedi sgwennu'r llythyr. Sawl gwaith, ro'n i'n sgwennu hyn yn fy nodiadau, 'Mae gennych wallt du, rydych chi reit dal, a phan yn cerdded, rydych yn rhoi eich troed chwith allan a'i dilyn efo'r dde.' Unwaith y gwyddwn rywbeth am rywun, byddwn yn dweud ei ffortiwn. Roedd yn ymarfer da i'r meddwl, a dwi'n siŵr, taswn i wedi dal ati yn ddigon hir, byddwn wedi gwneud dyn-deud-ffortiwn da. Ond derbyniais ormod o lythyrau a doedd gen i 'run dewis ond sgwennu un ateb cyffredinol a'i anfon at bawb.

A bardd ydw i beth bynnag, a dydw i ddim yn credu mewn gwastraffu amser ar waith diflas. Ond doeddwn i ddim yn siŵr ychwaith os oedd rhyw hogan bryderus yn debyg o gysylltu â mi, a sylweddoli nad oedd gen i'r lliw croen nac ymarweddiad proffwyd o wlad y tywod.

Diflannodd Eli Ben Alim o Iwerddon y gaeaf hwnnw ac fe'm gadawyd heb ddim, gan nad oedd fawr o arian i'w wneud o ddysgu Gwyddeleg. Ond dydych chi ddim angen fawr i gadw corff ac enaid ynghyd, a dim ond pan mae pobl yn byw ar fymryn bach y maen nhw yn fyw go iawn. Ro'n i'n gwsmer da i'r caffi Eidalaidd y gaeaf hwnnw. Mae'r Eidalwyr yn griw tanbaid a bywiog. Byddwn yn cael dipyn o sgwrs efo'r bos, a gwyliwn y bobl ddeuai i mewn ac allan o'r lle. Dwi'n amau fod yna lot o bobl nad ydynt 'rioed wedi bod yn un o'r siopau sglodion 'ma o'r blaen, hyd yn oed os ydi pobl fel minnau yn eu mynychu yn gyson. Pobl dlawd yw'r mwyafrif aiff i siopau sglodion y dyddiau hyn, ac mae'r siopau i gyd yn edrych 'run fath. Mae'r waliau wedi eu gwneud o bren brown a phartisiwn pren yn rhannu'r stafelloedd ac mae bwrdd a chadeiriau ym mhob adran. Mae arogl 'sgodyn a thatws yn llenwi'r stafell ac mae ager ar y ffenest. Does dim byd neilltuol o hardd am y llefydd hyn, ond mae'n werth talu sylw i'r cwsmeriaid sy'n mynd a dod. Dau fath o bobl sydd 'na – y rhai ddaw â bwyd adre efo nhw, a'r rhai sy'n ei fwyta yn syth yn y siop. Mae'r math cyntaf yn mynd at y cownter, ac mae'r siopwr yn rhoi llwythi o sgod a sglods mewn papur newydd iddynt, yna'n tollti halen a finag ar y cyfan. Yna maent yn gadael y siop efo pecyn bach cynnes dan eu braich. I lawer o dlodion Dulyn, dyma unig bryd y dydd. A dwi wedi gweld torfeydd yn y siopau hyn ganol dydd, a hwn yw eu prif bryd, ac maent yn dibynnu arno i fyw. Mae'r ail grŵp o bobl yn eistedd i lawr ar gyfer eu pryd, hyd yn oed os yw'n anodd i bedwar o bobl eistedd o amgylch bwrdd. Mae eu pengliniau wedi eu gwasgu dan y bwrdd, a dim ond jest digon o le sydd ar y bwrdd i ddal y platiau a'r bwyd. Wedyn, mae'r bocs halen a'r botel finag yn mynd o un bwrdd i'r llall yn ei dro. Mae plant blêr yr olwg yn sefyllian tu allan i'r drws yn disgwyl am unrhyw friwsionyn fydd dros ben. Dysgais lawer y flwyddyn honno am yr amgylchiadau byw y mae'n rhaid i dlodion Dulyn eu goddef.

Dysgais bethau newydd am fwyd y flwyddyn honno hefyd. Mi wnes i ganfod y gallwn brynu cymaint o laeth a llaeth enwyn ag oedd ei angen am dair ceiniog. Deuthum yn gyfarwydd â'r holl gaffis strydoedd cefn lle'r âi'r gweithwyr a lle gallech gael bara a ham a the am wyth swllt. Roedd y bobl a fynychai'r llefydd hyn yn edrych yn fudr a di-raen ond pwy bynnag sy'n dal nad oes gan y tlawd ddim hunan-barch, dydyn nhw ddim yn eu 'nabod o gwbl. A dydyn nhw ddim yn ddwl chwaith. Dwi wedi eu clywed yn trafod sawl mater gwahanol, a chaf fy synnu fod pobl efo cymaint o wybodaeth a dirnadaeth wedi eu gormesu a'u cadw i lawr yn y lle cyntaf. Roedd gen i arferiad o gychwyn trafodaeth neu ddadl ac yna ei chadw i fynd gan luchio fy ngwerth hatling innau i mewn yn achlysurol.

Yn anffodus, does gen i mo'r amser na'r cyfle i ailadrodd llawer o sgyrsiau a dadleuon a glywais mewn gwahanol gaffis a thafarndai erstalwm, neu'r trafodaethau a gefais ar y cei efo dynion oedd wedi teithio'r holl fyd; neu'r modd y byddwn yn ateb swyddogion neu fy niffyg parch efo siopwyr a'r mil o ffyrdd eraill ro'n i'n cyfathrachu efo'r ddynoliaeth yn y dyddiau hynny.

Pennod 3

Yr wythnos ganlynol dyma fi'n cyfarfod dyn oedd yn go bwysig efo'r IRA. Ro'n i wedi dod i'w nabod rhyw bump neu chwe blynedd ynghynt, fel roedd hi'n digwydd bod. Roedd o o hyd yn gofyn i mi ymuno ond roedd yna rywbeth yn ei gylch oedd yn dweud wrthyf am beidio ildio iddo. Nid hon oedd fy ffordd i ychwaith. Ond oherwydd myrraeth neu rywbeth y diwrnod hwnnw, mi adewais iddo gael rhwydd hynt am dipyn. Daeth allan o siop lle'r oedd ei gar wedi ei barcio ar y ffordd.

'Pam na wnei di drefnu rhywbeth?' gofynnais. 'Y ffordd mae pethau'n mynd, bydd pobl yn anghofio fod Iwerddon wedi bod eisiau Gweriniaeth o gwbl. Mi ddaru'r giwed Gomiwnyddol adael i'w lle gael ei losgi'n ulw. Ond pan mae dy gymdogion yn llosgi dy dŷ, dim ond un ymateb sydd i hynny a hwnnw ydi llosgi ei le yntau. Twt, dydi'r criw yna ddim o ddifrif am ddim byd.'

'Gwranda gyfaill,' medda fynta. 'Os ydi'r gwir ar dy ochr, fedri di ddim cuddio tu ôl i wrych. Dim ond cymryd arnyn nhw eu bod yn Gomiwnyddion a Gwyddelod a Phabyddion maen nhw, i gyd yn un.'

'Wela i ddim pam na chawn nhw ddim bod y tri ohonynt efo'i gilydd,' meddwn. 'Yn fy marn i, dydyn nhw 'run ohonyn nhw mewn gwirionedd.'

''Rosa funud,' meddai, 'mae gen i'r car tu allan. Ti eisiau dod am reid efo mi?'

'I le ti'n mynd?' gofynnais.

'Reit rownd 'Werddon,' atebodd.

'Ddo i efo ti yr holl ffordd,' meddwn i.

Roedd o'n hapus. Wedi inni eistedd yn y car, gallwn ddweud ei fod yn falch iawn o'r cerbyd. Gyrrai yn araf a gofalus a gwyddwn beth âi drwy ei feddwl – ddyla rhywun fel fi fod yn falch o fod yn eistedd mewn car fel hwnnw. Ond barnu rhywun ar gownt pwy ydyw wna i, yn hytrach na beth sydd pia nhw. Dyna pam dwi'n rhoi fy nhraed ar fyrddau mewn caffi neu'n gadael cwmwl o fwg sigarét tu ôl i mi mewn siopau neu swyddfeydd. Aethom ar y brif ffordd i gyfeiriad Meath, yn sgwrsio pymtheg y dwsin.

'Mi wnaeth Pearse bethau mawr,' meddais. 'Does neb yn
Iwerddon nad oedd yn falch o'r hyn a wnaed yn 1916. Ond mi ddaru
lot o ddifrod hefyd.'

Ymhen dipyn, gofynnais iddo,

'Dwyt ti ddim yn meddwl falle nad ydan ni fawr o werth pan
mae'n dod i lawr i hanfodion?'

'Gen i fy mhris 'run fath â'r dyn nesaf,' meddai, 'a dwi'n werth
mwy na'r rhelyw.'

'Mae mhris i mor uchel fel na fedr neb fy mhrynu,' meddwn.
'D'allai politics mo mhrynu. Er hynny, falle y gallai, taswn i yn
gwybod beth mae eich criw chi yn meddwl ei wneud tase chi'n cael
eich ethol.'

Doedd yna ddim taw arno wedyn, a dyma fo'n mynd i gryn
fanylder i ddisgrifio'r hyn rown i wedi ei glywed a'i ddarllen gan
gwaith o'r blaen – nes i mi roi stop arno.

'Dyna ddigon, plîs,' meddwn. 'Mae hynny i gyd yn iawn ac yn
deg, ond wnewch chi falu teliffôns a llosgi'r holl ffurflenni?'

'O, yn sicr ddigon. Faswn i'n poeni go iawn tase cymaint o
amser yn y dyfodol yn cael ei wastraffu ag a gaiff ei wastraffu
heddiw ar sawl peth.'

'Dwyt ti ddim yn un drwg o gwbl,' meddwn. 'Ac mae'n dechrau
nosi, ac rydan ni'n mynd tua'r gorllewin ar siwrne nad ydi pawb yn
ei gwneud.'

Dyma barhau ar ein taith, yn trafod hyn a'r llall, ac wrth iddi
nosi, roedd y coed yn tywyllu ar y naill ochr a'r llall. Aethom heibio
giatiau a thai oedd mewn trwch o goed. Roedd y goleuadau o'i
mewn fel sêr wrth inni fynd heibio pentrefi bach, oedd yn dawel a
heddychlon. Yn y diwedd, roedd bron yn gwbl dywyll, a dyma'r dyn
yn stopio'r car.

Safai dyn tal, mewn dillad du dan y coed fel ysbryd. Cyfarchodd ni
a mynd i gefn y car. Dyma adael y brif ffordd a dyma'r ysbryd yn rhoi
cyfarwyddiadau inni wrth inni groesi nifer o groesffyrdd gwahanol.

'Wyt ti'n brysur dyddiau hyn Seán?' gofynnodd y gyrrwr.

'Does dim wedi digwydd ers tro bellach,' meddai'r ysbryd, 'ond
daeth dyn newydd i'r baracs yn ddiweddar. Fydd hi ddim yn hir
cyn iddo fo ddod rownd i sniffian, ddywedwn i.'

Wedi inni barhau am ryw dair, bedair milltir arall, daeth y car o
flaen giât a diflannodd yr ysbryd.

'Rydan ni am alw yma,' meddai'r bòs – mi galwn ni o yn Liam Cassidy.

Dyn dinas oedd Liam. Gallwn ddeud cymaint â hyn wrth inni gerdded ar y llwybr i'w dŷ, achos er bod y llwybr yn go llyfn yr oedd fel dyn dall ar flaenau ei draed ar y cerrig mân.

Dyn tua'r deg ar hugain a ofalai am y tŷ. Roedd tân agored yn y gegin, y math hen ffasiwn oedd yn ddigon o faint i sefyll ynddo, efo pentan bob ochr i'ch cynhesu. Roedd ganddo dân wedi ei wneud o briciau a changhennau. Nid ardal mawn na thyweirch mo hon. Gwnaeth y dyn dipyn o fwyd inni – p'un ai oedd o eisiau gwneud hynny ai peidio.

Doedd yna ddim sôn am ryfel na hawliau pobl a doedd y drafodaeth ddim yn un arbennig o ddiddorol – yn fwy fel sgwrs rhwng dau oedd yn nabod ei gilydd yn dda. Gallwn ddweud o'r ymgom mai cadlywydd oedd y dyn hwn ac roedd yr erchyllter a'r farddoniaeth yn cael eu celu rhag unrhyw un oedd yn is yn y gadwyn fwyd – fy siort i. Dyma ffordd y byd meddwn wrthyf fy hun. Ddaru 'na ddim lot ddigwydd yno a dyma ni'n gadael y tŷ yn y man ac yn croesi'r Shannon a chyrraedd Galway rhywbryd rhwng cyfnos ac amser cwsg. Ddaru ni alw ar ddyn arall wedyn, ond fedra i ddim deud i ddim byd anhygoel ddigwydd yno chwaith.

Dyma dreulio'r noson honno mewn gwesty a chroesi ar draws gwlad y dydd canlynol nes inni gyrraedd tref benodol yn union i'r de o ddinas Galway. Yr oedd yn ddiwrnod teg a safai dynion solet, efo llygaid siarp, ar y ffordd yn prynu a gwerthu da. Aethom i mewn i'r tŷ rhyw hanner ffordd i lawr y stryd a disgwyl am ryw hanner awr cyn i rywun alw. Yna pwy ddaeth heibio ond yr offeiriad lleol. Roedd o'n ifanc, yn olygus ac yn groesawgar iawn. Dyma eistedd lawr a thrafod sut yr aeth y cwffio yn 1922, a beth ddylid fod wedi ei wneud yn well o ran tactegau a strategaeth a ballu. Roeddem wedi bod yno am bron i awr pan gyrhaeddodd y dyn roedd Cassidy yn ei ddisgwyl. Llanc gwallt tywyll oedd o oedd yn methu stopio siarad. Roedd fel tasai ar bigau drain.

'Does neb yn gwrando arnaf y dyddiau hyn ar wahân i'r rhai sy'n hanner call,' meddai, 'a dydi'r CID heb adael llonydd i ni ers tridiau. Fasa dim cymaint o ots gen i blaw fod fy nheulu bron â mynd o'u coeau ac yn barod i'm lluchio allan o'r tŷ ar gownt y straen. Fedra i mo'i oddef yn llawer hwy.'

Siaradodd yr offeiriad efo fo a cheisio ei dawelu a siarad sens efo fo, a gwnaeth Cassidy yr un modd, ac wedyn dyma finna'n rhoi cynnig arni – a chredwch fi, mi gymrodd gryn amser. Ddaru ni dreulio gweddill y pnawn yn siarad, ac yn y man, dyma Cassidy yn rhoi llythyr i'r llanc a'i anfon ymaith.

'Rŵan,' meddai'r dyn, 'rhaid i mi fynd allan i'r wlad gan y bydd yn nosi'n fuan. Os ydynt o'n blaenau ar y ffordd yn chwilio amdanom, o leiaf mae gennym y naill a'r llall yn gwmni inni. Oes ofn arnoch chi?'

'Dim o gwbl,' atebais. 'Fedra i ddeall eich bod yn bryderus gan fod gennych rai cyfrifoldebau penodol y mae'n rhaid i chi eu cyflawni ar y ffordd. Ond does gen i ddim taten o ots lle mae'r haul yn codi arna i. Dydw i ddim mor ddibynnol ar bobl fel mod i'n cael fy mhoeni ganddynt y naill ffordd neu'r llall. P'un ai ydynt yn help neu'n rhwystr, wnaiff o ddim gwahaniaeth i mi,' meddwn.

'Beth ydi hwnnw o'n blaenau?' gofynnodd wedi inni fynd rhai munudau lawr y ffordd.

'Y nhw,' meddwn, 'ond os na yrrwn ni reit trwyddynt, bydd yr holl drip yma wedi bod yn wastraff amser.'

Aethom drwy'r *checkpoint* a dyma un ohonynt yn cael ei daro gan bumper y car a chael ei luchio pen gyntaf ar y llawr. Er gwaethaf hyn, ddaru'r giards ddim saethu arnom chwaith. Hanner awr yn ddiweddarach dyma fi'n edrych tu ôl inni i weld a oedd rhywun yn ein dilyn.

'Mae car yn ein dilyn,' meddwn i.

'Dydi hynny ddim yn syndod o gwbl,' medda Liam. 'Os nad ydyn nhw'n aros amdanom o'n blaenau mewn dipyn, bydd rhaid iddynt fod y tu ôl inni.'

'Dwyt ti'n un doniol?' medda fi. 'Ti'n fwy ffraeth na dy siort arferol, yn sicr, mi sylwais hynny. Mae'n od fel mae Perygl yn cyfoethogi'r meddwl.'

Mi ddaru'r car tu ôl inni barhau i'n dilyn nes iddi dywyllu, roedd fel bol buwch wrth inni deithio drwy Swydd Mayo. Mi edrychais y tu ôl inni eto ac roeddent yn llawer pellach nag yr oeddent ynghynt.

'Rydan ni'n eu colli,' meddwn.

'Ti'n iawn,' meddai Cassidy gan edrych dros ei ysgwydd. 'Maen nhw wedi rhoi'r gorau iddi.'

'Ti'n iawn,' medda finnau, 'falle mai 'chydig o ferched yn mynd â'u ci am reid oedden nhw.'

Dyma gyrraedd Westport y noson honno ac aros yn nhŷ rhyw

ddyn gan roi llythyr iddo. Y diwrnod canlynol roeddem yn dod tuag at Sligo pan godais fater y llythyrau.

'Mae'n anhygoel,' meddwn, 'ein bod wedi teithio cymaint mewn car dim ond er mwyn danfon 'chydig o lythyrau. Dwi braidd yn amheus o'r llythyrau 'ma – pa mor bwysig ydyn nhw mewn gwirionedd?'

'Wel, mae'n rhaid inni roi rhywbeth iddynt,' meddai.

'Mi fyddai hyd yn oed un gwn yn gwneud dipyn go lew o ddifrod,' meddwn. 'Tase gennym ni un rŵan, mi allen ni saethu dipyn yn Mullingar, wedyn yn Athlone, yna yn Ballinasloe a dinas Galway, ac yn y blaen felly.'

'Dim ond 'chydig oriau fydde hi'n ei gymryd iddyn nhw fynd ar ôl car efo gwn.'

'Ddyn da,' meddwn, 'ddim fel 'na fyddai petha' yn gweithio o gwbl. Y munud y bydden nhw'n clywed saethu ym Mullingar, byddai pawb yn meddwl sut i fanteisio ar y sefyllfa er mwyn eu budd eu hunain. Fasa nhw'n amgylchynu'r lle efo milltir sgwâr o ffensys. Ac felly ym mhob un o'r trefi eraill. Byddai ganddynt y Fyddin yn gefn, ac wedyn fasa gennych chi weddill y wlad yn rhydd i chi gael gwneud fel y mynnoch.'

'Ti'n rhy galed ar y bobl,' meddai.

'Wel, dim go iawn. Diawch, dwi gymaint o gythraul â neb pan mae'n dod lawr i betha', hyd yn oed os ydwi'n cael rhyw bwl o gydwybod bob yn hyn a hyn.'

Ddaru ni deithio o Sligo, lle'r oedd llanc ifanc yn aros amdanom mewn hen ystafell a arferai fod yn siop. Gorchuddiwyd popeth mewn llwch a baw ac roedd taflenni hwnt ac yma fel petai ryw waith argraffu wedi bod yma unwaith. Ond roedd un edrychiad ar wyneb y llanc yn deud wrthych nad oedd dim wedi digwydd yma ers amser maith. Hogyn bychan, gwelw ei bryd oedd o, ac ni allech gasglu dim o'i wedd heblaw nad oedd ganddo unrhyw safle o bwys yn y Mudiad.

Gadawsom Sligo yn hwyr y prynhawn hwnnw a theithio tua'r dwyrain i gyfeiriad Dulyn. Roedd y nos yn heddychlon. Cododd y lloer wrth inni ddringo ochr y mynydd ac roedd y cymylau yn rasio dros gefnau'r bryniau.

'Dacw Cornaslieve Pass,' meddai Liam.

Y diwrnod canlynol roeddem yn ôl ar y ffordd eto, ac ni ddigwyddodd dim byd mawr nes ein bod yn ôl yn Nulyn. Es yn ôl i fy lojings fel dyn newydd ddychwelyd o'i wyliau. Ymddangosai'r ddinas yn farw a difywyd, a cherddais nôl a mlaen ar hyd llawr fy stafell tan hanner nos. Roeddwn wedi mynd o amgylch hanner ffyrdd Iwerddon ac eto, teimlai fy meddwl yn gyfyng ac wedi ei gau mewn. Teimlwn fel pe bawn wedi ngharcharu. Roeddwn yn gaeth yn y stafell fechan od unwaith eto – lle nad oedd nac yma nac acw. Ro'n i'n isel fy ysbryd yn syrthio i gysgu y noson honno, ac eto roeddwn yn synhwyro y byddai rhywbeth anarferol yn digwydd i mi cyn bo hir.

Pennod 4

Bore wedyn, ro'n i ar gymaint o frys i ddianc o'r stafell ac i fynd allan i'r awyr iach fel y gallwn ddweud mod i ar fin suddo i iselder. Pa bryd bynnag dwi'n dechrau teimlo'n ddigalon fel hyn, dwi'n mynd i'r wlad ac i diroedd gwyllt y bryniau. Rydw i wedi cael y teimladau a'r greddfau hyn erioed – y Felan – ac yn aml daw barddoniaeth o ganlyniad. Mae unigrwydd y wlad yn debyg i fedddod prydyddiaeth. Mae'r rhain fel y rhoddion ddaeth Moses i lawr o Fynydd Sinai, ac y daeth Ioan Fedyddiwr efo fo ar draws yr Iorddonen. Mae eich dirnadaeth yn ehangu yn niffeithwch y wlad – y weledigaeth sydd yn hanfod yr enaid – a waeth pa mor alluog ydi pobl heddiw, dydyn nhw'n dal ddim yn gallu deall hyn. Ond os bydd y ddynoliaeth yn esblygu yn iawn ryw ddydd, byddant yn amgylchynu pob tref a dinas efo gerddi eang unig, milltiroedd o hyd.

Gadewais y ddinas a mynd allan i le y nofia'r dynion mwyaf ffit – ger Forty Foot. Ond roedd gormod o dyrfa yno ac felly es ar lan y môr am filltir neu fwy – allan i draeth Dalkey, lle canfyddais fy hun heb neb o nghwmpas. Cerddais cyn belled ag ochr y clogwyn yno, a gorwedd ar graig, gan adael i'r haul wenu arnaf. Roedd y dydd mor hardd fel ei fod bron â thorri'ch calon, yr oedd yn rhyfeddol, a doeddech chi ddim am iddo orffen – roedd yr haul mor llachar a'r awel mor bur. Roedd arogl y môr a symudiad y llanw yn rhoi cryfder aruthrol i mi a theimlais yn wyllt y tu mewn. Mae'r môr wastad yn rhoi nerth enfawr i mi a chryfder, yn enwedig o safbwynt seicolegol. Yn aml, dwi wedi meddwl petawn i yn byw yn ymyl y môr ac efo bwriad i sgwennu llyfr byddwn yn sgwennu gwaith fyddai yn chwythu pennau y mwyafrif o bobl.

Ond doedd gen i 'run awydd i sgwennu y diwrnod hwnnw, ro'n i'n rhy anniddig. Cerdded a phethau eraill oedd yn mynd â'm bryd. Ers i mi ddechrau ffurfio fy ffordd fy hun, ro'n i wedi rhoi'r gorau i sgwennu, a bellach ro'n i'n dyfalu a allwn fyw y ddau fywyd ar yr un pryd – y bywyd crwydrol a bywyd artistig y meddwl. A allai dyn eistedd ar lan y môr a gwerthfawrogi harddwch a gorfoledd y gorwel pell – ac eto fynd â'i gwch allan a mwynhau purdeb syml yr awel a'r awyr ar yr un gorwel? Roedd y frwydr fewnol yn fy styrbio ac roedd yn rhaid i mi godi a dilyn yr afonig denau yn ymyl y traeth, wrth iddi ymestyn a throi ar y llwybr a ddarparwyd ar ei chyfer. Cerddais yn ddiamcan nes iddi dywyllu, teimlais yn flinedig, ac wedyn trois am adref.

Yr ail ddiwrnod, es i Howth, ac i Glenasmole ar y trydydd – ond fedrwn i ddim ymlacio yn yr un o'r ddau le. Yna, dyma sylwi mai'r cyfan oedd gen i ar fy elw oedd deunaw ceiniog a doeddwn i ddim eisiau mynd i chwilio am unigedd wedi hynny. Galwodd Tom Kerrigan heibio i mi yr un diwrnod.

'Tom,' meddwn, 'y cyfan sydd gen i ar f'elw yw deunaw ceiniog ac mae wedi bod yn gred faith gen i petawn yn cyrraedd y sylltau olaf, y byddwn yn mynd allan ac yn eu hyfed. Ac mae lwc dda bob tro yn dilyn hyn. Dyna fy nghynllun diweddaraf. Tyrd efo mi am y crac.'

'Rydw i wedi rhoi'r gorau i yfed,' medda fo.

'Waeth befo, gei di yfed sudd afal neu rywbeth. Tyrd, awn ni!'

Ddaru ni brynu sudd afal a chwrw a gwneud i'r diodydd bara mor hir ag y gallem ac es adre y noson honno yn hapus fel y gog. Y bore wedyn, roedd gen i ddigon o fwyd ar gyfer brecwast a threuliais y dydd yn stwna o amgylch St Stephen's Green. Does 'na neb yn Nulyn sydd heb fynd drwy St Stephen's Green, ond dim ond llond llaw o bobl sydd wedi sylwi ar bethau heblaw coed a llyn a Siôr II ar gefn ei geffyl. Ond mae'r person sy'n sylwi yn fanwl ar fywyd yn gweld llawer yn St Stephen's Green os ydyn nhw wirioneddol eisiau. Mae'r lle yn dew gan ddeiliach a gwair ac mae'r rheini yn bethau gwerthfawr iawn i'r sawl sy'n meddwl fod bywyd yn mynd yn drech na nhw. Wrth eistedd ar fainc yno, bûm yn myfyrio ar yr hyn mae pobl yn ei alw yn sŵn a llanast tu hwnt i giatiau'r parc hwnnw – y frwydr a elwir yn fywyd!

Cerddais o amgylch y parc a dechrau teimlo'n llwglyd unwaith eto. Yn y diwedd, gadewais y Green yn gyfan gwbl a cherdded drwy strydoedd y ddinas. Daeth dau neu dri chrwydryn ataf, ond roedd rhaid i mi ysgwyd fy mhen a cherdded ymlaen. Doeddwn i ddim mewn sefyllfa i helpu unrhyw un. Yn awr ac yn y man, deuwn ar draws pobl ro'n i yn eu nabod. Pan oedd hi'n o lew arnaf, deuent ataf yn syth, yn barod i ysgwyd fy llaw, a byddwn wedi gallu dibynnu ar y mwyafrif ohonynt. Ond rŵan, hyd yn oed os nad oedd golwg crwydryn arnaf, gallwn dyngu eu bod yn gwybod nad oeddwn wedi bwyta dim ers y bore, ac roeddent yn barod iawn i gerdded y tu arall heibio. O leiaf cawn y bodlonrwydd bach fod pobl ddiflas yn cadw draw oddi wrthyf – roedd hynny'n rhyw fath o gysur.

Wedi i mi fod yn cerdded fel hyn am bron i ddwy awr, dois ar draws adeilad mawr efo'r enw 'Byddin yr Iachawdwriaeth' wedi ei sgwennu mewn llythrennau mawr uwch ei ben. Daeth popeth a glywais am y criw yma i fy meddwl. Falle na fyddai'n syniad drwg i mi roi cynnig arnynt, meddyliais, gan mod i mewn cyfnod anodd. Daeth un o filwyr y Fyddin ataf o ryw fath o focs yn y cefn, ac roedd eisiau fy rhoi ar restr o gardotwyr. Dywedais wrth eu harweinwyr mod i'n ystyried ymuno efo'u byddin a dywedais yr holl bethau iawn ynglŷn â chymaint o ddiddordeb oedd gen i yn eu ffordd o fyw – nes iddo fy nerbyn. Nes i adael eu lle efo fy stumog yn llawn, 'chydig geiniogau yn fy mhoced, a phentwr o *War Cry* dan fy mraich. Werthais i fawr o'r papur chwaith. Fe'i dangosais i lawer o bobl, esgob Pabyddol yn eu mysg. Prynodd Maer Dulyn un gen i, a gwerthais un i Almaenwr oedd ar wyliau a heb air o Saesneg, ac i ddyn arall oedd yn feddw. Prynodd Tom Kerrigan ddau gen i a chedwais dri i mi fy hun. Dychwelais at y Fyddin a dyma nhw'n deud wrthyf mod i wedi gwneud yn dda iawn.

Ro'n i'n iawn am yr wythnos a phan ddaeth dydd Sul, dyma fi'n ymuno efo'r criw oedd yn mynd i bregethu ar y stryd. Safon ni ar lan y Liffey lle deuai'r bysus i mewn. Wn i ddim a ddaru rhywun fy nabod y diwrnod hwnnw, o ystyried fod hanner y byd yn mynd heibio'r ffordd yna. A phan ydych chi mewn lle poblog fel rheol, dydych chi ddim yn disgwyl i neb eich nabod. Ddaru neb drafferthu gwrando arnom heblaw rhyw hanner dwsin o ddynion carpiog a thlawd oedd yn pwyso yn erbyn y wal yno. Ydi'r efengylau efo cyn lleied o apêl yn y byd heddiw meddyliais. Dyma ddechrau canu un o emynau'r Fyddin, un oedd yn anghyfarwydd i mi. Dydw i ddim yn ganwr o unrhyw fath – mae hynny'n sicr. Prin fod yna neb wedi nghlywed yn trio canu – blaw ryw hogan oedd yn gystal cantores â'r un yn Nulyn ddywedodd wrthyf unwaith taswn i'n trio dysgu sut i daflu fy llais, falle y byddwn yn gwneud canwr – o ystyried fod gan bawb ei steil ei hun, 'run fath â phob sgwennwr. Mae'n wirion fod rhywun yn deud wrtho i fod rhaid i chi gael yr wyth nodyn i gychwyn efo fo. Manylion miwsig ydi hynny. Y pethau mawr sy'n cyfrif: y teimlad yn y llais a'i burdeb a'r synnwyr o ddrama – agweddau sy'n guddiedig i'r rhan fwyaf o gantorion ond maent yn dod yn reit naturiol i mi.

Beth bynnag, do'n i ddim yn ddigon dewr i ganu efo'r Fyddin, er bod gen i gywilydd aros yn dawel hefyd. Nes i drio meddwl pa gân ro'n i'n ei gwybod orau. Meddyliais yn ôl i'm plentyndod nes i mi ei chofio, ac yna cychwynnais efo llais yn llawn gobaith,

> Beir scéala uaim siar chun na Rosann
> Ionsar an Dálach arb ainm dó Aodh,
> Gur éalaigh ac Chrúbach as Toraigh
> 'S go ndeachaigh sí anon ar an ghaoth;
> Ní raibh ann ach a cnámha 's a craiceann
> 'S nach láidir mar chuaigh sí chun scaoil,
> Gan coite bád ina haice
> A bhéarfadh go seascair í i dtír?

> Tyrd â newyddion nôl i mi o'r Rosses
> I'r dyn o Daly o'r enw Huw,
> Fod An Chrúbach wedi dianc o Tory
> A'i bod wedi mynd draw efo'r gwynt;
> Doedd hi'n ddim 'blaw cnawd ac esgyrn
> Ond oni ddihangodd efo cryfder mawr
> Heb 'run sgiff na chwch wrth ei hochr
> A fyddai'n dod â hi nôl i'r lan?

Os sylwodd eraill arnaf, ddaru nhw ddim cymryd arnynt, ond mi wnes i hyd yn oed sylwi fod y gweithwyr wrth y wal yn anesmwytho. Mae cywreinrwydd gweithwyr Dulyn wastad yn cael ei brocio pan glywant yr iaith Wyddeleg – ac roeddent yn meddwl mae'n debyg fod y Fyddin hon o'r diwedd wedi canfod rhywun allai daenu'r efengyl yn iaith Sant Bríd a Colm Cille. Dyma nhw'n edrych i fyny ac i lawr arna i gan sibrwd y naill wrth y llall mewn ffordd oedd yn hynod ddifrifol. Falle eu bod yn meddwl ei bod yn bryd i'r Eglwys fy esgymuno yn swyddogol. Dyma barhau efo'n canu beth bynnag:

> '*Onward Christian soldiers,*
> *Marching us [sic] to war!*'

a chenais innau:

> A Dhónaill, nach cuimhin leat le n-aithris
> Mar tugadh an Ghlas Ghaibhleanna Mhór
> Go Toraigh ar lorg a rubaill
> Agus tháining sí ar ais go tír
>
> O Dónall, dwyt ti ddim yn cofio
> Chwedl An Glas Ghaibhleanna Mhór
> Sut y daeth i Tory i chwilio am ei chynffon
> A dychwelyd i'r tir mawr unwaith 'to?

Ddaru'r gân honno roi cymaint o anogaeth i mi fel mod i'n teimlo fel cychwyn ar bregeth mewn Gwyddeleg yn y fan a'r lle, ond nid fy nhro i ydoedd i bregethu tan y diwrnod canlynol. Drannoeth, teimlwn yn euog am yr holl beth p'run bynnag. Doedd o ddim yn fy natur na'm cyfansoddiad i ymuno efo cynhaeaf Byddin yr Iachawdwriaeth, waeth pa mor dda oedd eu bwriad.

Ond i lawr i Neuadd Byddin yr Iachawdwriaeth yr euthum y bore wedyn. Gwyddwn nad oeddwn yn ymgeisydd cymwys am aelodaeth ohoni, a doedd hi ddim yn iawn i mi gymryd mantais arni chwaith. Roedd y byd mawr yn dal o'm blaen ac roeddwn am wneud fy ffordd fy hun drwyddo heb eu help nhw. I mewn â fi a deud wrth y dyn yno mod i eisiau gadael.

'Rhaid i chi gymryd golwg fanwl arnoch eich hun,' meddai, 'a pheidio gwneud unrhyw benderfyniadau sydyn. Mae gennych fydolwg ac ysbryd da ac i ddeud y gwir wrthoch, mae gennych olau oddi mewn i chi, ac mi wnewch chi ddifaru os byddwch yn ein gadael.'

'Falle mod i'n gallu gweld y golau,' meddwn, 'ond mae yna lawer o sêr yn y ffurfafen. Mae tynfa fy arferion teuluol yn un gref. Ac fel y cenais y Sul dwytha:

> A Dhónaill, nach cuimhin leat le n-aithris
> Mar tugadh an Ghlas Ghaibhleanna Mhór
> Go Toraigh ar lorg a rubaill
> Agus tháining sí ar ais go tír

O Dónall, dwyt ti ddim yn cofio
Chwedl An Glas Ghaibhleanna Mhór
Sut y daeth i Tory i chwilio am ei chynffon
A dychwelyd i'r tir mawr unwaith 'to?

Doedd ganddo 'run syniad am be ro'n i'n sôn.

Pennod 5

Galwodd Tom Kerrigan y diwrnod wedyn ac aethom allan i Dún Laoghaire. Dyma gerdded i'r West Pier ac eistedd ar y cerrig fflat yno'n wynebu'r haul. Dywedais beth oedd wedi digwydd rhyngof â Byddin yr Iachawdwriaeth. Roedd Tom wastad yn poeni y byddwn yn marw o newyn.

'Beth wnei di rŵan?' gofynnodd.

'Fatha tawn i'n gwybod! 'Mond gorwedd yn yr haul yma gyhyd ag y medraf.'

'Wyddost ti be ddylet ti ei wneud?' medda fo ymhen dipyn. 'Dylet fynd i lawr i Roscrea neu Mount Melleray. Fasa nhw'n rhoi llety i ti'n rhad ac am ddim am gyfnod go dda.'

'Dydi hwnna ddim yn syniad drwg,' meddwn, 'ond ro'n i'n meddwl am rywbeth arall.'

'Eli Ben Alim, falle?'

Roedd Tom yn sôn am Eli Ben Alim drwy'r amser.

'Mae Eli Ben Alim wedi mynd yn ei flaen i Conn's Halls yn y byd nesaf bellach,' meddwn, 'yn union fel mae Ann Buinneán Donn wedi mynd i'w lety dros y gaeaf. Mae gŵr yn dyfod sydd yn ddewrach nag Eli, gŵr sydd yn gweld ymhellach hefyd. Saethodd fflach o olau ar y cerrig hyn rai munudau yn ôl wrth i mi wrando ar sisial y tonnau. Ac fe'i gwelais fel 'tawn i mewn breuddwyd – Parthalán – y dyn cyntaf un i ddod i'r Ynys Werdd. Parthalán oedd y person cyntaf i fyw yn Donegal fely gellid dweud mai dyn Donegal oedd o. O ganlyniad, dwi'n teimlo fod gen i gysylltiad arbennig efo fo. Pan gofiaf yr hyn a gyflawnodd, dwi'n teimlo fel dyn wedi ei adnewyddu. Daeth i Iwerddon, ac mae'n bur debyg nad oedd ganddo unrhyw arian nac eiddo werth sôn amdanynt – dim heblaw ei gwch a dwy rwyf a thamaid o hwyl falle. Ac eto, aeth i'r anialwch mewn gwlad estron ar ei ben ei hun bach. Fedrwn ni ddim teithio ugain milltir o gartref y dyddiau hyn heb geir i'n cludo a phobl i'n gwasanaethu i gynnig beth bynnag a ddymunwn gan ddweud wrthym lle i fynd. Ac eto, er gwaethaf hyn i gyd, mi ganfu Parthalán

– ar ben ei hun – genedl newydd sbon sydd yn dal yma heddiw. Taswn i'n codi rŵan ac yn cychwyn mewn cwch o'r fan yma a mynd i gyfeiriad gorllewinol, pwy ŵyr pa bethau mawr a ddeuai o ganlyniad? A beth bynnag wna'i, mae'n fwriad gen i gychwyn i'r byd mawr heb arian, achos dwi wedi cael llond bol ohono. Cwbl ydi pres ydi bathodyn hunaniaeth mae pobl ddwl yn ei ddefnyddio i gysylltu efo'i gilydd ac i wneud i eraill deimlo yr un mor fychan â nhw.'

'Mae yr hyn ti'n sôn amdano yn werth ei wneud,' meddai Tom. 'Fasa fo'n ddim trafferth dwyn cwch o'r lan draw fan'na.'

'Dydi o ddim yn fater mod i eisiau dynwared un o'r cymeriadau yn y straeon i'r ifanc,' meddwn, a doeddwn i ddim yn siarad efo Tom yn benodol mwyach, ond yn hytrach efo'r byd cyfan, a f'enaid mewnol. Dydi'r fath weithred ddim mor wallgof ac y mae'n ymddangos. Pan mae rhywun wedi bod am flwyddyn gron yn byw ar ddim, mae'n dechrau effeithio ar eu meddwl. Ddaw 'na ddim diwrnod o galedi o hyn ymlaen na fyddaf yn ei weld fel methiant a rhwystr i'm dychymyg - oni bai imi ei nodi drwy gyflawni gweithredoedd mawr fydd yn fy nyrchafu yn fy ngolwg fy hun. Mae'n hollol hurt i mi barhau efo'r frwydr ddiddiwedd yma i ennill pres. Mae'r bobl efo pres wedi fy lluchio drwy'r drws a fedra i byth fynd yn ôl drwy'r drws yna eto, mae wedi ei warchod mor ofalus. Ond os af o gwmpas y gaer a mynd drwy'r cefn, gallaf fynd i mewn heb iddynt sylwi arnaf, a byddai hynny yn rhoi can gwaith mwy o bleser i mi pan gaf y gorau arnynt eto - fyddai'n destun rhyfeddod i mi fy hun. 'Mae'r treiddgarwch hwn wedi ei anfon o'r Nefoedd, fy mab,' meddwn, 'a chaiff rhywun mo'i fendithio efo fo bob dydd. Does dim dwywaith amdani ond rwyt eisiau bod yn greadur doeth i groesi Môr Iwerddon mewn cwch bach, a bydd angen bod yn giwt ar y naw i wneud fy ffordd yn y byd wedi cyrraedd yr ochr draw, ac ar dir sych.'

'Mi wn i am le da i ddwyn cwch lle na fyddai neb yn sylwi,' meddai Tom.

'Mi fyddwn angen rhwyfau hefyd,' meddwn. 'Fasa ti mewn picil go iawn taet ti'n dwyn cwch ac anghofio rhwyfau. Mi fyddwn angen dwyn y rhwyfau a'u cuddio yn rhywle cyn inni ei throi am adref heno 'ma a rhoi marc ar y cwch rydym wedi ei ddewis.'

'Gad inni fynd,' meddai Tom ac roedd wedi gwirioni cymaint fel taech chi'n taeru fod haul arall wedi ymddangos yn yr awyr, yn arbennig ar ei gyfer o. Mi grwydron ni ar hyd y traeth ac roedd hen ddigon o gychod yno, ond roedd y rhan fwyaf lle gallai pobl gadw llygad arnynt. Yna, aethom cyn belled â'r Prif Harbwr.

'Be ti'n ei feddwl o hwn?' gofynnodd Tom.

'Mae hwnna yn un hawdd i'w symud ac i lanio ynddo,' meddwn, 'ond dim ond cragen o beth ydi o go iawn. Byddai hwn yma, ar y llaw arall, yn un trwm i'w rwyfo ar dy ben dy hun, ond mi allen ni'n dau ei rwyfo, ar adegau gwahanol. Mae'n gerbyd cadarn ac mi wnaiff y siwrne oni bai fod y tywydd yn ddrwg iawn, neu os na chollwn ffydd yn ein cryfder a'n gallu. Weli di'r enw arni? *Y Fôr Forwyn*. Dwi'n lecio hwnnw ond o hyn ymlaen, fe'i galwn yn *Gadael Iwerddon* a dim arall – er parch at Colm Cille a'n teithiau. Ac yn awr, mi awn dipyn pellach i ganfod pâr o rwyfau cadarn – tri os yn bosibl. Fyddan nhw ddim yn bethau hawdd i'w cuddio mae arna i ofn, gan fod digon o bobl o gwmpas fan hyn.'

'Mi wn i am ogof dan y bryn,' meddai Tom. 'Mae'n mynd reit i mewn i'r bryn ac roeddem wrth ein bodd yn chwarae yno'n blant. Mi ddaru nhw ei chau efo creigiau bach ers hynny, ond torrais drwodd y llynedd. Gallwn guddio'r rhwyfau yno.'

'Campus!' meddwn. 'Rwyt ti newydd roi yr hufen ar y gacen efo hynny. Mi wnawn ni adael y rhwyfau yno, ac aros yn yr ogof heno nes y bydd yn amser call i adael. Mi gymraf i'r rhwyfau a gei di aros amdanaf yn nes at geg yr ogof.'

Ond doedd gweithredu'r cynllun ddim mor hawdd â'r hyn ro'n i wedi ei feddwl, gwaetha'r modd. Cerddais ar hyd y traeth yn astudio'r cychod ac yn y diwedd, dewisais un nad oedd neb yn gofalu amdano. Cymrodd tua chwarter awr i mi smalio mod i'n gwneud rhyw waith arno. Tynnais y corcyn a gadael i'r dŵr redeg ohono, ac yna ei droi ar ei ochr, ei godi, ac astudio'r gwaelod. O'r diwedd, rhoddais y rhwyfau ar fy ysgwydd a cherdded ymaith. Thalodd neb sylw i mi, ac es yn ôl at Tom, a dyma ni'n dau yn cerdded at yr ogof. Dyna pryd y dangosodd Tom rywbeth cwbl hudol i mi. Yr oeddem wedi mynd rhyw ddau gan llath i mewn i'r ogof, ac roeddem yng nghalon y bryncyn hwnnw, ac mi ges wared o bwysau deng mlynedd oddi ar fy sgwyddau a theimlo mor ifanc â Tom ei hun unwaith eto.

'Mi anghofiais un peth,' meddwn. 'Fasa'n well inni ddod â bwyd efo ni? Wyt ti'n credu y gallem dorri mewn i fan fara neu rywbeth?'

''Rosa funud,' meddai Tom. 'Mae fy nheulu yn rhannu siop fawr efo busnes arall a fedra i ddwyn pa bynnag fwyd rydan ni ei angen o fan'no – bara a sgodyn, eog a fala … wyau a ballu.'

'Ac ambell botel o lefrith,' meddwn. 'Byddwn ni angen dŵr hefyd. Maen nhw'n deud mai dŵr glân yw angen pennaf llongwyr. Ddown ni'n ôl yma tua naw o'r gloch. Bydd gen i fag bach efo mi ar gyfer ein hanghenion.'

Yn ôl adref y noson honno, mi fwytais fymryn o fwyd oedd gen i, a smocio sigarét, y dwytha oedd yn fy meddiant. Roedd gen i ddau bâr o sanau, rasal, crys a darn o ddrych, mymryn o sebon a rhoddais nhw i gyd yn un bwndel. Wedyn, dyma fi'n meddwl mynd am dro bach o amgylch y strydoedd ro'n i mor gyfarwydd â nhw. Ond yna, dyma ailfeddwl.

Hei, dal dy ddŵr! meddwn wrthyf fy hun. Os ydw i'n bwriadu rhwyfo yn ystod y nos, dylwn gael gorffwys yn awr. Gorweddais, a 'mestyn fy hun, a darllen llyfr.

Roedd fy myd yn pendilio rhwng cwsg ac effro ac wedi ei gloi o fewn ehangder diwaelod pob eiliad bach byw – nes i belydrau olaf yr haul ddiflannu oddi ar y tir. A dim ond wedi hynny y cofiais nad fi oedd pia'r cwch a gymrais at y dŵr.

Ac mi synhwyrais yn y funud honno y byddai'r byd hwn yn gas ac yn ddi-hid tuag ataf, rŵan mod i'n mentro allan ar fy antur fy hun. Ar y tram, yr oedd wynebau pobl yn hunanfoddhaus, fel petai ganddynt wybodaeth go iawn am y byd na allwn i fyth obeithio ei gael. Mor aml, mae hyn yn anfon ias i lawr fy asgwrn cefn – yr olwg ragorach a hyderus honno ar wynebau pobl pan mae hyd yn oed y peth lleiaf yn ddigon i'w gwneud yn fodlon – mae'r bobl hynny mor drefol fel y byddent yn codi cyfog arnoch, ac roeddent oll yn agos at ei gilydd mewn rhesi, fel sardîns yn sownd mewn bocsys.

Roedd Tom yn aros amdanaf pan gyrhaeddais. Fydda fo byth yn lecio bod yn hwyr ar gyfer dim byd a 'nes innau ddim gofyn iddo oedd o'n drist am ei fod yn gadael ei bobl ar ôl. Roedd ganddo dorts yn ei law ac aeth i'r ogof o'm blaen, a buom yn chwilio o gwmpas nes inni weld amlinelliad y rhwyfau lle'r oedden ni wedi eu gadael ynghynt.

'Mae gennym ddigon o amser,' meddwn. 'Mae'n well inni beidio symud o fan hyn nes daw y tramiau i stop. Oes gen ti bopeth?'

'Oes, wir,' meddai, a dyma ni'n eistedd yno yng ngheg yr ogof, yn sgwrsio nawr ac yn y man, ac yn gwylio'r goleuadau ymhell i ffwrdd a'r ceir yn gwibio heibio a'u cysgodion anferth yn y gwyll.

Roedd hi'n noson mor llonydd, petai canghennau'r goeden wedi symud, mi daerech eu bod wedi gwneud hynny drwy eu hewyllys eu hunain. Roedd chwarter lleuad yn sefyll i'r dwyrain uwch ben y môr, a'i golau wedi ei daenu dros y ddaear. Roedd goleudy Kish yn fflachio ar y gorwel. Dangosodd Tom hen bistol roedd o wedi dod efo fo. Rhaid ei fod yn bedwar ugain oed, a byddai dyrnaid o gerrig wedi bod yn fwy defnyddiol, ond mynnai y gallai beri difrod o hyd. Fe'i canmolais i'r entrychion am ei frwdfrydedd ieuanc ac ar gownt pob heliwr yn y coed neu forleidr oedd wedi byw erioed – pan oedd y byd yn dal i fod yn llawn barddoniaeth.

'Wnaiff o ddim drwg cael hwnna arnot ti,' meddwn.

Roedd y teirawr honno a dreuliwyd yng ngheg yr ogof yn rhai cyfoethog o ran ysbrydoliaeth, roedd pob munud mor fyw â'r dagrau mawr sy'n ffurfio enfys neu'r llwch sydd o fewn pelydryn o'r haul. Roedd ceg yr ogof yn bellach ac ymhellach oddi wrthym wrth inni wneud ein ffordd i galon y mynydd ac roedd y traeth oddi tanom a'r ddinas fawr o'n mewn, a'r cant a mil o bobl gyffredin oedd ag un bwriad yn unig, sef cael noson o gwsg. Yr oedd yna giards o fewn pellter gweiddi inni fyddai wedi bod wrth eu boddau yn ein dal, ond roeddem yn rhydd ohonynt – er na wyddem eto o un munud i'r llall pryd y deuem ar eu traws yn y tywyllwch. Yr oedd wedi hanner nos pan wthion ni *Gadael Iwerddon* i lawr dros y traeth a'i gosod ar y tonnau. Roedd y môr yn dawel fel llyn mynyddig wrth inni nesáu at y penrhyn a dros Swnt Dalkey Sound heb i neb sylwi ar ddim.

'Faint gymer hi inni groesi?' gofynnodd Tom.

'Os gallwn ni gadw'r cyflymder yma,' meddwn, 'dylem groesi o fewn pedair awr ar hugain. Y peth anoddaf i ni yw na allwn groesi mewn llinell syth. Ond wnaiff o ddim cymryd yn hir. Mae'r môr yma'n hawdd i'w dramwyo.'

Fy hunan, gwyddwn yn iawn nad oedd modd croesi mewn pedair awr ar hugain. Roedd cerrynt cryf o'n blaenau ac os oedd gwynt o gwbl, byddem yn colli oriau ac roedd Tom yn rhwyfwr gwael a fydde ganddo mo'r cryfder i ddal ati tan y bore. Ond doedd dim gwahaniaeth am hyn, roeddem ar ein ffordd.

'Paid â phoeni, washi,' meddwn. 'Byddwn wedi cael *Gadael Iwerddon* i'r ochr arall erbyn yr amser hwn yfory.'

Dyma adael Dalkey fel bryncyn du tu ôl inni a hwylio allan heibio'r penrhyn. Unwaith roeddem wedi teithio milltir arall, roeddem yn mynd i hwyl y daith ac roedd yr arfordir yn graddol ddiflannu o'r golwg. Erbyn yr ail filltir roeddem wedi setlo i rythm rheolaidd y tonnau. Ymlaen â ni ac roedd ehangder anferthol y môr yn ymestyn o'n blaenau fel nad oedd dim i'w weld ar wahân i olau ynysig. Unwaith roeddem wedi bod yn rhwyfo am tua dwyawr, gadewais y rhwyfo i fod am funud.

'Cymer saib,' meddwn wrth Tom. Roedd Tom wedi llwyr ddiffygio erbyn hynny p'run bynnag, hyd yn oed os nad oedd unrhyw arwydd ei fod am orffwyso a doedd dim pwynt i minnau ddweud wrtho am ymlacio.

'Weli di lle mae goleudy Kish rŵan?' dywedais. 'Rydym wedi rhwyfo'n gryf ond does dim gobaith gennym i ddal ati fel hyn am bedair awr ar hugain. Oes gen ti sigarét?'

Dyma danio rhai a'u smygu a chymryd ein hamser. Rhoddodd Tom ei law dros y gynwalc a'i ollwng yn yr heli, ond fe'i tynnodd allan yn sydyn eto.

'Mae o'n oer ddychrynllyd,' meddai.

'Oerach na ti'n feddwl,' meddwn. 'Sut mae cledrau dy ddwylo bellach?'

'Digon drwg,' meddai.

Edrychais arnynt ac roeddent eisoes yn goch ac yn gignoeth.

'Hitia di befo am hynny,' meddwn, 'diffyg arfer ydi o. Mi ddown yn fwy gwydn wrth inni fynd yn ein blaenau.'

Symol oedd fy nwylo innau.

'Mi rof hances boced drostynt,' meddai.

'Paid,' meddwn, 'fyddi di'n well hebddi. Rho nhw yn y dŵr a gwlycha dy rwyfau.'

A dal ati ddaru ni. Dyma ni'n dechrau sgwrsio ymhen dipyn ac roeddem wedi ymgolli cymaint yn y drafodaeth fel prin ddaru ni sylwi ar long yn dod i'n cyfarfod. Aeth heibio inni ac roedd mor fawr â mynydd efo cant o lygaid ac mi ddaru'r tonnau a greodd beri fod *Gadael Iwerddon* yn siglo'n feddwol dros bob man. Buom yn gwylio ei goleuadau yn diflannu yn y tywyllwch wrth iddi fynd tuag at Ddulyn.

Roeddem wedi ymlâdd pan dorrodd y wawr ac ro'n i'n sicr nad oeddem hyd yn oed wedi cyrraedd hanner ffordd erbyn hynny. Disgwyliwn i'r haul godi fel y gallwn weld ei ysblander. Roedd yr awel yn ffres a'r gwynt fel petai wedi miniogi ac yn y man, fe wawriodd. Cochodd yr awyr yn y dwyrain a goleuo'r môr i gyd.

Cawsom damaid i'w fwyta ac ailddechrau. Cymryd ein tro ddaru ni efo'r rhwyfo ac yn y modd hwnnw, doedd o ddim hanner mor anodd â'r hyn wnaethom ynghynt. Doedd o ddim yn hawdd i mi gymharu fy hun efo Tom beth bynnag.

'Dydi bore 'ma ddim mor glir ag y dylai fod,' meddwn. 'Pa mor debygol ydi hi y gwnaiff y tywydd droi?'

'Duwch, rydan ni bron wedi croesi bellach,' meddai Tom.

'Fe gymer dipyn mwy,' meddwn, 'mae o'n fôr eang.'

Hanner awr yn ddiweddarach, a thywyllodd yr awyr fel petai rhywun wedi tynnu gorchudd drosto. Dechreuodd fwrw gyda diferion mor fawr â llwyau, a ffrwydrodd taranau a fflachiodd mellt ar draws y nen. Chwipiodd y gwynt o'n cwmpas a chododd lefel y môr nes peri gofid calon i mi.

'Cadwa'i flaen o yn y gwynt, Tom.'

Ond doedd dim gwahaniaeth beth a wnawn, roedd o'n gadael iddo droelli o gwmpas a wyddwn i ddim o un foment i'r nesaf petaem yn mynd oddi tano. Cymrais y rhwyfau yn ôl ganddo.

'Tase gennym ni ond darn bach o falast i mewn, neu ddarn o'r hwyl ei hun, gallem ei gael i symud,' meddwn. 'Byddai'n dal yn ddigon peryg beth bynnag, a dwi'm yn giamstar ar hwylio. Mi geisiwn ni fynd yn ein blaenau.'

Dal i gynyddu wnaeth y storm o'n cwmpas a deallais y pryd hynny pa mor wirioneddol ddichellgar y gall y môr fod, hyd yn oed ar yr amser brafiaf o'r flwyddyn. A gall Môr Iwerddon fod yn ddigon budr a hyrddiol pan gaiff ei styrbio. Hanner awr yn ddiweddarach, ro'n i'n ymladd efo cymaint o barch a chryfder ag oedd yn weddill yn fy nghorff. Roeddem yn wlyb at ein crwyn wedi'r fath law, ac roedd cryn dipyn o ddŵr yn y cwch yn ogystal.

'Os pery fel hyn, mae'n mynd i lenwi. Gwagia fo am dy fywyd, y cena – mor gyflym ag y medri. Bydd rhaid inni ei droi o gwmpas hefyd rywfodd, mae gen i ofn.'

Roedd wyneb Tomos fel y galchen, ac ni allai siarad. Gwyddwn erbyn hynny na fyddem yn cyrraedd y lan eto mewn pryd. Llwyddais i'w droi a'i gadw yn syth yn nannedd y gwynt, gorau medrwn i. Roedd Tom yn da i ddim erbyn hyn. Doedd ganddo ddim nerth yn weddill yn ei freichiau ac ni allai rwyfo o gwbl; tynnwn a thynnwn yn y rhwyfau nes na allwn deimlo ngarddyrnau, a doedd dim gorffwys i'w gael. Bob yn hyn a hyn, gwaeddai Tom arnaf y byddai o'n cael tro ar rwyfo, ond gwaeddwn innau yn ôl,

'Aros lle rwyt ti, neu mi awn drosodd.'

Rhuodd y storm am awr arall, a mwya' sydyn, gostegodd, a goleuodd y dydd.

'Frenin Gogoniant!' meddwn, 'roeddem yn iawn yn y diwedd. Dyma'r cwch gorau erioed; doedd dim peryg inni suddo. 'Dan ni'n ddiogel rŵan, ond mae arna i ofn nad ydym yn debygol o groesi – nid y tro hwn beth bynnag. Dwi ar farw. Hwda, cymer y rhwyfau a phaid anghofio fod y cerrynt yn dal yn gryf. Paid â gadael i'r rhwyfau fynd yn rhy ddwfn i'r dŵr a phaid â cholli'r trawiad ar flaen y don, neu mi gei dy luchio nôl.'

Chwech o'r gloch y bore oedd hi erbyn hynny, ond roedd hi bron yn wyth arnom erbyn inni weld tir.

'Duw a'th fendithio, Iwerddon!' medda fi. 'Wn i ddim p'un ai Howth neu Ynys Lambay ydi fanno. Mae'n edrych yn rhy isel i fod yn Howth. Ond os mai Ynys Dún Rámha ydyw, gallem lanio a chael gorffwys.'

Lambay oedd hi, a bu'n rhaid inni ymladd yn galed i'w chyrraedd. Roedd haul y pnawn ar ei uchaf erbyn hynny, a bu raid inni ymestyn ein hunain ar y tamaid glaswellt a chysgu tan yn hwyr y prynhawn.

Roedd criw mawr o ferched yn nofio yn y dŵr bas ger y cei ger West Pier a phrin ddaru nhw sylwi ar ein cwch bach wrth iddo fynd heibio iddynt tua phedwar o'r gloch a dod i'r lan rhyngddynt a thraeth Malahide.

Pennod 6

Y noson honno, cefais wared o unrhyw amheuon oedd gen i ynglŷn â ddylen ni fod wedi troi'n ôl ai peidio. Gorwedd yn fy ngwely ro'n i yn gwrando ar y gwynt a'r glaw yn curo'r ffenest a'r corwynt oedd yn sgrechian wrth rwygo drwy'r dre; minnau'n meddwl mor ddiwerth fyddai 'nghwch bach wedi bod, ac y byddwn ynghanol y tonnau pe na bawn wedi llwyddo i'w droi a'i gael yn ôl i'r lan. Es i mewn i ganol y ddinas y bore wedyn, ac ar fy ffordd, dyma fi'n ystyried peth mor ofnadwy fyddai peidio dychwelyd y cwch i bwy bynnag oedd y perchennog yn yr Harbwr Mawr. Felly euthum i'r siop a phrynu stamp a gadael y nodyn hwn ar waelod Colofn Nelson.

> I swyddog Baracs Dalkey,
> Annwyl lanc ifanc bryd golau – os ydych wedi derbyn cwyn fod cwch o'r enw Y Fôr Forwyn wedi ei ddwyn o'r Harbwr Mawr ar noson yr 17eg, gallwch ddod o hyd iddo ar lan yr Howth yn union gyferbyn â Gwesty Claremont.
> Wedi ei sgrifennu ar dop Tŵr Nelson ar y 19eg o fis Melyn yr Ŷd, 1933, gennyf fi, Mab Erring, sydd dan lw i beidio datgelu ei enw. De Valéra am byth!

Llwyddais i gael fy machau ar deipiadur am rai munudau mewn tŷ ro'n i'n ymweld ag o yn gyson, a theipio fy llythyr heb i neb sylwi. Fe'i postiais yn y Swyddfa Bost ac yna teimlo rhyddhad mawr. Derbyniais swm o arian yn syth wedi hyn. Hefyd, dyma gael chwe phunt ac ugain swllt mewn cyflog ro'n i wedi ei ennill ddwy flynedd ynghynt, nad o'n i wedi ei dderbyn ar y pryd gan An Gúm.

Mi af i Algiers, meddwn wrthyf fy hun, af i weld y French Legion ac Arabiaid tywyll y twyni tywod. Treuliais ddeuddydd yn breuddwydio am anturiaethau o'r fath. Yna, dyma feddwl y byddwn yn cwtogi dipyn ar fy nhaith i'r dwyrain a phenderfynu mynd i Lundain yn hytrach. Roedd yna bethau ro'n i eisiau eu gweld yn Llundain, lluniau Turner yn eu mysg.

Yn Llundain, ro'n i ar fy mhen fy hun ac yn teimlo yn bur isel a digalon. Y tro hwn, wnes i mo'i ddangos mewn unrhyw ffordd, a chadwais yn dawel. Y peth gwaethaf oedd na wyddwn beth oedd wedi achosi'r Felan. Ro'n i wedi hen arfer cerdded o gwmpas Dulyn a fedrwn i ddim cael y strydoedd hynny allan o'm meddwl, ond roedd strydoedd Llundain deirgwaith yr hyd, a ro'n i wedi llwyr ymlâdd erbyn y pnawn. Roedd y mwg a'r sŵn a'r adeiladau tal yn fy ngwneud yn drist ac wedi i mi fod yno am bythefnos, mi ges i ddigon ar y lle.

Mi wnaf ddal ati i symud a theithio cyn belled ag Algiers, meddyliais imi fy hunan. Ond yna, daeth i mi un dydd mod i wedi hepgor un wlad o'r hafaliad, un nad oes llawer o Wyddelod yn gwybod llawer amdani – Cymru. Roedd mynyddoedd yn y wlad honno, a phan o'n i'n ystyried hyn, llanwyd fy nghalon â hiraeth. Siaredid iaith unigryw yno, iaith na wyddai pobl fawr amdani, iaith fyw, a gâi ei siarad yn llawer ehangach na'r Wyddeleg. Oni fyddai yn wych cael dysgu mwy amdani?

Pa ddiben oedd mewn dilyn yr un ffordd lydan â phawb arall, meddyliais. Nid honno oedd fy ffordd i. Doeddwn i ddim am ganfod fy nhynged drwy ddilyn yr un ffordd ag eraill – gyda cheir a llongau. A dim ond person dwl fyddai'n hapus i gyfaddef nad oedd erioed wedi bod yng Nghymru. Tramwya'r ffyrdd nad oes neb arall yn eu tramwyo, yn enw Duw, hyd yn oed os mai dim ond i weld y cytiau ieir ar hyd y daith.

Ro'n i wedi clywed o'r blaen mai Lerpwl oedd prifddinas Gogledd Cymru, ac mai dyna'r ardal oedd wedi cael ei Seisnigo leiaf yng Nghymru, felly dyma fi'n 'nelu at Lerpwl. Dyma ganfod wedyn ei bod yr un mor hawdd teithio o Lerpwl i Gymru ag ydyw i deithio o dref Galway i Gonnemara.

Pennod 7

Ro'n i'n lecio Lerpwl. Rhydd i bawb ei farn, ond ro'n i'n credu ei bod yn neisiach dinas na Llundain. Roedd y strydoedd wedi eu gosod allan yn well, ac roedd canol y ddinas gystal â dim a gaech yn unman gyda golygfa o lan yr afon oedd mor drawiadol o dlws ag unrhyw fan mewn unrhyw ddinas yn y byd.

Dyma gofrestru mewn lojings newydd, archebu pryd da o fwyd ac eistedd yn y caffi yno. Roedd cryn dipyn o bobl yn y 'stafell ac roeddent yn dawedog iawn. Yn dawel yn fy meddwl, dyma fi'n cymharu hyn efo gwledydd eraill y gwyddwn rywbeth amdanynt. Mewn caffis yn Ffrainc er enghraifft, mae pawb yn sgwrsio. Mewn caffis yn Iwerddon, mae pobl yn ddistaw ond fyddech chi ddim yn synnu petai rhywun yn cychwyn sgwrs efo chi. Ond yn Lloegr, mae pobl yn dawel, mor dawel fel eich bod dan yr argraff nad ydyn nhw byth yn deud gair. Mae'n profi – mae o wedi concro hanner y byd ac eto, mae'r Sais – yn ei hanfod – yn unigolyn pryderus. Falle nad oes dim o'i le efo hynny. Mae'r rhain yn Saeson go iawn meddyliais wrthyf fy hun. Pobl gymedrol, glên sydd ddim yn smalio o gwbl, nac yn gwneud sioe ohonynt eu hunain. Pobl a fyddai'n dychryn pe clywent rywun yn rhegi yn uchel. Ac roeddent i gyd yr un fath hefyd – ar wahân i un llanc a oedd yn eistedd draw wrth y wal a merch wallt golau ar y bwrdd y drws nesaf ato. Gwyddelod ydyn nhw, meddwn wrthyf fy hun. Roedd eu ffrâm yn fwy, edrychent yn fywiog a doedden nhw ddim yn cadw iddynt eu hunain gymaint â'r gweddill. Nid fod y Gwyddelod yn bobl fwy na'r Saeson, ond fel rheol maent yn edrych yn gryfach, mae eu croen yn iachach, ac mae golwg gwbl wahanol arnynt.

Roedd yn wir amdanaf fy hun. Fûm i ddim yno'n hir pan glywais y ferch wallt golau a'r llanc yn siarad. Roeddent yn cyfathrebu fel petaent yn perfformio drama. Dwi wedi sylwi fod Gwyddelod yn siarad fel hyn pan maent dramor. Roedd y ferch yn siaradus iawn ac yn mwynhau sgwrsio, a gallech weld fod ganddi feddwl bywiog a bod peth diniweidrwydd yn dal i berthyn iddi. Mae'n un o'r bobl rheini, meddyliais, sydd yn llawn cywreinrwydd am y byd, ac sydd eisiau gwybod popeth am bobl eraill.

Roedd yn ferch hardd iawn yn sicr, a doedd dim byd swil neu betrusgar amdani. Doedd hi ddim yn hir cyn troi ataf a deud,

'Wyt ti'n Wyddel?'

'Mor Wyddelig â dyfroedd y Boyne.'

'O'r gogledd ydw innau,' meddai, '... o Derri.'

Dwi'n dal i allu cofio'r rhan fwyaf o'n sgwrs air am air. Chwarter awr yn ddiweddarach, ro'n i'n syllu ar ei llaw ac yn dweud ei ffortiwn ac roeddem wedi anghofio'n llwyr lle yr oeddem. Beth bynnag oedd i gyfrif am hynny, roedd y ferch wedi cymryd ffansi ataf. Doeddwn i 'rioed wedi canlyn merch am fwy na mis. Dydi hyn ddim yn golygu mod i ddim yn hoff o'u cwmni ar adegau – yn enwedig pan nad oes gen i fawr i boeni yn ei gylch. Dwi'm yn credu chwaith ei bod yn wir bod beirdd o hyd yn ferchetwyr. Y ffordd y gwelaf i hi, fyddai gan fardd a merch ddim yr amynedd i aros efo'i gilydd am fwy na thri mis. A'r dynion sy'n lladd eu hunain yn ennill arian sy'n mynd â bryd y rhan fwyaf o ferched. A hyd yn oed os mai'r beirdd yw'r rhai sydd wedi disgrifio merched yn y ffyrdd hyfrytaf a melysaf, maen nhw wedi cael eu pardduo yn ogystal.

Cé nach labhraim bím ag meabhrú go mór fá mo chroí,
Is tu mo chéadsearc agus ni feidr mo chumha a chloí.

Er na lefaraf, myfyriaf yn ddwfn yn fy nghalon,
Fy nghariad cyntaf wyt, ac wrth fynd, ni leddfir fy nolur.

Beth bynnag, ro'n i wedi colli 'mhen yn lân efo'r holl fusnes. A ro'n i'n fodlon efo'r sefyllfa – ond roedd yna gystadleuaeth efo Groegwr ifanc, llanc o wlad Helen, yr un criw â'r un ddinistriodd wŷr Troy. Fe soniodd hi mai prin wythnos yr oedd wedi bod yn y lojings pan ddaeth y Groegwr yma ati, a dechrau siarad efo hi yn ei Saesneg simsan. Ac roedd o'n deud fel roedd o'n ffond o ferched Iwerddon, a hi yn arbennig. Ond ers i mi gyrraedd, doedd o ddim wedi gwneud fawr o ymdrech. Dwi'n credu ei bod wedi gwawrio ar y diawl bach nad oedd o'n un ohonom ni. Fel roedd hi'n digwydd bod, doedd hi ddim yn hawdd twyllo dyn y tŷ lojing ac nid cariad oedd o'n ei chwenychu chwaith. Roedd yn glên a chyfeillgar, ond 'mond angen edrych arno unwaith oedd eisiau, a byddai ffŵl mwya'r byd wedi cadw ei bellter. Un tal, tena pryd tywyll oedd o, ond doedd o ddim yn arbennig o ddeniadol; roedd ganddo wefus isaf oedd braidd yn amlwg, fel yr un fyddech chi'n ei gweld ar anifail gwyllt oedd ar fin cymryd brathiad ohonoch. Wedi dweud hynny, roedd o'n gyfeillgar efo mi, ac efo pawb arall. Gwysiodd y pâr ohonom i fyny i'r stafell fyw. Yr oedd cleddyf a bidog ar y grât lle fyddech chi fel rheol yn gweld procer a brwsh. Fe'u codais a chael golwg iawn arnynt. Roedd y bidog yn Ffrengig a'r cleddyf yn Almaenig.

'Falle ei fod yn y Rhyfel Mawr,' meddwn.

'Oedd, mi roedd o,' meddai hithau, 'a daeth â'r rhain nôl o'r cwffio.'

'Ddywedwn i ei fod wedi gwneud yn ôl reit!' medda fi. 'Wedi dwyn y rhain mae o, dwi'n deud wrthot ti.'

'Wel, mae o'n ddyn neis, p'run bynnag,' meddai. 'Mae o'n glên iawn efo mi. Dydw i ddim yn lecio ei wraig o gwbl, ond mi ddaeth â phaned o de i lawr i mi ddoe – a dyma fo'n gofyn am fy mhres fel y gallai ei roi mewn bocs i mi – i'w cadw yn saff.'

'Does dim o'i le efo'r te,' meddwn, 'ond mi faswn i'n cadw golwg ar fy mhres.'

'Mae o'n weithiwr caled,' meddai, gan ei gefnogi. 'Dim ond gyrrwr oedd o unwaith, ac edrych arno rŵan – mae o â'i fryd ar brynu y tŷ mawr 'ma.'

'Os caiff o lot o rai eraill i roi eu pres yn ei focs i'w cadw yn saff,' meddwn, 'fydd hi ddim yn hir nes bydd o wedi prynu hanner y ddinas.'

Daeth i mewn i'r stafell yn syth wedi i mi ddweud hyn, a dyma ddechrau siarad.

'Dwi'n lecio'r ddinas yma, dydi ddim yn swnllyd nac yn achosi straen o gwbl,' meddwn.

'Dydi hi ddim,' medda fo, yn wybodus.

'Mae pawb wedi ymlacio, ac yn hawdd gwneud efo nhw. Rhaid bod hon yn un o'r strydoedd mwyaf yn y ddinas ac mae llwyth o enwau Gwyddelig ar y siopau rownd fan hyn.'

'Duwch, mae'n siŵr fod o leiaf gan mil o Wyddelod yn y ddinas 'ma. Sut mae pethau yn Iwerddon dyddia hyn?' gofynnodd.

'Maen nhw ddigon tawel yn Iwerddon ar hyn o bryd,' meddwn, 'heblaw am yn y papurau.'

'Ddigon gwir, ddywedwn i,' meddai.

Wn i ddim be barodd i mi godi hyn achos dydw i byth yn trafod hen gwerylon ddaru Strongbow eu cychwyn efo pwy bynnag ddaeth o Loegr. Wedi deud hynny, roedd gan y dyn hwn olwg gall ar y mater. Roedd y ferch fodd bynnag yn parhau i dorri ar ein traws, falle nad oedd yn teimlo ei bod yn cael ei chynnwys ddigon.

'Dwi o hyd yn rhoi cerydd iddo am ei het,' meddai gan bwyntio ataf.

Ro'n i'n gwisgo het werdd a brynais yn Nulyn, un a oedd mewn ffasiwn y flwyddyn honno. Wyddwn i ddim yn iawn beth fyddai barn Sais am het o'r fath, fydda fo'n meddwl bod het werdd felly yn nodi rhywbeth diwylliannol a chysylltiad â'r Gaeltacht neu genedlaetholdeb Gwyddelig neu gyfeiriad at filitariaeth falle. Doedd dim peryg fod y dyn mor wirion â hynny fodd bynnag.

'Mae honna'n het dda,' meddai. 'Dwi'n cael fy hetiau gan yr un bobl.'

Ti'n boléit beth bynnag, mi ddywedaf gymaint â hynny, meddyliais. Er gwaethaf hynny, faswn i byth yn rhoi fy mhres yn dy gadw-mi-gei di.

Gadawodd yn fuan wedyn a mynd lawr grisiau nôl i'r caffi eto.

'Be di dy farn di ohono, beth bynnag?' gofynnodd hi.

'Mae'n ddyn y baswn i'n ei lecio,' meddwn, 'tase'r byd fel y dylai fod. Mae ganddo bwyntiau da, ond mae o mor gyfrwys â holl ddiawlad uffern, ac mi fyddai'n dwyn gen ti cyn i ti glymu dy griau. Mae wedi ei fagu ar strydoedd y ddinas, ond dydi o rioed wedi gorfod dioddef yn ei fywyd. Mi ddywedwn i ei fod wedi bod yn y rhyfel, ac iddo fod yn filwr da. Mae 'na ddigon o fynd ynddo, ond mae wedi gwirioni gormod ar bres. Ac mae'r bywyd hwn mor galed fel na chaiff owns o onestrwydd na gwirionedd ynddo'i hun.'

'Dyna marn innau hefyd,' meddai, 'blaw nes i ddim cyfleu hynny iddo. Mae 'na rywbeth am y tŷ 'ma sy'n ddigalon.'

Daeth hogan fach i mewn yn gafael mewn cath fechan, a dyma hi'n dangos y gath i'r ferch Wyddelig. Yng nghanol y sgwrs, dyma hi'n deud,

'Roedd fy nhad mond yn tynnu coes, wyddoch chi, pan ofynnodd o i chi roi eich arian yn y bocs!'

Ro'n i'n fud. Fedrwch chi byth gredu pa mor gyfrwys fedr plant fod. Does 'na neb am dwyllo hon meddyliais wrthyf fy hun. Yn hwyrach, dyma'r ferch a minnau'n mynd i'r pictwrs a phan ddaethom adref, mi drodd y sgwrs i drafod y Groegwr eto.

'Mae o'n aml yn gweithio yn y stafell fechan ar dop y grisiau,' meddai, 'mewn rhyw fath o swyddfa sydd ganddo yno. Mae'r lojars yn gorfod pasio drwyddi pa bryd bynnag maen nhw eisiau mynd i'w stafelloedd. Mae ganddo ryw fath o beiriant argraffu yna, ac mae'n ei ddefnyddio o hyd.'

'Y tro nesaf rwyt ti yno, myn olwg iawn arno,' meddwn.

Yn hwyrach, pan o'n i'n cael fy nhe, daeth i mewn ac eistedd wrth f'ymyl ar y bwrdd.

'Es i heibio iddo'n gynt a'i weld yn gweithio ar y peiriant,' meddai. 'Mae'n rhoi papur i mewn un ochr ac mae'n dod allan o'r llall fel papur decpunt.'

'Wel, ar f'enaid i, mae gen ti rywbeth go iawn yn fan'na,' meddwn. 'Mi fedra i weld ei gêm o rŵan. Mae o'n rhoi y papurau hyn i gael eu cylchredeg drwy eu pasio 'mlaen ymysg ei gwsmeriaid pa bryd bynnag gaiff o gyfle. Ac am bob person sy'n sylwi eu bod yn ffug, mae'n siŵr fod digon o rai eraill mae o wedi eu gadael efo poced wag, a dydyn nhw ddim hyd yn oed wedi sylwi.'

'Ddylen nhw gael y gyfraith ar ei ôl,' meddai hi.

'Wn i ddim,' meddwn. 'Eu gwaith nhw ydi ei ddal, nid ein gwaith ni. Does gen i ddim yn ei erbyn o. Mae'n cymryd dewrder i gychwyn menter felly. Ac mae rhyw ddiniweidrwydd ynghylch rhywun sy'n chwarae triciau felly – mi gaiff o'i ddal ryw ddydd beth bynnag. Mae'n siŵr ei fod ddigon gonest yn cychwyn allan mewn bywyd. Ond dydi'r rhan fwyaf o bobl ddim yn gwneud elw drwy fod felly. Y peth cyntaf a wnaeth i mi ei amau oedd nad oedd ganddo unrhyw safbwyntiau cryf ar unrhyw beth. Bydd wastad yn ochelgar o rywun sy'n rhy dda i fod yn wir; achos mi ganfyddi ryw ddydd, dan yr ochr neis yna, does dim byd ond trachwant mewn gwirionedd. Y dyn diniwed ydi'r un fedr siarad gair o'r gwir o leiaf. Dyma sut medri di eu nabod; mae ganddynt bob tro ryw ddelwedd gyhoeddus gref ac enw da. Mi fyddwn i yn dy argymell i gadw'n glir ohono a gadael iddo grogi ei hun. Mi grogwyd yr Iachawdwr rhwng dau ddihiryn, a tase Fo wedi aros i gael ei hongian rhwng dau ddyn gonest, mae'n bosib y byddai yn dal i ddisgwyl yn y byd hwn.'

Ddaru'r ddau ohonom adael y lle y diwrnod canlynol, efo fi yn mynd i gyfeiriad Cymru a'r ferch yn symud i lojings eraill. Chwilio am waith oedd hi. I ddeud y gwir, roedd ganddi swydd arall wedi ei threfnu a dim ond disgwyl caniatâd i gychwyn gweithio oedd hi. Roedd ganddi ei ffordd ei hun o ganfod y swydd nesaf hefyd.

Byddai'n mynd i mewn i siop fawr yn y ddinas, a mynd yn syth at y bòs. Byddai'n anwybyddu unrhyw un arall a ddeuai ati, a dim ond siarad efo pwy bynnag oedd y pennaeth. Ac erbyn yr amser roedd hi wedi gorffen siarad ag o, byddai wedi addo swydd iddi – yn ddiffael. A digwyddai hyn hyd yn oed os oedd y bòs wedi cael gwared ar bobl eraill dim ond wythnos ynghynt. Wrth dyfu, roedd teulu'r ferch wedi bod yn eitha' cefnog ac wedi ei hanfon i'r ysgolion gorau. Ond doedd hi ddim wedi dysgu llawer ynddynt. Deuai rhai pethau yn rhwydd iddi, ond doedd addysg ddim yn un ohonynt. Bu farw ei thad a'i mam yn ifanc a chafodd ei magu gan berthnasau. Pan oedd yn hŷn, roedd hi wedi ffraeo efo nhw, gan eu cyhuddo o fod yn rhy lym. Gadawodd gartref a threulio ei hamser yn gweithio mewn gwahanol rannau o Iwerddon. Canfu ei hun yn Belfast tua Tachwedd 1932, pan wrthryfelodd y dref druan. Gweithio mewn gwesty oedd hi ar y pryd ac ymunodd mewn protest gan falu platiau a phethau eraill yn y lle. Pan ailgychwynnodd y trwbwl yn ddiweddarach, symudodd i Ddulyn i gael gwaith, ond, fel y cyfaddefodd wrthyf yn ein sgwrs, roedd hi wedi cael digon ar Ddulyn erbyn hyn. Petai pobl Belfast wedi bod mor arw â rhai Dulyn, yna byddai Belfast wedi cael ei dinistrio a'i throi yn rwbel flynyddoedd yn ôl. Rhydd i bawb ei farn fel y dywedais o'r blaen. Daeth o hyd i waith yn Nulyn, ond ymhen dipyn, cafodd lond bol ar hynny a dod draw i Loegr. Mi ffarweliais â hi a gobeithio'r gorau iddi. Ond mynych y meddyliais amdani wedyn, a hynny fel fy Macha Mongrua fel y'i gelwais.

Teithiais i'r Gorllewin drwy Gymru, ac yna cerdded gryn dipyn o'r wlad honno. Rydw i wedi adrodd mewn llyfr arall[1] yr hyn a ddysgais am y wlad fach, ryfeddol honno a'r bobl ryfeddol – hŷn na'r Rhufeinwyr eu hunain – sy'n preswylio yn y wlad honno, felly wna'i mo'i ailadrodd yma.

[1] *An Bhreatain Bheag*, cyhoeddwyd 1937

Pennod 8

Pan ddaeth y gaeaf, dyma ganfod fy hun yng Nghaerdydd, lawr ger yr arfordir ym Morgannwg, lle mae ganddynt y gweithfeydd glo mwyaf. Er mai dinas Caerdydd oedd y porthladd allforio glo mwyaf yn y byd cyn y Rhyfel Byd Cyntaf, ac mae llawer o lo yn dal i fynd drwyddo, fyddech chi ddim yn gwybod hynny o'r olwg sydd ar y ddinas heddiw. Mae'n ddinas sy'n llawn o siopau gwych, dinas gyfoethog sy'n ffynnu.

Y peth mwyaf siomedig i mi oedd y siopau llyfrau. Ro'n i'n mynychu siopau llyfrau yn Nulyn, ac weithiau byddwn yn treulio oriau yn darllen llyfr yn un ohonynt. Pan geisiais wneud hyn yng Nghaerdydd fodd bynnag, daethant ataf yn syth i'm cyfarch a doedd gen i 'run dewis ond diflannu rhag ofn iddynt geisio gwerthu hanner y siop i mi. Ddylai neb fod yn werthwr llyfrau os nad ydynt yn deall llyfrau. Mae'n bwysig crybwyll yma fod yna siopau llyfrau Cymraeg yno, a doedden nhw ddim hanner mor farus.

Roedd pobl o bedwar ban byd yn byw yn ninas Caerdydd. Deuthum ar draws y Sais solet, poléit, a'r Cymro sydyn, oriog, a'r Albanwr pendant ond calon feddal, a'r Gwyddel garw a phowld; y Ffrancwr llon a deallus a'r Groegwr oedd rywsut rhwng y ddau olaf; y dyn melyn sy'n dwt a difynegiant a'r dyn du sy'n rhwydd neu'n sarrug. Mae yna eglwysi o bob math o ffydd yno. Dwi'n cofio mynd i eglwys Roegaidd un dydd i weld sut beth ydoedd. Addurnwyd y muriau yn odidog, ac roedd yr allor yng nghanol yr ystafell, os mai allor oedd o yn wir – edrychai'n fwy fel seidbord mewn stafell fyw ar yr olwg gyntaf. Gwelais bobl yn mynd a dod gan fendithio eu hunain ar eu talcen a'r ysgwyddau a phob man arall ar ran uchaf eu cyrff ac yn ymgrymu wrth ochr yr allor a chusanu cerfluniau arian a bendithio eu hunain drachefn tra eisteddai eraill o gwmpas wrth y waliau. Roedd yr eglwys hon ynghanol tŷ a fedrwn i wneud pen na chynffon ohono.

Ond o siarad am fannau addoli, y rhyfeddaf y deuthum ar ei draws oedd eglwys ysbrydegwyr. Fel y gŵyr llawer, mae nifer fawr o Saeson yn credu eu bod yn gallu cysylltu ag ysbrydion y meirw. Dydw i ddim yn credu yn y stwff ofergoelus 'ma o gwbl, a hyd yn oed pe tawn, byddwn wedi bod ar fy ngwyliadwriaeth o gofio'r hen ddywediad, 'Gad lonydd i bethau gwaharddedig a wnawn nhw ddim drwg i ti'. Ond fe lwyddodd gwraig y tŷ lojing i'm perswadio i fynd i un o'r capeli ysbrydegwyr 'ma. Wrth gwrs, roedd rhaid i mi wneud sgwrs efo hi ambell waith, a byddai wedi troi'r sgwrs i gyfeiriad ysbrydegwyr cyn i mi sylwi. Dywedodd fod yna ddyn mawr oedd yn Indiad brodorol o'r Unol Daleithiau yn arfer ymweld â hi o'r byd tu hwnt efo negeseuon iddi. A dywedodd wrthyf ei bod yn sicr fod gen i'r gallu i gyfathrebu efo ysbrydion ac y dylwn fynd efo hi i deml ysbrydegwyr yn y ddinas ryw noson. Falle ei bod yn werth mynd medda fi wrthyf fy hun, hyd yn oed os yw ond er mwyn cadw hon yn hapus a phwy ŵyr – falle y byddai ei choginio yn gwella mymryn yn ogystal. Felly dyma fi'n mynd efo hi un noson, mor wrol â marchog; y wraig yma oedd yn drwm ac yn grwn fel casgen, a bron yn hanner cant. Aethom i gyntedd bychan oedd ond yn hanner llawn ac aeth draw at yr organ a dechrau chwarae a dyma'r gynulleidfa yn dechrau canu'r emyn hwn:

> God send the power just now,
> And thy children they will come
> To carry the tidings home,
> God send the power now!

Pan ddaru nhw orffen efo'r miwsig, dyma ryw hen wrach oedd yn edrych fel tase hi'n widdon, yn sefyll ar ei thraed a darllen darn o'r Beibl ac yna dyma nhw'n diffodd y golau. Fedrwn i weld dim yn y stafell heblaw am siapiau enfawr oedd yn adlewyrchu yr hanner gwyll o'r stryd tu allan. Roedd popeth yn heddychlon bob ochr i mi; y peth nesaf, meddyliais i mi glywed rhywun yn ochneidio mor dawel fel prin y gallai clust ddynol ei glywed. Yna dyma frenhines y tylwyth teg, un ddirgel a thywyll, yn llefaru,

'Mae gen i neges i chwi,' meddai gan bwyntio at rywun dros ffordd i mi. 'Mae'r ysbryd ddaru ein gadael fis Tachwedd dwytha yn gofyn i chi beidio pryderu o gwbl ac i beidio cael unrhyw amheuon am y flwyddyn sydd o'n blaen. Mae'n dweud y byddwch yn mynd i Lundain yn yr haf ond na ddylech anghofio ymweld â rhywun sydd yn byw yn stryd hwn a hwn. Mi ddywedith enw'r tŷ a phwy yw'r person unwaith y mae wedi siarad â nhw. Dydych chi ddim yn nabod eich gilydd ar hyn o bryd, ond mi fyddwch ymhen tair wythnos.'

Dyma hi'n cyfleu amrywiol negeseuon i bobl oedd o gwmpas y stafell ac yn y diwedd eisteddodd i lawr. Yna, dyma'r dyn du oedd drws nesaf i mi yn codi ar ei draed. Ro'n i wedi sylwi ar y dyn hwn yn syth wedi dod i mewn. Roedd golwg dawel arno, yn weddol dal ac efo ysgwyddau llydan fel sy'n gyffredin ymysg ei bobl, ac roedd ei gorff yn ysgafn ac yn ystwyth. Yn syth wedi i mi gyrraedd, roedd o wedi codi i agor y drws i rywun. Wrth iddo godi fodd bynnag, roedd dyn gwyn wedi ceisio cymryd ei sedd, ond ro'n i wedi cipio'r gadair yn syth cyn iddo allu gwneud hynny. Roedd y rwdlyn hwn wedi troi arnaf wedyn, ond sibrydais felltith rymus Wyddelig gan ei ddychryn. Rhoddais y gadair yn ôl i'r dyn du ac roedd hwnnw'n ddiolchgar iawn. Roedd y creadur druan wedi dychryn cymaint fod dyn gwyn wedi bod yn glên efo fo, fel na wyddai am ennyd p'run ai i sefyll neu eistedd. Gan sefyll ar ei draed, mynegodd i'r cyfarfod fod ganddo allu hudol nad oedd llawer yn ei feddu. Aeth ton o densiwn drwy'r cynulliad wrth iddo siarad. Wn i ddim beth oedd yn mynd drwy feddyliau'r bobl roedd o'n siarad â hwy – ond gallech ddweud ei fod yn cael gwrandawiad i bob gair a lefarai. Roedd ei lais yn ddwfn a thrist ac roedd tinc ryfedd iddo yn nhywyllwch y stafell eang. Peth nesa, roedd o'n siarad efo mi.

'Rydych chi yn wahanol i'r gweddill sydd wedi ymgynnull yma heno. Mae eich meddwl ar bethau eraill ac rydych yn teithio ar ffordd wahanol. Gwelaf ffordd faith, unig o'ch blaen cyn i chi adael y wlad hon eto. Rydych yn gweithio i bapur newydd ac ar hyn o bryd rydych yn sgwennu llyfr. Rydych wedi anfon llyfr i ryw bobl arbennig ac mae'n dal i gael ei ystyried, efo un dyn o'i blaid a thri arall yn ei erbyn. Nid hwn yw'r llyfr wnaiff dynnu sylw at eich enw chwaith, a fydd yr ail un ddim chwaith – ond yn hytrach y trydydd.'

Bu bron i mi gredu mewn ysbrydegaeth wedi hynny. Doeddwn i 'rioed wedi cyfarfod y dyn hwn yn fy mywyd, a wyddai o ddim amdanaf; a doedd o 'rioed wedi cael profiad o lenyddiaeth a bywyd sgwenwyr ac eto, er gwaethaf hyn, roedd popeth a ddywedodd amdanaf yn wir. Yn rhyfeddach, y trydydd llyfr – yr un oedd yn mynd i wneud enw i mi – ydi'r un rydw i yn ei sgwennu ar hyn o bryd. Unwaith roedd yr hud wedi ei gyflawni a'r bobl yn mynd adref, es at y dyn du a siarad efo fo. Dyma gerdded i lawr y stryd efo fo a dyma fo'n adrodd dipyn o stori ei fywyd i mi.

'Yn India'r Gorllewin y'm magwyd i. Dyn gwyn oedd fy nhad. Yn yr ysgol, fi oedd y disgybl gorau. Un dydd, daeth yr Arolygwr o gwmpas. Dyma fo'n siarad efo mi a deud wrtho i mod i'n beniog iawn. Ond pa werth ydi hynny i chi?' meddai, 'gan na chewch chi ddim byd ohono. Fasa well i chi aros adre. Person du ydach chi, a chewch eich cadw i lawr.'

Pan es adre y noson honno, dyma fi'n rhedeg at fy nhad a gofyn,

'Pam gythraul wnaethoch chi briodi Mam?'

Syllodd arnaf am funud a dweud, 'Am mai dyna ydi bywyd, cariad. Wyddost ti ddim bod gen i'r parch mwyaf erioed i dy fam?'

'Ond mi ddeudodd yr Arolygydd wrtho i nad oedd gen i unrhyw ddyfodol am mod i'n ddu, a tasech chi heb briodi Mam, yna faswn i ddim yn ddu, na faswn?'

'Melltith arno!' meddai 'Nhad. 'Roedd o'n hen gena yn dy ddiraddio di felly, 'toedd?'

Mi fynnodd weld yr Arolygydd ac aeth hi dipyn yn flêr rhwng y ddau, ac yn diwedd, rhoddodd 'Nhad un dan ei ên efo'i ddwrn. Nes i wylio'r cyfan, a ddeudais i 'run gair. Ro'n i'n ddu ac roedden nhw'n wyn, ac mi adewais y ddau iddyn nhw'u hunain.

Pan adewais yr ysgol, ges i waith mewn garej ceir. Job wael ar y naw oedd hi, a thâl diawchedig, a'r cwbl ges i oedd tair ceiniog y dydd. Yn y diwedd, mi es i 'Merica a phan welais y ffordd erchyll roedd fy mhobl yn cael eu trin yno, mi barodd i mi feddwl nad oedd Duw yn bod. Taswn i'n deud wrthoch chi am yr holl lefydd dwi wedi crwydro ynddynt ers cyrraedd yng Nghaerdydd gyntaf, byddwn yn siarad am wythnos. A dydw i 'rioed wedi bod yn unman lle wnes i ddim canfod pobl orthrymedig yn cael eu trin fel baw – a 'run ohonom yn deall pam fod pethau fel ag y maen nhw.

Mae rhai hen bobl adref sy'n dal i gofio pan oedd modd prynu dyn du am geiniog. Dydyn ni ddim gwerth fawr mwy heddiw. Maen nhw'n deud ein bod yn wyllt a heb ein dofi ond maen nhw'n anghofio mai'r Aifft ydi'r genedl hynaf yn y byd. Maen nhw'n anghofio beth oedd lliw croen Iesu Grist, ac os oedd o unrhyw beth tebyg i'r bobl y magwyd O yn eu mysg, yna doedd ei groen ddim yn wyn iawn. Ddaru ni ein siâr o gwffio yn y Rhyfel Mawr a cholli digon o waed, ond pan ddaethom adref, 'chydig iawn o ddiolch gawson ni amdano. Mi fedr dyn gwyn gael deg swllt yr wythnos yn y ddinas hon os ydi o'n ddigartref, ond dim ond wyth gaiff dyn du. Cwbl gaf i fy hun ydi chwe swllt yr wythnos.

'Oes gan y Bobl Ddu unrhyw obaith o gael eu hawliau yn fuan?' gofynnais.

'Mae gennym arweinydd rŵan,' meddai, 'sy'n ceisio dod â holl bobl dduon y byd at ei gilydd fel y gallant weithio efo'i gilydd i fynnu eu hawliau. Mad Garvey ydi ei enw a does neb yn gwybod pwy ydi o, nac o lle y daeth.'

'Wn i ddim,' meddwn, 'fyddech chi'n croesawu dyn gwyn fel fi i helpu eich achos? Y ffordd fedra i helpu ydi fod lliw fy nghroen yn wynnach na'r rhan fwyaf o bobl wynion. Ar ben hynny, dwi'n perthyn i genedl sydd wedi dioddef saith can mlynedd o ryfel a newyn a gorthrwm er mwyn rhyddid a rŵan rydan ni o'r diwedd wedi ei gael – neu rydan ni'n agos iawn at ei gael. Rydan ni'n uniaethu'n gryf efo pobl eraill dan orthrwm neu sydd wedi cael eu trin yn wael. Mae'n siŵr i chi glywed am y Gwyddelod, y genedl sy'n ymladdwyr lle bynnag yr ân nhw, y genedl sydd wedi dioddef mwy o anghyfiawnder nag unrhyw bobl eraill yn Ewrop?'

'Wrth gwrs rydyn ni wedi clywed amdanoch,' meddai, 'ac os hoffech, mi ddo'i efo chi i gyfarfod lle mae dynion du dros y byd i gyd yn bresennol.'

'Fasa dim yn rhoi mwy o bleser i mi,' meddwn.

Gadawodd, a'r diwrnod canlynol dyma fi'n mynd i lyfrgell i ganfod dipyn o lyfrau ar hanes y bobl ddu. Treuliais bythefnos yn eu darllen ac roedd yr hanes sut cawsant eu trin mor enbydus fel bod gen i gywilydd o fod yn ddyn gwyn, ac roedd yn rhaid i mi gyfaddef nad oedd yr anghyfiawnder a ddioddefwyd gan fy ngwlad fy hun yn ddim o'i gymharu â'i dioddefiadau hwy. Pan adawodd y Sbaenwyr a chenhedloedd eraill Ewrop am y Byd Newydd, doedd dim digon ohonynt i fynd draw a gweithio'r ehangder o dir roeddent wedi ei ganfod yno. Roedd yr Indiaid Brodorol yn gwrthod gweithio iddynt. Mynnent hwy fod y dyn gwyn yn elyn iddynt ac fe ddaru nhw ymladd yn sobr o ddewr yn erbyn y trefedigaethwyr a phrin fod y rhyfel hwn ar ben. Mi ddaru'r

Ewropeaid ddatrys problem y bobl gynhenid mewn ffordd arall p'run bynnag. Un dydd, yn 1600, mi laniodd llong ar arfordir Affrica ac mi laddwyd llawer o'r bobl leol, a chymryd y gweddill yn garcharorion i America lle cawsant eu gwerthu fel caethweision. Doedd y dynion duon heb wneud dim byd o'i le, dim ond ennill bywoliaeth oeddent hwy fel pawb arall. Doedden nhw ddim yn elyniaethus nac yn wyllt. Roedd pobl Affrica yn gwneud eu cyfran nhw o'r gwaith; un o'r diwydiannau roedd llawer ohonynt yn gweithio ynddo ar draws y byd oedd mwyngloddio. A tasen nhw wedi bod yn wyllt neu'n anwaraidd, fydden nhw ddim wedi bod fawr o werth yn y Byd Newydd, fydden nhw? Eu hunig drosedd oedd eu bod yn ddu, ac o ganlyniad yn cael eu hystyried yn estron. Hynny, a'r ffaith na wyddai pobl ddim byd amdanynt a'u bod yn bobl wahanol.

Ddaru'r fasnach gaethwasiaeth barhau am rai cannoedd o flynyddoedd wedyn fel bod miloedd a miliynau o bobl dduon wedi eu cludo dros y môr a'u gwerthu fel caethweision i'r Byd Newydd. Roeddent wedi eu gwasgu i ymysgaroedd y llongau hyn lle bu farw niferoedd mawr ohonynt ar y siwrne. Doedd y rhai oroesodd y daith fawr gwell. Y cyfan oedd o'u blaenau oedd gwaith diddiwedd ac artaith a chael eu prynu a'u marchnata, a'u trin fel baw. Cafodd y bobl dduon dan reolaeth Brydeinig ryddid tua chan mlynedd yn ôl, ac mewn rhannau eraill o'r Unol Daleithiau, cawsant eu rhyddhau ryw 90 mlynedd yn ddiweddarach. Ond hyd yn oed os oeddent yn rhydd yn dechnegol, doedden nhw ddim yn rhydd mewn gwirionedd. O leiaf, yr oedd yn cael ei gydnabod o'r diwedd eu bod yn fodau dynol yn hytrach nag anifeiliaid. Chawn nhw ddim gwir ryddid nes eu bod yn troi yn erbyn yr hil wyn beth bynnag, a chyn bod popeth drosodd, bydd y bobl wynion yn dechrau difaru y ffordd ddaru nhw eu trin.

Un o agweddau mwyaf anhygoel yr hanes ydi'r hyn ddigwyddodd yn India'r Gorllewin lle cafodd ei brofi fod y duon mor benderfynol ac effeithiol ag unrhyw un o'r bobl oedd yn eu prynu neu'n eu gwerthu. Roedd ynys Haiti dan reolaeth Ffrainc tan ddigwyddiadau 1789. Roedd dyn ar yr ynys honno bryd hynny o'r enw Toussaint L'Ouverture. Mi drefnodd o yr holl gaethweision yn llu i ymladd a dyma nhw'n gorchfygu un o gadlywyddion Napoleon a chymryd yr ynys yn ôl gan y Ffrancwyr eto. Roedd hwn yn un o'r llwyddiannau mwyaf yn yr holl hanes. Yr un a ddilynodd

L'Ouverture oedd dyn o'r enw Jean Christophe, yr un gaiff ei adwaen fel y Napoleon Du. Does yr un dyn byw arall wedi cael yr enw am rym a thrais fel y cafodd hwn. Disgwyliai i'r Ffrancwyr ddychwelyd rhyw ddydd a cheisio ail-gymryd yr ynys, ac roedd wastad yn paratoi ar gyfer y posibiliad hwnnw. Er mwyn bod yn barod ar gyfer y Ffrancwyr, adeiladodd gaer anferth 4,000 troedfedd o uchder, caer y gellir ei gweld heddiw; caer a fydd yn sefyll ymhen miloedd o flynyddoedd, o ystyried fod y gwaith cerrig mor gryf a chadarn â'r pyramidiau gododd brenhinoedd yr Aifft – ffurfiau sy'n dal i synnu'r byd. Hyd heddiw, mae tri chant o ynnau mawr yn dal i sefyll ar y muriau.

Wnes i dreulio llawer o amser yn meddwl am India'r Gorllewin wedi clywed ei stori. Gwelwn y byddai'r bobl dduon yn cyfrannu yn fawr i ddatblygiad y byd, tase nhw ond yn cael y rhyddid i wneud hynny. Petawn i byth yn llwyddo i ddod yn frenin India'r Gorllewin, byddwn yn rhoi sgytwad go iawn i'r byd, meddyliais. Efallai y byddwn hyd yn oed yn dychwelyd i Iwerddon ryw ddydd, wedi fy amgylchynu gan glymblaid o ofalwyr croenddu, a chymryd fy ngwlad enedigol drosodd a falle y byddwn yn siarad dipyn o synnwyr efo nhw.

Euthum i'r cyfarfod y soniodd Matthew amdano wrthyf. Yr oedd dynion o bob lliw yno – o ddynion oedd mor ddu â glo i'r rhai oedd mor efydd â dail yr Hydref, dynion o Affrica ac o Awstralia – ac o holl ynysoedd yr Iwerydd a'r Môr Tawel. Siaradais yn y cyfarfod a chanmol eu cyndadau; disgrifiais eu brenhinoedd sydd bellach yn cysgu dan y pyramidiau Eifftaidd; cofiais am eu dewrder yn Abyssynia a champau llawn gwrhydri Cetauaio yn Ne Affrica. Atgoffais hwy am Toussaint L'Ouverture a Napoleon Ddu. Dywedais wrth y cyfarfod fod ganddynt gyndadau mor bwerus ac anhygoel ag unrhyw grŵp o bobl yn y byd. Gofynnais iddynt uno i yrru'r dyn gwyn yn ôl i wledydd oer y gogledd lle'r oedd wedi eu hetifeddu yn gyfiawn. Cefais wrandawiad gwefreiddiol ganddynt a dyma fi'n synhwyro y noson honno y gallent yn hawdd fy ngwneud yn frenin, taswn i wedi dymuno hynny. Mi drefnson ni gyngor ymgynghorol ar gyfer y cyfarfod nesaf. Fi oedd pen y cyngor a Matthew oedd yr ysgrifennydd. Roedd gennym ddeg aelod arall a'u swydd oedd ymddwyn fel person fyddai'n siarad ar ran y gwahanol grwpiau a chenhedloedd duon. Dywedais y byddem angen llong a dau gant o ddynion fel swyddogion, ac y byddem angen arian i'n cadw i fynd am fis neu ddau. Dyma benderfynu codi pres o amgylch Caerdydd a'r cyffiniau mor fuan â phosib ac y caem gyfarfod arall yr wythnos ganlynol. Es adre'r noson honno ac roeddwn uwchben fy nigon. Yr oedd fel taswn yn cerdded drwy niwl i gopa mynydd. Roedd fy ffordd fy hun yn fy arwain i wlad newydd o natur a heulwen, rhai na welwyd eu tebyg erioed o'r blaen gan y mwyafrif ohonom yr ochr yma i'r byd. Roedd fy nychymyg yn rhedeg fel trên – fel tonnau grymus sy'n codi ac yn dymchwel yn swnllyd ar enedigaeth storm.

Cefais freuddwyd y noson honno nad ydw i 'rioed wedi ei anghofio. Roeddwn ar gopa mynydd dienw ac ar ei ben yr oedd coeden fawr yn sefyll. Rhwygwyd y goeden o'r tir ac roedd ei gwreiddiau yn gorwedd uwchben y canghennau. Roedd y goeden hon yn perthyn i mi. Roedd gwaelod fy mod ynghanol y goeden honno a gwyddwn fod fy mywyd cyfan wedi ei blethu ynddi ers dechrau amser hyd at yr union funud honno. A daeth tristwch eithriadol i'm rhan o weld y goeden honno wedi ei chodi o'i thir cynhenid a'r gwreiddiau wedi eu dinistrio i'r fath raddau. Cofiais y freuddwyd honno wedyn, a dydi hi ddim yn hawdd dal gafael ar rai breuddwydion. Ond mae ein gweledigaethau yn y nos yn aml yn ddrych o'r hyn ddaeth inni yn ystod y dydd, eiliad fechan o dreiddgarwch neu ganfyddiad – yn union fel mae'r haul yn goleuo'r cymylau ar ddiwrnod glawog neu'r modd y ffurfir enfys. Doedd dim byd proffwydol am y freuddwyd hon a gefais beth bynnag, achos es i 'rioed i India'r Gorllewin yn y diwedd. A hyd yn oed tase ni wedi bod wrthi yn ddyddiol ers hynny, fydden ni byth wedi casglu digon o arian i dalu am groesiad pob person dros y môr i India'r Gorllewin. Crwydrais strydoedd y ddinas fel y gweddill ond wnes i erioed gyfarfod unrhyw un oedd yn dyheu am gyfrannu i goffrau Brenin Gwyn y Dynion Du.

Pennod 9

Y Rhondda

Dros y canrifoedd, mae'r beirdd yn aml wedi disgrifio'r modd y mae'r meddwl yn ystwyrian ac yn blaguro unwaith yr aiff y gaeaf heibio, ac mae byd natur yn adnewyddu ei hun a'r adar yn canu. Mae'r trawsnewidiad yn cael ei gyfleu yn un o ganeuon Raftery:

> Anois, teacht an earrigh, beidh an lá'dul 'un síneadh,
> 'S thar éis na Féil' Bríde ardóchad mo sheol.

> Nawr fod y Gwanwyn yma, a'r dyddiau yn tyfu,
> Wedi Gŵyl Sant Bridget, cychwynnaf ar fy nhaith.

Ro'n i'n teimlo fy hun yn anniddigo unwaith y daeth Gŵyl Sant Padrig, ac roeddwn wedi byw yn yr un lle am bum mis, ers y mis Tachwedd cynt.

Ychydig iawn a gyflawnais yn yr amser hwnnw – gwneud dim ond eistedd yn f'ystafell efo llyfr yn fy llaw, neu grwydro yn ddiamcan ar hyd strydoedd y brifddinas. Cwch heb lyw oeddwn, ar goll ar y llanw, y gwynt yn fy chwythu fan hyn a fan draw. Roedd bywyd yn mynd rhagddo a theimlwn fel carreg ar ochr y ffordd, a gwair a chwyn yn tyfu drosof. Roedd yn rhaid i mi wneud rhywbeth i ddianc o'r syrthni hwn. Wedi wythnos neu ddwy o ogor-droi, dyma fi o'r diwedd yn troi ati.

Un dydd ym mis Ebrill, dyma fi'n archwilio 'mhocedi a chanfod fod gen i ddwy bunt a naw ceiniog ar fy meddiant. Dyma'r cyfan oedd yn weddill o'r chwe gini roedd y papur newydd wedi fy nhalu am wahanol draethodau ro'n i wedi eu sgwennu dro nôl. A doedd gen i'r un syniad dan haul o ble deuai'r pres nesaf na sut y gallwn osgoi tri mis neu fwy o galedi. O leiaf, roedd gen i ddigon i ddychwelyd i Iwerddon, meddyliais. 'Blaw doedd gen i ddim tamaid o ddiddordeb mewn dychwelyd i Iwerddon beth bynnag. A deud y gwir, ro'n i wedi cael hen ddigon ar y wlad a gwyddwn na fyddai mynd yn ôl yno rŵan yn gwneud unrhyw les i mi yn feddyliol nac yn gorfforol.

Ond be yn enw Duw fedrai unrhyw un ei wneud efo dwy bunt? Pe gallech eu gwario ar rywbeth na fyddech byth yn ei anghofio, falle y byddai'n wahanol. Dywedwch petawn wedi cyfarfod tywysog o'r Dwyrain, a'i fod yn marw o newyn a minnau'n rhoi benthyciad iddo a'i fod yn talu'n ôl drwy roi llety i mi a sofraniaeth dros diroedd estron a hynafol – wel, byddai honno'n stori arall! Ond doedd 'na ddim gobaith caneri y byddai rhywbeth hudol ac anhygoel felly yn digwydd mewn harbwr glo llychlyd fel ro'n i wedi canfod fy hun ynddo!

Daeth y syniad i mi wedyn y dylwn ganfod fy ffordd drwy'r wlad hon, teithio drwy ei glynnoedd fel y gwnaethant yn oes y Fianna, cysgu yn y llefydd oedd unwaith yn noddi rhyfelwyr ac arwyr a chyfarfod pobl oedd yn crwydro eu dalgylchoedd bach – yna eu gadael efo synnwyr o ryfeddod yn eu calonnau er mwyn cael dilyn fy ffordd fy hun unwaith eto. Peidio canfod fy hun wedi nghlymu eto i un darn o dir penodol, nac unrhyw fwrdd neu wely. O leiaf, byddai taith o'r fath yn peri i mi deimlo yn fyw drachefn. Holais fy hun pa mor bell allwn fynd ar ddwy bunt a dyma ddyfalu y byddai'n para cyn hired ag y cymrodd i Muircheartach na gCochall Craiceann deithio o amgylch Iwerddon. Falle y byddai dwy bunt yn fy nghymryd cyn belled â'r Alban lle gallwn weld Sciath Ailín sy'n crogi dros Loch Rannoch a'r gwastadedd mynyddig lliw rhwd i'r gorllewin lle mae'r glynnoedd lle canfu llwythi Uisneach eu hunain ar dir estron. Ro'n i wedi bod yn hoff o'r Alban erioed, gwlad y mae ei chwedlau wedi eu cysylltu'n agos â rhai Iwerddon. Sonnir am rai arwyr Albanaidd yn chwedloniaeth Donegal a gwelais unwaith lyfr a honnai – yn wir neu'n gau – mai o'r Alban yr oedd y teulu Mac Grianna wedi hanu – eu bod o waed Sgandinafaidd a'u bod wedi mudo ar draws Iwerddon yn amser y Gallowglasses. Mi gerddaf i'r Alban medda fi wrthyf fy hun.

Es i brynu arfau a dillad ar gyfer y daith. Cefais fag bach, cynfas rwber, het a throwsus glaw. Gan fynd heibio'r ffordd ac ar hyd y lan, cofiais y byddai cyllell yn beth defnyddiol a chwiliais yn ffenest pob siop nes canfod yr un ro'n i'n chwilio amdani. Darllenais yr enw uwchben y drws. Enw tramor ydoedd – Lambadarios – Groegwr mwy na thebyg! meddwn wrthyf fy hun, a cherdded i mewn. Dyn canol oed oedd y tu ôl i'r cownter ac roedd naws gyfeillgar a deallus yn perthyn iddo.

'Mi hoffwn brynu cyllell,' medda fi, a daeth â dau fath i'w ddangos i mi.

'Well gen i hon,' medda fi, 'mae'n debycach i gleddyf.'

Edrychodd arna i yn hurt cyn gofyn:

'Gobeithio bod dim ots gennych mod i'n gofyn – ond ai Groegwr ydych chi?'

'Ia'n wir,' atebais. 'Eich enw uwchben y drws a'm denodd yma. Nid bob dydd rydych chi'n prynu cleddyf gan ddyn â'i wreiddiau yn ddwfn mewn diwylliant a chenedl hynafol fel Groeg. Dwi ar fin cychwyn ar siwrne allan i'r bryniau a'r glynnoedd a bydda i'n cysgu allan dan y nen. Byddaf angen fy ngwarchod rhag fy ngelynion fel y gallaf dorri'r hyn a gaf wedi i mi fod yn hela.'

Gadewais Lambadarios yn syllu ar f'ôl mewn anghrediniaeth. Byddwn wedi sgwrsio efo fo am wlad Groeg yn hwy heblaw mod i'n canolbwyntio yn llwyr ar y daith oedd o'm blaen. Costiodd y gyllell bedair ceiniog ar ddeg. Bu'n gwmni i mi am y flwyddyn ganlynol a chaiff ei chrybwyll yn fy ewyllys. Erbyn yr amser ro'n i'n barod i wynebu'r ffordd, y cyfan oedd gen i'n weddill oedd un bunt a phymtheg swllt. Gwyddwn nad oedd hyn yn agos at fod yn ddigon i'm bwydo am bythefnos ac y byddai'n rhaid i mi ganfod llety am ddim lle bynnag yr awn. Pan oeddwn i'n iau, byddwn yn treulio nosweithiau drycinog allan ar fryniau Donegal, ond doeddwn i erioed wedi treulio noson gyfan yn cysgu allan ar wahân i unwaith mewn tas wair yn Swydd Limerick ac roedd honno'n noson rewllyd ar y naw. Roeddwn am gyflawni'r daith hon mewn ffordd mor wrol â phosib. Sefais ar fy nhraed a thyngu tri llw:

Y cyntaf, na fyddwn yn cysgu mewn unrhyw dŷ drwy gydol y siwrne.

Yr ail, na fyddwn yn rhoi troed mewn na char na thrên ar hyd y siwrne.

Y trydydd – na fyddwn yn osgoi unrhyw anawsterau, nac yn rhedeg ymaith oddi wrth sialens neu ymladdfa a ddeuai i'm rhan.

Ar y nawfed o Ebrill, dydd Llun, dyma gychwyn ar fy nhaith. Ro'n i wedi bwriadu cychwyn wrth i'r haul godi, ond rhwng hyn a'r llall, ni fu hyn yn bosibl, ac roedd wedi un o'r gloch y prynhawn erbyn i mi adael.

Cerddais i lawr y brif stryd a chymryd y briffordd yn arwain tua'r gogledd. Unwaith ro'n i wedi cerdded tua dwy filltir, canfyddais fy hun tu allan i'r ddinas. Es heibio tafarn o'r enw The Oak Tree ar fforch yn y ffordd. Roedd dwy ffordd yma, y ddwy yn mynd i'r gogledd a chymrais yr un oedd yn gwyro i'r chwith. Roedd yn ddiwrnod hyfryd, yn heulog ond heb fod yn rhy boeth, ac euthum ymlaen fel dyn oedd yn cerdded y byd am y tro cyntaf, roedd fy nghamau mor ysgafn a chwim. Ni fûm yn hir yn cerdded cyn cyfarfod y crwydryn cyntaf ar y ffordd. Yr oedd golwg welw a nychlyd ar ei wyneb ac roedd ganddo bwt o farf. Roedd yn cario bag bach fel f'un i, ac roedd ffon yn ei law. Ond ei ffordd o gerdded oedd yn fy niddori fwyaf. Dim ond hanner y gwaith a wnawn i roedd o'n ei wneud, a nodais ei gerddediad – mor ysgafn fel prin roedd o'n cyffwrdd y ddaear. Mewn cymhariaeth, roedd pob cam o'm heiddo i yn drwm ac roedd fy sawdl yn taro'r ffordd yn galed, ond fe daerech fod hwn yn nofio ar wadn ei draed, roedd ei gerddediad mor ysgafn â hynny. Edrychais arno ac edrychodd o arnaf i ac roedd yr hyn oedd yn ei feddwl mor glir â'r dydd:

'Pa fath o ffŵl sydd yn cerdded felly?'

Es ymlaen ar fy ffordd, yn falch o'r cryfder yn fy nghoesau, ond yng nghefn fy meddwl, ro'n i'n meddwl y byddai'n well petawn yn dynwared ffordd y tramp o gerdded.

Roedd y briffordd yn mynd ar i lawr i'r dyffryn cyntaf efo afon o'r enw Taf ar fy llaw chwith, ac roedd bryniau a choed o boptu. Aeth y cerdded yn burion tan iddi ddechrau bwrw, a gwisgais fy het a'm trowsus glaw mor sydyn ag y medrwn. Roedd hi'n arllwys y glaw am ryw awr ac erbyn iddi beidio, ro'n i yng nghanol y dyffryn; roedd y coed yn pelydru ac yn hardd ar y bryniau uchel uwchben yr afon, ac roedd y bont reilffordd oedd yn torri ar draws o'm blaen yn diflannu ar gynffon y bryn oedd yn codi, yn uchel ac yn gul fel petai i'r awyr fry.

Ro'n i mewn hwyliau da unwaith eto, nes i bwyth yn fy esgid ddechrau gwasgu ar fy nhroed, a chymerais hoe wrth dwll mawr lle'r oedd creigiau wedi eu tynnu, a diosg fy esgid. Wrth i mi botsian efo hi, daeth dau ddyn a gwraig i'r golwg, gan anelu at y briffordd. Tinceriaid oeddynt, dois ar draws farwor eu tân wrth i mi eistedd i drwsio fy esgid. Diflannodd y tri ar hyd y ffordd, a welais i mohonynt eto. Es heibio i bump neu chwech o bentrefi bach iawn nes mod i ddeng milltir o Gaerdydd a wnes i ddim stopio na chymryd gorffwys wedyn ar hyd y daith. Doeddwn i ddim yn flinedig o gwbl, a ddaru o ddim croesi fy meddwl i gymryd hoe. Pe gwyddwn beth oedd o'm blaen, mi fyddwn wedi cymryd pethau yn fwy hamddenol. Ac yna, cefais fy ngolwg gyntaf o'r ffordd oedd o'm blaen. Gwelais y modd yr oedd y glyn yn culhau ac roedd y tai i gyd ar bennau'i gilydd o'i fewn. Dyma geg y Rhondda. Rai munudau yn ddiweddarach, daeth simdde fawr dal i'r golwg a dyma ogleuo mwg.

Gwyddwn sut roedd tref lofaol yn ogleuo – fel adran o uffern oedd wedi ei hanghofio, yr awyr yn dew efo baw a mwg a llwch fel ei fod yn fuan yn llosgi eich llygaid, ac mae golwg mwy llwm ar y tai na dim a welsoch – heblaw am wynebau'r bobl sydd yn byw yno. Os ydych chi eisiau gwybod sut olwg sydd ar dref lofaol, rhowch eich trwyn ger tân sy'n mudlosgi nes bod y mwg yn dechrau eich tagu ac yna cymrwch dipyn o lwch a'i rwbio rhwng eich bysedd fel y gallwch ei flasu bron rhwng eich dannedd. Ro'n i'n gwybod hyn i gyd, ac eto, doedd gen i ddim dirnadaeth go iawn o'r Rhondda. Wedi dweud hynny, ro'n i o'r farn fod Pontypridd yn lle braf – eisteddais yno gyda'r nos rhwng y bryniau, roedd cloc y dref yn y canol. Yr oedd llawer mwy eang a hardd nag agoriad y glyn. Wedi i mi fynd heibio p'run bynnag, aeth y ffyrdd yn gulach ac yn brysurach eto. Bob yn hyn a hyn, roedd llethr creigiog yn ymddangos ac roedd y ffordd yn codi'n sydyn am ryw chwarter milltir. Roedd y mynyddoedd yma yn fil o droedfeddi o uchder ac roedd rhai bryniau hyll a wnaed gan ddynion hwnt ac yma wedi cael eu ffurfio o'r llanast a dynnwyd o'r pyllau glo. Roedd golygfa ysbeidiol o'r afon yn dangos i chi fod y dŵr mor ddu â'r glo. Sylwais hefyd ar beth a edrychai fel melinau o ryw fath efo ffwrneisi anferth y tu mewn iddynt a pheiriannau mawr du ddeuai rhyngof a'r golau – ond chydig iawn o waith oedd yn mynd ymlaen hyd y gallwn weld. Yna, gwelais resi hir o dai isel wedi eu gwahanu gan strydoedd culion, ac roedd pob tŷ 'run ffunud â'i gilydd. Dim ond ychydig arwyddion o fywyd a welais, ac roedd hi reit dywyll rhwng y strydoedd hefyd. Roedd gen i bymtheg milltir eto i'w cerdded nes i mi adael Cwm Rhondda. Wedi i mi fod yn cerdded am awr, a doedd y ffordd ddim fel tase hi'n dod i ben chwaith, ro'n i'n llwglyd ac es i chwilio am rywbeth i'w fwyta – ond mi ges drafferth efo hynny, dwi'n dweud wrthych! Es i mewn i ryw siopau bach iawn oedd yn dywyll a heb fawr ar werth, a dwi'n credu mai yn y drydedd y cefais afael ar fara. Fedrwn i ddim canfod caws na llefrith nac wyau, am bensiwn. Roedd y tlodi a'r caledi yn waeth yma na dim a allwn fod wedi ei ddychmygu; ac roedd yn waeth na bod allan ar y mynyddoedd hefyd, achos o leiaf roeddech yn gallu teimlo yn rhydd yno, lle'r oedd popeth yn cau i mewn arnoch yn fan hyn. Dyma fynd ymlaen ar fy nhaith, ar ben fy hun yn y tywyllwch, ar lôn lom oedd fel petai'n para am byth.

TONYPANDY: Ymddangosodd y dref hon o nunlle fel petai, lle braf, hapus-yr-olwg yng nghanol unman. Yr oedd digon o siopau yno a digon o olau ac roedd y plant yn chwarae ac yn chwerthin ar y strydoedd. Es i mewn i siop a phrynu dau wy a darn o gaws, yna croesi'r ffordd i un o'r caffis Eidalaidd 'ma lle archebais wydriad o lefrith. Eisteddais wrth fwrdd, tynnu fy nghyllell allan, torri pen yr wyau a'u llyncu yn amrwd, yna dechrau ar y bara, y caws a'r llefrith.

Roedd yna dri neu bedwar o lanciau o'r pentref yn mwynhau dipyn o hwyl, fel y byddai hogiau eu hoed nhw yn ei wneud mewn pentref Gwyddelig. Roedd eu hacenion yn f'atgoffa o acen Belfast. Roeddent yn rhai bywiog a siaradus, ond doeddwn i ddim yn teimlo fel sgwrsio. Roedd y saith milltir o ffordd dywyll wedi fy llethu, felly roedd yn well gen i gadw'n dawel. Edrychent yn bobl glên, gyfeillgar ac roedd yn well gen i'r rhain na phobl Caerdydd. Ond fedrwn i ddim cynnal sgwrs efo neb. Roedd un creadur yn eistedd yn y gornel yn fy llygadu. Syllodd arnaf am amser maith. Doeddwn i ddim yn debyg i weithiwr cyffredin efo 'nhrowsus byr a'm sgidiau brown golau, debyg. Roedd gen i fag bach efo mi, ac ro'n i'n bwyta fy mwyd yn yr un modd ag unrhyw ddyn oedd wedi mynd drwy fywyd gan weld y drwg a'r da.

'Chwilio am waith?' gofynnodd yn dawel ymhen dipyn. Rhaid bod ugain man lle byddai'n haws i ganfod gwaith ynddynt na'r Rhondda, meddyliais.

Roedd fy nhraed yn teimlo'n flinedig erbyn hyn, a chefais ryddhad mawr yn eu 'mestyn dan y bwrdd. Wedi chwarter awr neu fwy, codais a mynd ymlaen ar fy ffordd. Roedd yn hwyrhau, ac roedd rhai trefi diawchedig o fawr o'm blaen, ac ro'n i wedi tyngu na fyddwn yn cysgu mewn unrhyw dŷ ar y ffordd. Ymlaen â mi a dod at y wlad tu allan i Donypandy. Roedd ffordd yn cylchu ochr y bryn lle'r oedd pobl ifanc allan yn cerdded a chwarae a chael hwyl. Roedd ffordd fer yn arwain rhwng y tai a dilynais hon yn hytrach – yna daeth y trefi, a mwy o drefi a thramiau ar y strydoedd. Roedd y dyffrynnoedd yn prysuro. Ddwyawr yn ddiweddarach ac ro'n i'n meddwl, rhaid nad oedd yn bell o fod yn hanner nos, ac roedd y ffordd yn parhau cyn belled ag y gallai'r llygad weld – er na wyddwn faint yn hwy ydoedd. Rhaid i mi gyrraedd y mynydd rywfodd meddyliais wrthyf fy hun. Neu byddaf wedi torri fy addewid ar ddiwrnod cyntaf fy siwrne.

Edrychais yn fanwl o'm cwmpas. Roedd y mynyddoedd wedi eu lleoli yng nghefn rhai o'r tai, a fedrwn i ddim gweld unrhyw fodd o'u cyrraedd heb fynd o amgylch y tai yn gyntaf. Yn fuan wedyn fodd bynnag, lledodd y glyn a deuthum o hyd i stryd fechan ar yr ochr dde a gadewais y briffordd a dilyn llwybr i gefn stryd o dai. Doedd neb yn cymryd sylw ohonof wrth i mi fynd rownd i'r cefn hyd yn oed os oeddwn ond 'chydig lathenni oddi wrth eu cegin a byddent wedi cael syndod ofnadwy yn fy ngweld.

Roedd caeau rhyngof a'r bryn, ond roedd y nos fel bol buwch, a phrin y gallwn weld unrhyw beth. Teimlais fy ffordd drwy'r tywyllwch a llwyddo i gyrraedd giât a'i hagor. Dwi'n iawn rŵan, meddyliais. Doeddwn i ddim wedi mynd ymhellach na phum llathen pan deimlais ffens weiran yn fy rhwystro. Tase hi ddim mor dywyll, a phe na bawn wedi cerdded pedair milltir ar hugain y diwrnod hwnnw, byddwn wedi canfod rhyw ffordd o fynd drwy'r ffens honno. Ond fedrwn i ddim. Es o amgylch y cae a methu canfod giât na bwlch yn unman, felly es o'i hamgylch eilwaith. Roedd golau cegin rhywun naw neu ddeg llath i ffwrdd, ac roedd arna i ofn y gwelai rhywun fi. Yn y diwedd, dyma fynd nôl y ffordd y deuthum, a chwilio nes i mi ganfod giât arall. I fyny rhyw lôn gul â mi, a meddyliais eto mod i wedi llwyddo, ond o fewn decllath, deuthum ar draws giât arall. Fedrwn i ddim agor honno, er gwaethaf ymdrech lew, a dringais drosti. Ond wrth i mi wneud hynny, fe'i teimlwn yn plygu a gwyddwn na allai ddal fy mhwysau. Gallwn fod wedi malu'r giât yn ddarnau o fewn eiliadau ond ro'n i ofn i rywun o'r tai fy nghlywed, felly es yn ôl dipyn o droedfeddi a cheisio mynd dros y ffens mewn mannau eraill – ond ches i ddim lwc efo hyn chwaith. Roeddwn yn benderfynol na fyddai dim yn fy rhwystro rhag cyrraedd y bryncyn, ond yn y diwedd, doedd gen i ddim dewis ond troi yn f'ôl.

Torrais i mewn i gae arall. Roedd hwn yn lletach ond roedd o newydd gael ei aredig, ac roedd fy esgidiau yn llenwi efo baw a phridd. Nid fod ots gen i. Deuthum at giât ac fe'i hagorais, wedyn un arall, ac es yn ddigon pell fel bod digon o le rhyngof a'r tai – petai wal hanner can troedfedd wedi ymddangos o'm blaen, fyddwn i ddim wedi troi yn f'ôl. Fel ro'n i'n cyrraedd ochr arall y cae, dois ar draws ffens, a'r weiars wedi eu troi a'u plethu mewn modd cwbl amhosibl i fynd drwyddi. Wedi i mi botsian am beth amser efo hi, dyma ganfod nad oedd mor gymhleth ag y tybiwn. Y math o ffens oedd hi lle mae ceblau metal wedi eu clymu efo'i gilydd ar y pen ac efo weiars wedi eu troi ar ei draws a thrwy y naill a'r llall fel rhwyd bysgota. Teimlais o gwmpas nes canfod top un o'r weiars a llwyddo i'w lacio a'i ddatod – ac yna gallwn weithio'r cebl mewn ac allan nes bod pedair neu bum llath wedi ei ddatod.

Yna, teflais fy mag bach dros y ffens a gwthio fy mhen a'm hysgwyddau drwy'r rhwydwaith ac yna tynnu gweddill fy nghorff drwyddo – ac am funud, ro'n i'n sownd hanner ffordd, efo hanner top fy nghorff ar un ochr, a'm traed yn ysgwyd ac yn chwyrlïo yn yr awyr yr ochr arall fel sgodyn wedi ei ddal. Yn y diwedd, gorfodais fy hun i lawr ar y ddaear ar yr ochr draw a thynnu fy nghoesau drwodd, yna cipio fy mag a dringo i fyny ochr y bryn. Roedd fel petai tynnu fy hun drwy'r ychydig gaeau hynny wedi cymryd mwy allan ohonof na'r siwrne gyfan y dydd hwnnw, ac roedd fy nghorff i gyd yn laddar o chwys. Gallwn ddweud, yn ôl y modd y gwnaed y ffens, ei bod wedi ei chynllunio yn arbennig er mwyn cadw'r defaid ar y bryn rhag torri trwodd i'r caeau islaw – a byddai wedi cymryd coblyn o ddafad benderfynol i wthio ei ffordd drwyddi. Anelais at fwlch ger copa'r bryn lle gallwn dynnu fy nghynfas rwber allan, a'i thaenu ar y ddaear. Tynnais fy esgidiau a newid fy sanau, a throi fy mag yn glustog. Roedd y gynfas yn chwe throedfedd o hyd, a phum troedfedd o led, ac ro'n i'n credu y byddai'n ateb y galw. Unwaith y byddwn wedi ei lapio oddi tanaf ac o'm cwmpas beth bynnag, dyma ganfod nad oedd pum troedfedd yn ddigon, felly roedd yn rhaid i mi wasgu fy hun yn belen a gwneud fy hun yn llai i gadw'r glaw oddi ar f'ysgwyddau. Rydw i'n un sydd yn hoffi ei gysuron fel rheol, felly ro'n i wedi cymryd blanced efo mi pan adewais y lojings dwytha, a gosodais y blanced hon dan y gynfas rwber i gadw peth o'r gwres yn fy nghorff. Wedi taith hir y diwrnod hwnnw, doeddwn i ddim am ddioddef gormod oherwydd yr oerfel y noson honno.

Ond roedd y ddaear oddi tanaf mor galed â chraig, a gallwn deimlo'r cerrig yn gwthio i mewn i'm 'sennau. Fedrwn i gysgu dim, ac ro'n i'n crynu efo'r oerfel. Beth bynnag, syrthiais i ryw fath o lesmair. Clywais glychau'r dref yn canu yn y dref islaw, sŵn y tramiau mwy na thebyg, ond y cwbl a ddaeth i'm meddwl oedd cerdd a ddarllenais yn yr ysgol flynyddoedd yn ôl:

Hark! The faint bells of the sunken city
Peal once more their wonted evening chime...

Cofiais mai James Mangan druan oedd yr awdur, ac roedd fy nychymyg wedi ei danio, treuliais amser maith yn trafod y bardd mewn llais isel. Wyddwn i ddim efo pwy ro'n i'n siarad mewn gwirionedd – efallai mai creaduriaid cyfareddol y bryn, neu ryw bobl y cwrddais â hwy ymhell bell yn ôl, a minnau prin yn eu cofio bellach. A phan orffennais, agorais fy nwy lygad ac ro'n i'n dyst i awyr ddychrynllyd a thywyllwch yn rhwygo'i pherfedd. Yn y man, cwympais i gysgu hyd yn oed os caf drafferth i gredu mod i wedi cysgu mewn gwirionedd.

Yn sicr, doeddwn i ddim wedi cysgu fel rhywun mewn gwely braf, cyfforddus efo to uwch ei ben. Cysgais fel clogwyn creigiog oedd wastad wedi byw dan yr elfennau. Cysgais heb orffwyso. Cysgais yr hen gwsg anniddig y mae bysedd yn ei gysgu pan mae ewinedd yn tyfu ynddynt. A doedd o ddim yn gwsg maith cyn iddi ddechrau bwrw, a theimlais ddiferion mawr ar fy nghynfas rwber, hanner modfedd o'm croen. Wnes i ddim deffro fel dwi'n arfer ei wneud chwaith. Beth amser cyn iddi wawrio, teimlwn yn anniddig, fel petai rhywun wedi fy lluchio allan i'r gwyllt. Gwasgais fy llygaid eto mewn ymdrech i ymwrthod â'r teimlad o dywyllwch a digalondid oedd ar fin fy llyncu ac fe'u cedwais ynghau tan i'r bore oleuo ac i olau ymddangos yn wan a gwelw yn yr awyr bellennig. Sylweddolais fod y bryncyn dros y ffordd i mi wedi ei ffurfio gan wastraff y pwll glo a bod blynyddoedd o dyfiant wedi ei orchuddio. Codais, a theimlo'n waeth nag oeddwn pan euthum i gysgu. Cesglais fy mhethau a chychwyn drachefn ar draws y bryn.

Pennod 10

Croesais ael y bryn wrth i darth y bore godi oddi ar y mynydd, ac yna, es yn is i lawr i ganfod dŵr. Cyn hir, dois ar draws rhai peipiau oedd yn gwasanaethu'r dref, ac yn fuan wedyn, deuthum at afon. Golchais fy wyneb yn y dŵr a bwyta dipyn o fara a chaws i frecwast, yna golchi'r cyfan i lawr efo joch helaeth o ddŵr. Mwynheais y bwyd yn fawr. Roedd dŵr y mynydd yn iasoer, ac roedd y bara a chaws wedi rhewi. Roedd yr oerfel yn cyrraedd mêr fy esgyrn fel y gwnâi ddoe ac fe'i teimlais i'r byw. Yr oedd fel 'sgodyn yn nofio mewn llyn mynyddig, neu blanhigyn yn tyfu yn yr anialwch. Ac eto, roedd yna burdeb a melyster yn yr oerni a theimlwn yn fodlon ynof fy hun. Roedd yna orfoledd yn yr afon honno, meddyliais, a dydi ddim yn syndod fod bodau dynol wedi addoli afonydd ers dechrau amser.

Codais, a gwneud fy ffordd ar draws y bryn, ond golygai gryn ymdrech. Mae cerdded mynyddoedd yn gallu bod yn anodd ar y gorau, ac roedd fy nghoesau'n boenus ers y diwrnod cynt. Cyrhaeddais ochr y glyn lle'r oedd y rheilffordd yn torri drwy'r tirlun, ac roedd traciau rheilffyrdd wedi rhydu. Gyferbyn â mi, gallwn weld tai y Rhondda unwaith yn rhagor, ac ro'n i'n siŵr mod i wedi cerdded pum milltir erbyn hynny. Daliais ati yn frwd i gyfeiriad y dwyrain gan mod i'n gobeithio osgoi y trefi mwyaf gerwin os yn bosibl. Wedi mynd rhyw ddwy filltir ymhellach, dois at ragor o draciau trên a cheblau haearn ar y llawr. Lawr â mi at y rheilffordd lle'r oedd dyn yn gosod pentwr o byst yn un o'r tryciau. Edrychodd arnaf, gan ddweud yn glên,

'Shwmai?'

'Boed i chi fywyd hir,' meddwn. 'Rwyt tithau'n Wyddel, rhaid mod i wedi gadael y trefi mawr bellach.'

Doeddwn i ddim beth bynnag. Es ar y briffordd drachefn, a mynd heibio ysgol ac eglwys. Yna, es i lawr y stryd lle'r oedd gwraig yn sefyll ar garreg y drws yn sgwrsio. Roedd hi bron yn hanner dydd.

ABERDÂR: Lle braf, glân a bywiog yr olwg efo digon o bobl allan ar y strydoedd. Oedais wrth gerflun yng nghanol y dref – rhyw ddyn oedd wedi ennill gwobr am chwarae cerddoriaeth yn Llundain, fedra i'm cofio ei enw fo rŵan. Hoffwn hyn am y lle. Roedd y dref yn driw i'w thraddodiadau ac mae cerddoriaeth yn bwysig i Gymru.

I ffwrdd â mi i ganfod rhywbeth i'w fwyta. Ro'n i wedi addo i mi fy hun y byddwn yn ceisio byw ar wyau amrwd a chaws, a thun samwn achlysurol yn ystod fy nhaith. Ond cawn fy nhemtio yn awr i fynd i gaffi er mwyn cael eistedd ac ymlacio yn gyfforddus. Rydw i wedi mwynhau eistedd mewn caffis erioed, yn enwedig os oes gen i lyfr yn gwmni. I mewn â mi i'r caffi ac roedd llanc pryd tywyll yn gweini – yr union fath o hogyn gaech chi adref yn Iwerddon – hogyn tawel, hawdd gwneud efo fo. Edrychodd yn sydyn ar fy mag ac ysgwyd ei ben. Dwi'n credu iddo sylwi fod golwg flinedig arnaf. Daeth at fy mwrdd,

'Brechdan ham,' meddwn, 'a gwydraid o lefrith.'

'Llaeth poeth neu oer?' gofynnodd, yn Saesneg.

'Poeth,' atebais, bron yn glafoerio.

'Dwi'n gweld eich bod yn cerdded y wlad,' meddai. 'Dwi'n cerdded lot fy hun. O lle daethoch chi heddiw?'

'O Gaerdydd.'

'Randros, ddaethoch chi ddim o Gaerdydd heddiw?'

'Bron iawn,' medda fi.

'Mae gwlad braf i'w cherdded yma,' meddai, gan ddod â map i mi, a phwyntio ato. ''Rhoswch funud. Dyma ni Aberdâr. A dyma nhw fynyddoedd Brycheiniog.'

'Ffordd 'na dwi eisiau mynd,' meddwn.

'Mae dyffryn anferth allan yno. Mae'n dair milltir ar hugain o fan hyn i Aberhonddu, yr ochr arall i'r mynyddoedd. Dyna bwynt uchaf Bannau Brycheiniog, ar 3,000 o droedfeddi. Dringais i'r copa unwaith, ac roedd golygfa fendigedig i'w chael oddi yno o'r wlad i gyd. Allan o Aberhonddu i Lanfair-ym-Muallt ac i Rhaeadr a reit rownd nes cyrraedd Pumlumon. Welwch chi'r llyn yn fan'na? Dyna'r lle gaiff ei grybwyll yn y llyfr, *The House Under the Water*, os ydych chi wedi ei ddarllen o gwbl.'

'Ddarllenais i o llynedd,' meddwn, yn cofio'r landlord a flinodd yn gweithio ar y tir a gwerthu ei stad i ddinas Birmingham dim ond er mwyn i'w gartref hynafol gael ei foddi gan waith dŵr.

'Dyna'r union le. Mae yna gymaint i'w weld yn y gorllewin. Does dim cymaint â hynny lawr yn y de. Mae'r Rhondda yn llethol.'

'Falle nad yw'n hardd, ond mae'n dal yn olygfa anhygoel,' meddwn. 'Ond rydw i wastad wedi mwynhau dwy filltir ar y bryniau yn hytrach na milltir ar y stryd.'

'Ond wnewch chi byth gyrraedd Aberhonddu heddiw, na wnewch?' meddai.

'Mi drïa i ngorau,' atebais.

Roedd hi tua un o'r gloch pan adewais y dref. Cerddais am bedair milltir a hanner i Hirwaun, tref olaf y meysydd glo. Ro'n i ar frys gan fod y glennydd mwy unig yn aros amdanaf yn hwyr y dydd, a wnes i ddim trafferthu gwastraffu amser yn prynu bwyd. Ond pan gyrhaeddais Penderyn, pentref efo swyddfa bost a dyrnaid o siopau, ro'n i'n gallu synhwyro mod i ar drothwy anialdir, ac es i siop yno. Roedd cwlffyn o ddyn hawdd gwneud efo fo tu ôl i'r cownter ac fe'i clywais yn dweud wrth ei wraig oedd yn y gegin,

'Pum munud ar hugain wedi tri.' Doeddwn i ddim wedi disgwyl clywed Cymraeg mor agos â hyn i'r trefi glofaol, a chododd hyn fy ysbryd.

'Prynhawn da,' meddwn yn Gymraeg.

Ddaru ni sgwrsio am dipyn – tra roedd fy nhipyn Cymraeg yn para. Prynais dun o samwn ganddo a gadael. Os cofiaf yn iawn, cerddais am filltir neu filltir a hanner nes i mi gyrraedd croesffordd. Ar arwydd ffordd roedd yn nodi fod dwy filltir ar bymtheg i Aberhonddu oddi yno. Ro'n i wedi bod yn cerdded yn y bryniau ers i mi ddeffro y bore hwnnw. Rhwng dringo i fyny ac i lawr bryniau, ro'n i'n amcangyfrif mod i wedi cerdded tua wyth milltir yn y bore a saith arall ers hanner dydd. Ro'n i wedi llwyr ymlâdd erbyn hyn – wedi cerdded pedair milltir ar hugain y diwrnod cynt – a dim ond un seibiant, a chysgu tu allan, heb gael digon o gwsg ychwaith a doeddwn i ddim yn bwyta digon i'm cynnal. Eisteddais wrth y groesffordd a'm coesau o'r pengliniau i lawr wedi diffygio'n llwyr, ac roedd fy nghalon yn drom, achos mae blinder yn diffodd unrhyw lawenydd ynoch. Fy mantais bennaf yr adeg honno oedd na wyddwn beth oedd o'm blaen.

Aeth car heibio wrth y groesffordd a daeth merch ifanc allan a holi y ffordd i Hirwaun, a hi oedd y person olaf i mi ei gyfarfod nes roeddwn yr ochr arall i'r mynyddoedd. Daliais ati. Dydi ddim yn hawdd disgrifio'r deg milltir o fynydd heb weld arwydd, na golwg o neb na dim, dim tŷ na chae wedi ei aredig ar y naill ochr na'r llall.

Bûm yng ngwaelod Errigal a Barnesmore Gap, ond mae Bwlch Brycheiniog mor llydan a hir ag unrhyw un ohonynt. Diflannodd gwres y dydd erbyn hyn, a derbyn fod gwres Ebrill yn dwyllodrus. Roedd gwynt yn hyrddio drwy'r dyffryn ac yn mynd at fêr fy esgyrn – fel dŵr afon yn mynd drwy'r creigiau. Dydw i erioed (a gobeithio na fyddaf byth eto) wedi teimlo y fath flinder a phoen ag a deimlais yn fy nwy droed y diwrnod hwnnw. Roedd fy nghalon yn dweud wrthyf am stopio ac yn cwffio efo mi bob cam o'r ffordd, a dim ond fy ewyllys oedd yn goresgyn fy nghorff ac yn mynnu mod i'n parhau. Achos gwyddai'r ewyllys mai'r ail ddiwrnod yw'r frwydr go iawn, a gwyddwn pe na bawn yn cwblhau'r pedair milltir ar hugain ar y dydd hwn – yr ail ddiwrnod – yna, byddwn yn ddyn wedi ei drechu. Ro'n i'n dal i ddweud wrthyf fy hun y byddwn yn cyrraedd cyn belled ag Aberhonddu – milltir neu ddwy arall dros y deng milltir ar hugain, hyd yn oed os synhwyrais yng ngwaelod fy mod y byddai'r ychydig filltiroedd hynny yn fy llethu mwy na'r pedair ar hugain ro'n i eisoes wedi ei gwneud. Yn y diwedd, teimlais archwaeth i fwyta rhywbeth, ond doedd dim sôn am ddŵr yn unman, a bu rhaid i mi gerdded milltir neu ddwy arall cyn canfod ffrwd. Agorais dun o bysgod a'i gymysgu efo'r bara ac yfed peth o'r dŵr. Dim ond ychydig haenau tenau o fara oedd yn weddill, ond gwyddwn fy mod bellach reit yng nghalon y dyffryn. A doedd yr oerni a'r boen a'r blinder ddim yn effeithio arna i go iawn nes i mi eistedd i lawr i fwyta. Dyna pryd ddaru o 'nharo i. Ro'n i'n grediniol na fyddwn i'n gallu codi ar fy nhraed byth eto. Ro'n i'n stryffaglio'n wirioneddol erbyn hyn – cynddrwg ag a fûm i erioed – a dwn i ddim sut y llwyddais i ddod drosto, a dal ati.

Es ar fy ffordd beth bynnag ac os o'n i'n gwneud milltir a hanner yr awr, dyna oedd y gorau fedrwn i ei wneud. Es heibio gwaith dŵr Caerdydd a daeth syniad rhyfedd i'm pen – petai'r ffynhonnell ddŵr yma yn methu o gwbl, yna byddai Caerdydd gyfan yn cael ei gadael yn ddiymgeledd, ac yn yr un modd, petai fy nghorff yn ffaelu rŵan – teimlai fy nwy goes fel petaent wedi eu gwasgu rhwng dwy garreg fedd enfawr – byddai wedi canu arna innau. Daeth y syniad chwithig i mi efallai y byddent wythnos cyn canfod fy nghorff, a hyd yn oed wedyn, fydde 'na ddim ffwdan mawr ynghylch y peth. Syllais yn syth o'm blaen ar godiad y bryn nesaf, wrth i mi gerdded – roedd yn olygfa drawiadol o hardd i rywun oedd heb bryder yn y byd, ond y cyfan fedrwn i ei weld ar y pryd oedd lludded a phoen.

Roedd y nos ar ddod, a'r peth cyntaf ddaeth i mi oedd na ddeuai yn hanner digon sydyn. Oherwydd y cae gwelltog, esmwyth rhwng dau dŷ yw y lle mwyaf unig ar y ddaear unwaith mae'r gwyll wedi dod, a'r golau yn diffodd.

Unwaith neu ddwy, wedi iddi nosi, es heibio carafán fechan neu gaban ar olwynion, megis y rhai y byddai marchogion y ffyrdd wedi eu defnyddio unwaith, ond dwi'n credu mai dynion ffordd sy'n trwsio'r ffyrdd oedd wedi ei gadael ar ôl. Yr oedd ar agor, a meddyliais mai syniad da fyddai mynd i mewn. Yr oedd glaw yn bygwth a chawn gysgod yno. Wnes i ailfeddwl wrth ystyried y llawr caled o'i mewn ac addewais i mi fy hun y cawn wely mewn tas wair rhywle y noson honno – hyd yn oed petai rhaid i mi barhau i gerdded nes y codai'r haul drachefn. Doeddwn i ddim yn siŵr ychwaith a oeddwn wedi gorffen fy mhedair milltir ar hugain, ac roeddwn yn benderfynol na fyddwn yn ildio nes i mi gyflawni'r pellter hwn. Ac yna'n sydyn, fel ar fympwy, teimlais egni newydd yn dod i mi fel petai ehangder pwerus a chaledi'r mynyddoedd wedi ehangu fy ngolwg. Dechreuodd lawio.

Teimlwn yn sicr mod i wedi mynd drwy y rhan fwyaf o'r dyffryn erbyn hynny ac yna sylwais ar olau gryn bellter i ffwrdd. Yr oedd yn bell iawn oddi wrthyf, a gwyddwn y byddwn mewn llanast go iawn petai'r golau yn diffodd cyn i mi allu ei gyrraedd. Roedd y nos mor ddu â bol buwch, mor dywyll fel na allwn weld fy mysedd fy hun neu wthio fy mys i'm llygad. Anelais at y golau hwnnw ond yr oedd fel petai'n dianc wrth i mi agosáu – run fath â chreadur o fyd arall oedd am wneud drwg i mi. Cerddais yn fy mlaen am ddwy filltir arall, ond roedd y golau yn dal i'w weld mor bell i ffwrdd ag erioed, ac yn nes at lle roeddwn i pan gychwynnais. Beth amser yn ddiweddarach, dois at giât a ffordd fechan yn arwain i'r coed. Credais y byddai hon yn fy arwain at y tŷ efo'r golau ac es yn fy 'mlaen a thrwy'r giât. Cerddais am bron i filltir, ond doedd dim golwg o'r tŷ na sied na dim byd. Collais olwg ar y golau, a dychwelyd at y giât.

Erbyn hyn, roedd y glaw yn dymchwel, felly cysgodais dan goeden ac estyn fy het law a gosod y gynfas rwber o'm hamgylch a gorwedd i lawr. Mae pobl yn cysgodi dan goed mewn cawod o law fel rheol, ond credwch fi, os pery'r glaw am hir, yna dan goeden ydi'r cysgod gwaethaf posibl, yn enwedig pan mae'r dail yn wlyb ddiferol. Glawiodd o'r gwyll tan y wawr y noson honno, wrth i mi orwedd oddi tani. Dydw i ddim yn credu i mi gysgu o gwbl, ond roedd fy meddwl mor flinedig fel nad ydw i'n hollol siŵr. Ro'wn wedi blino cymaint yn feddyliol fel na allwn feddwl am ddim byd – a'r unig ddelwedd ddaeth i fy meddwl oedd un o arth ar ei choesau cefn, yn siglo nôl a mlaen fel meddwyn. Pan geisiais gymryd anadl ddofn a setlo i lawr i gysgu, dechreuais grynu drosof a chyflymodd fy anadlu, a meddyliais mod i'n cael trawiad. Doeddwn i ddim. Yr unig beth oedd wedi peri'r prinder anadl oedd yr amgylchiadau caled ro'n i wedi eu dioddef y diwrnod hwnnw. Yr oedd yn anodd gorwedd yn gyfforddus fel bod y blanced yn fy ngorchuddio yn iawn, a bu raid i mi godi unwaith i ail-wneud fy ngwely. Ymestynnais fy nghoesau p'run bynnag, a hyd yn oed os nad ydw i'n siŵr wnes i gysgu ai peidio, fedra i ddim dweud i sicrwydd mod i'n effro yr holl amser chwaith. Efallai mod i wedi cysgu drwy'r amser ar wahân i'r rhan ohonof oedd yn ymwybodol o'r glaw trwm, a phoenydiwyd fy esgyrn gan boen a gorflinder.

Pan oedd y dydd wedi clirio, codais a theimlwn yn hapus 'mond i gael bod ar fy nhraed unwaith eto. Roedd fy nghynhfas rwber wedi gwlychu drwyddi, er ei bod wedi cadw'r glaw i ffwrdd oddi arnaf. Es draw tua'r briffordd a dau gan llath i lawr y ffordd, sylwais ar y das wair brydferthaf y gallai unrhyw farchog y ffordd fod wedi ei gweld yn ei fywyd. Dim ond chwarter awr arall, a gallwn fod wedi cysgu yno y noson cynt! Roeddwn bron i bedair milltir a hanner o Aberhonddu, a rhwng y bryniau ro'n i wedi eu dringo ers y bore a'r briffordd, a'r pellter ro'n i wedi ei gerdded drwy'r coed, deuthum i'r casgliad mod i wedi cerdded chwe milltir ar hugain o leiaf ers y diwrnod blaenorol. Ro'n i wedi ennill y frwydr. Wedi dweud hynny, roedd y deuddydd yna wedi fy ninistrio, yn enwedig efo'r modd roedd y rhan galetaf o'r siwrne ar ddiwedd y dydd, a'r ffaith mai dim ond ffos a gefais fel gwely. Roedd wedi gadael craith seicolegol oedd wedi pylu pleser y cerdded. Dwi'n dal i fedru teimlo peth o flinder yr ail ddiwrnod hwnnw hyd yn oed wrth i mi eistedd yn gyfforddus heno yn sgwennu am y profiad. Mwy na thebyg, byddaf yn dal i'w deimlo ymhen blynyddoedd maith.

Pennod 11

Wedi bod yn cerdded am tua hanner milltir, dois at gaffi. Os byth y dowch y ffordd hon, mi welwch o, 'Tyrhos', tua phedair milltir a hanner tu allan i Aberhonddu. Deuai mwg o'r simdde, ac yr oedd llanc ifanc tu allan yn gwylio'r da yng nghefn y tŷ. Gofynnais iddo a oedd pobl y tŷ wedi codi. Atebodd eu bod nhw, ac i mewn â mi. Chwarter wedi saith y bore oedd hi ac archebais dipyn o fwyd. Roedd ystlys o gig yn crogi o'r nenfwd a chefais sleisen ohono. Roedd yn bryd da – y cyntaf gwerth sôn amdano ers i mi adael Caerdydd. Ac eisteddais wrth y tân nes ei bod wedi troi wyth o'r gloch. Doedd neb yn sgwrsio fawr efo mi, er i wraig y tŷ holi ai Albanwr oeddwn. Nage, meddwn, gan ddweud mai Gwyddel o'wn i. Dywedodd fod Albanwr yn byw yn y cylch a'i fod o'n hoffi bod allan ym mhob math o dywydd.

'Mae'n amlwg ei fod yn ffond iawn o unrhyw fath o fywyd iach y gall ei gael am ddim,' meddai.

Roedd yn ddiwrnod braf wrth imi gerdded i Aberhonddu, ond dim ond newydd gerdded drwyddo oeddwn i pan ailgychwynnodd y glaw. Parodd y rhan fwyaf o'r pnawn. Doedd gen i fawr o awydd cerdded y diwrnod hwnnw. Eisteddais yn aml, ac unwaith, gorweddais ar fy nghefn ac ymestyn fy hun ar ochr y lôn fawr tra'n gwisgo fy het law a'm trowsus glaw a'r glaw yn hyrddio am fy mhen. Ro'n i'n ceisio dod i arfer efo gorwedd yn y glaw a bod yn ddi-hid ohono. Roedd y dirwedd o'm hamgylch yn esmwyth a glaswelltog ar bob tu, 'don i ddim wedi gweld tir fel hyn o'r blaen ar fy siwrne. Ddigwyddodd fawr ddim nes i mi gyrraedd Llyswen, ddeuddeg milltir o Aberhonddu. Wrth i mi ddod at y dref hon, roedd yr oerni a'r felan yn dechrau treiddio i mi go iawn, felly es i mewn i ardd o flaen tŷ mawr ger y briffordd a gorwedd yn y cysgod yno. Doeddwn i ddim wedi bod yno'n hir cyn synhwyro rhywbeth yn yr awyr. Wyddwn i ddim beth ydoedd, dim ond fod y teimlad o drymder wedi 'ngadael, ac roedd rhyw orfoledd yn mynd drwyddo i na fyddwn wedi ei deimlo petawn wedi treulio dwy awr yn gorffwys yn rhywle arall. Roeddwn mor hapus efo mi fy hun fel y tynnais fy nghyllell allan a cherfio'r gair 'Diolch' yn Gymraeg ar goeden mewn diolchgarwch.

Ar yr ochr arall i Llyswen, gwelais gaffi (The Griffin Inn) a dweud wrthof fy hunan – mi gaf i bryd da arall yma, ac i ddiawl â'r gost. Es i mewn ac fe wnaeth gwraig fer garedig – yn ôl ei golwg – bryd harti i mi. Gofynnodd i mi os o'n i'n aros dros nos, ond dywedais wrthi nad oeddwn. Unwaith y cefais ddigon i'w fwyta a gorffwys peth, es at y drws ac ymbaratoi i adael. Ond roedd hi'n tresio bwrw mor drwm fel y parodd i mi bryderu go iawn. Es yn fy ôl a dweud y byddwn yn treulio'r noson yno wedi'r cwbl.

Roeddwn wedi torri un o'm haddunedau yn awr. Ro'n i wedi bod allan yn y glaw am ddwy ran o dair o'r amser ers i'm siwrne gychwyn fodd bynnag. Ro'n i wedi cerdded 67 milltir ac wedi treulio dwy noson arw iawn yn cysgu allan ar y bryniau. Waeth i mi ddweud y gwir. Ro'n i'n ofni y byddai trydedd noson allan yn y tywydd hwnnw yn farwol i mi.

Unwaith y teimlais y cynfasau esmwyth ar fy nghroen y noson honno, gwyddwn mod i'n cael y gwerth gorau erioed o'r 3/6 ro'n i wedi ei wario. Peidiodd fy nhraed â theimlo yn ddolurus, a chysgais o fewn munudau, tra byddai wedi cymryd awr neu ddwy i mi tu allan. Cysgais yn drwm am ddeng awr soled, a phan ddeffrois, ro'n i'n teimlo yn ddynol unwaith eto.

Pan adewais ar y pedwerydd diwrnod wedi brecwast da a noson iawn o gwsg, teimlwn egni rhywun wedi ei adnewyddu, er bod fy nhraed yn dal yn boenus. Roedd dyffryn gwyrdd gwych o'm blaen a bryniau crwn yn codi chwe chan troedfedd bob ochr, wedi eu gorchuddio â choed. Roedd afon lydan ddofn yn llifo drwy'r rhan yma ac yr oedd yn un o'r dyffrynnoedd hyfrytaf i mi ei weld ers amser maith. Hwn oedd yr unig ddyffryn i mi ei weld lle'r oedd barddoniaeth wedi ei naddu ar y coed. I ddechrau, meddyliais fod yr arwyddion pren wedi eu gosod ar y coed yn rhybuddion diflas, ond unwaith y dois yn agos, gwelais eu bod wedi gwneud rhywbeth yma a oedd yn berffaith ar gyfer lle o harddwch mor anhygoel. Achos pa ffordd well sydd yna i ddyrchafu barddoniaeth yn gyhoeddus na'i naddu ar goed?

Dyma un o'r cerddi heb ei chyfieithu, yn union fel y'i darllenais, a wna i byth anghofio'r geiriau:

Hail stranger, who when passing by
Halt in the precincts of Glanwye,
Know all, you've but a right of way
– None to despoil, or hunt or stray –
And, halting here, you owe a duty
Not to defile my Fishing's beauty,
With orange peel, and paper bags,
Remnants of food and filthy rags;
Or what is worse, by smashing bottles,
That have appeased your thirsting throttles.
Think of the cruel trap thus laid
For the tender flesh of some courting maid.
Burn what will burn, and what will not, keep
And dump on some distant rubbish heap.
Thus would I gladly make you free
Of what of right belongs to me,
Whilst for you all who do your duty,
Nature will smile with added beauty.

Na phoener, cerddais i Lanfair-ym-Muallt heb fawr o drafferth wedi darllen y fath eiriau, dwi'n deud wrthoch chi.

Roedd Buallt yn lle braf, glân a threfnus ond wnes i ddim oedi yma gan mod i eisiau cyflawni rhywbeth y diwrnod hwnnw.

'Pa ffordd i Rhaeadr?' holais griw o ddynion oedd yn sefyll ar gornel.

'Rhayader!' meddent, mewn acen Seisnig. Sir Faesyfed oedd hon, a doedd dim gair o Gymraeg wedi ei siarad yna am gan mlynedd. 'Dros y bont.'

Ddaru 'na ddim byd arbennig o ddifyr ddigwydd ar y ffordd i Rhaeadr. Ro'n i'n gadael y gwastatir tu ôl i mi, ac yn cerdded tua'r bryniau unwaith eto. Cofiaf gerdded drwy le bach braf o'r enw Little Hollow. Pan ddaeth hi'n nos, cyrhaeddais bentref bach efo un neu ddwy siop lle prynais lefrith ac wyau. Roedd hi'n naw o'r gloch y nos, a hithau fel y fagddu pan gyrhaeddais Rhaeadr. Ro'n i wedi cerdded rhyw bum milltir ar hugain erbyn hynny, ond y cwbl wnes i oedd cael cip sydyn ar yr arwyddbost a pharhau i gyfeiriad Llangurig.

Gan gerdded drwy'r glyn, fedrwn i ddim credu pa mor dywyll ydoedd. Ar y cychwyn yr oedd y bryniau yn isel bob ochr i mi, ond wedi i mi gerdded milltir neu ddwy, roeddent yn llawer mwy serth. Doeddwn i erioed wedi gweld bryniau fel hyn o'r blaen. Diflannodd y goleuadau, a'r cwbl fedrwn i ei weld oedd dau lethr serth bob ochr i mi yn ymgyrraedd at yr awyr. Trodd y gwynt yn llawer mwy miniog, fel petai storm ar fin dod. Byddwn wedi hoffi gweld golau yr adeg yma, hyd yn oed os oedd gen i lawer o waith cerdded o'm blaen. Am yr awr gyntaf o gerdded, nid fy nghorff oedd yn cael trafferth ond fy meddwl. Nid unigrwydd mohono'n hollol ond rhyw ymdeimlad o arswyd, fel petai'r bryniau anferth hyn yn pwyso arnaf am mod i wedi fy ngadael a mod i'n ddiamddiffyn yn y tywyllwch. Clywais sŵn dŵr yn llifo at i lawr. Bu cafod ysgafn o law ond fe gliriodd honno'n sydyn a dyma barhau ar fy ffordd yn y gobaith y byddai'r bryniau o'm cwmpas yn lleihau mewn maint. Ond ddaru'r bryniau barhau am filltiroedd lawer – a'u huchder anferth yn sefyll rhyngof a golau'r ddaear.

Yn y man, gwelais giatiau a chaeau ac roeddwn yn obeithiol o weld golau cyn hir. Beth amser yn ddiweddarach deuthum ar draws tŷ a meddyliais mae'n siŵr y byddai modd i mi orffwyso am y noson ar das wair yno. Roedd y teulu yn cysgu wrth i mi fynd drwy'r giât i'r cae, ond y peth nesaf, dyma gi yn dechrau cyfarth ger y tŷ a gwneud y sŵn mwyaf dychrynllyd. Gallwn weld amlinelliad y sgubor wair yn y tywyllwch, ond roedd gen i ofn y byddai'r ci yn fy mradychu. Dois ar draws llethr bach o redyn yno, hyd yn oed os nad oedd yn cynnig fawr o gysgod. Mi wnaiff y tro, meddyliais. Roedd y llethr rhedynog yn wynebu'r ochr gysgodol a'r peth cyntaf a wnes oedd eistedd i lawr a phwyso fy nghefn yn ei erbyn. Ro'n i wedi cerdded deng milltir ar hugain y diwrnod hwnnw.

Codais ymhen dipyn a chymryd tri neu bedwar twmpath o redyn o'r llethr a gorwedd unwaith eto. Roedd yn braf a chyfforddus ar y dechrau, ond wedi i mi fod yn gorwedd am dipyn, ro'n i wedi gwasgu'r rhedyn i'r pridd a gwyddwn nad oeddwn wedi casglu digon ar gyfer fy ngwely. Ond rhwng blinder a diogi, fedrwn i ddim codi ar fy nhraed eto i gasglu rhagor. Ymhen dwy awr, ro'n i wedi disgyn i gysgu.

Roeddwn wedi deffro yn union cyn iddi wawrio, a chyn i bobl y tŷ godi am y dydd. Roeddwn wedi cysgu am tua phedair awr, mwy na thebyg. Doedd gen i 'run briwsionyn felly dyma gerdded y pum milltir i Langurig i gael dipyn o frecwast.

Lle bach caled, creigiog ydi Llangurig efo tŵr cloch ar yr eglwys yn edrych i lawr ar y pentref o gryn uchder. Mae'r pentref yn eistedd mewn pant lle mae gwaelod dau fryn, ar wahân i'r naill a'r llall.

Cyrhaeddais y pentref cyn wyth o'r gloch, ac os byth yr ewch chi y ffordd honno a mynd i Fairy Thimble Hotel (Blue Bell Inn), fe welwch y bwrdd wrth y gornel ger y stôf lle'r eisteddais y bore hwnnw – oni bai eu bod wedi ei newid ers hynny. Dywedais wrth y ferch mod i wedi cerdded can milltir ers gadael Caerdydd.

'Rydan ni'n aml yn mynd allan i gerdded,' meddai. 'Ond mae'n waith caled. Dydyn ni 'rioed wedi mynd am dro a heb gyrraedd yn ôl ar y bws.'

Gadewais eto a gwneud fy ffordd allan o'r dyffryn tuag at droed Pumlumon. Mae Pumlumon mor uchel ag Errigal, ond mae'r bryniau ar waelod y mynydd yn esmwythach ac wedi eu gorchuddio â hesg; mynydd ydyw sydd ddim yn dangos ei ochr dda yn amlwg, rhywsut. Dioddefais ar fy siwrne y diwrnod hwnnw mewn ffordd nad oeddwn wedi gwneud o'r blaen. Hyd yma, roedd y cerdded wedi brifo pont fy nhroed, ond nawr roedd gwadnau fy nhraed yn hynod o boenus. Efallai mai'r wyneb newydd caled roeddent wedi ei roi ar y ffordd oedd wedi achosi hyn. Fodd bynnag, roedd fy ngwadnau yn peri mwy o boendod i mi na bwa'r droed. Ceisiais gadw at ochrau'r ffyrdd cyn belled ag yr oedd hynny'n bosib, ond fedrwn i ddim gwneud hyn gydol yr amser, ac roedd pob cam a gymrwn ar y briffordd fel camu ar hoelion neu wydr toredig. Wrth i mi gerdded o amgylch godrau Pumlumon, byddwn wedi gwneud unrhyw beth am wadnau newydd – ac roedd hyn wedi i mi addo i mi'n hun yn gynharach yr wythnos honno y byddwn yn dringo i gopa'r mynydd.

Os cofiaf yn iawn, enw'r glyn tu ôl i Bumlumon oedd Castle Glen ar y ffordd i Orllewin Ceredigion. Cefais beth bwyd gan wraig bryd tywyll efo llygaid gwinau mewn tŷ yn union ar ochr y ffordd yno, hyd yn oed os nad oedd yn llawer. Cerddais ymlaen, yn dal i deimlo yn llwglyd ac amgylchynu ysgwydd y mynydd. Roedd arwynebedd y bryn yn llyfn iawn, a gorweddais ar fy nghefn yno am dipyn a gwrando ar gerddoriaeth y gwynt wrth iddo chwibanu drwy'r glyn. Mae Ceredigion yn lle braf ac mae gan y mynyddoedd sy'n 2,000 troedfedd o uchder eu harddwch eu hunain, mae eu llechweddau mor llyfn â'r gwastatir. Gwelais arwydd ar ochr y briffordd yn nodi George Borrow Hotel.

'Gobeithio cei di wely gwyn yn y nefoedd, George Fawr!' meddwn. 'Fe wnest ti daith unwaith drwy'r un wlad nad oedd mor wahanol i'm taith i.' Deuthum at groesffordd, ar yr ochr draw, lle'r oedd pentref o'r enw Pontarfynach. Ond nid dyna'r ffordd ro'n i'n teithio arni. Cerddais fymryn ymhellach nes i mi ganfod darn o fy esgid oedd yn fy mrifo. Tynnais hi, ond fedrwn i wneud dim gan fod y pwyth oedd yn broblem tu mewn i wadn yr esgid. Dioddef mewn distawrwydd wnes i nes i mi gyrraedd tref fechan Goginan wrth i'r gwyll ddod, a dechreuodd fwrw. Gofynnais am lety mewn tŷ efo to isel ar yr ochr chwith o'r ffordd.

Yr oedd tri o bobl yn y teulu, cwpl priod a'u merch. Braidd yn ochelgar ohonof oedd y wraig ar y cychwyn – mae llawer o bobl felly tuag ataf – ond dyma hi'n dechrau sgwrsio efo mi ymhen dipyn.

'Beth ydi enw'r lle hwn?' holais.

'Goginan,' atebodd.

'Lle braf,' meddwn.

'Dw innau'n meddwl hynny,' meddai, 'i rywun sydd allan yn cerdded drwy'r wlad. Ches i mo fy magu yma fy hun. Saesnes ydw i, o Gaint yn wreiddiol.'

'Faswn i ddim yn disgwyl gweld rhywun fel chi mor bell i'r gorllewin â hyn,' meddwn.

'Na fyddech. Mae'r ddau le yn wahanol iawn i'w gilydd. Mae'r caeau yn rhai bach yn fan hyn,' meddai.

'Dyna sut y mae hi mewn gwlad fynyddig,' meddwn.

Daeth ei gŵr i mewn ymhen dipyn. Cymro oedd o. Roedd ganddo bapur newydd yn ei law ac eisteddodd i lawr i'w ddarllen. Wedi rhai munudau, cododd ei ben o'r papur a dweud,

'Maen nhw'n deud fod gormod o yfed yn digwydd yn Nhŷ'r Cyffredin yn Llundain – fel tase unrhyw ddrwg mewn cael peint!'

'Digon gwir,' meddwn, 'a sioe a smaldod yw eu holl fusnes p'run bynnag.' Dywedodd iddo fod yn gweithio yn y pyllau glo ar un adeg yn ei fywyd, ond ei fod wedi bod yn ddi-waith ers amser maith.

'Rydych yn edrych yn iachach am eich bod wedi rhoi'r gorau iddi,' meddwn. 'Mae cloddio am lo yn waith caled. Maen nhw'n deud ei bod yn beryclach gweithio dan ddaear nag ydyw i fod yn filwr adeg rhyfel.'

Dywedodd wrthyf nad oedd fawr o waith ar gael yn yr ardal a gan na wyddwn beth i'w ddweud, dywedais fod tir da i lawr yn

Glanwye a bod prinder o bobl yno – rhywbeth nad oeddwn yn sicr yn ei gylch o gwbl. Wrth inni siarad, dywedodd gwraig y tŷ fod rhyw ddiffyg ar feddwl ei merch a'i bod yn araf o'i chymharu ag eraill.

'Roeddent yn ceisio mherswadio i'w rhoi mewn Sefydliad, ond faswn i byth yn gadael iddi fynd i le felly.'

Mae tristwch bywyd i'w gael ym mhobman, meddwn wrthyf fy hunan.

Es i'r gwely yn gynnar y noson honno a deffro am hanner awr wedi saith y bore wedyn. Cododd gwraig y tŷ bum swllt arnaf am swper ysgafn iawn ac am wely a brecwast. Ro'n i'n ystyried hyn yn llawer gormod. Falle iddi godi mwy am sgwrs, gan fod hyn yn arferiad gan rai pobl fusnes y dyddiau hyn, yn enwedig y Saeson. Dydi o ddim yn natur Gwyddelod i ymatal rhag sgwrsio, hyd yn oed os gall Gwyddelod fod yr un mor ddrwg eu hunain pan gaiff trachwant afael arnynt.

Pennod 12

Erbyn hyn, ro'n i wedi gwario y rhan fwyaf o'm pres, ond o leiaf ro'n i wedi cael gorffwys a digon i'w fwyta ac roedd hi'n fore braf ac roedd bryniau isel Ceredigion yn edrych yn dda. Doeddwn i ddim ar y ffordd yn hir pan ddechreuodd y tir droi yn fwy gwastad. Rai milltiroedd o Aberystwyth, dois at groesffordd a chymryd y ffordd i'r gogledd. Roedd gen i tua phedair milltir i'w gerdded pan sylwais ar dri chrwydryn o'm blaen. Roeddent yn cerdded yn araf ac ni chymrodd yn hir i mi eu cyrraedd. Ond roedd dyn yn eistedd ar ochr y ffordd, ac mi gychwynnodd o sgwrsio efo nhw jest cyn i mi ddod atynt. Cerddais heibio iddynt fodd bynnag, gan mod i'n fyrbwyll pan dwi'n biwis, a doeddwn i ddim am roi boddhad i'r dyn oedd yn eistedd yno, a gorfod oedi ar ei gownt o hefyd. Trodd un o'r cardotwyr ac edrych arnaf wrth i mi fynd heibio, ac os gwelais i farwolaeth yn llygaid dyn erioed, fe'i gwelais yn ei lygaid o yr eiliad honno. Does neb a ŵyr ym mha das neu ffos neu dloty y bydd dy gorff yn cael ei ganfod yn gorwedd ynddo cyn diwedd yr wythnos, meddyliais.

Es heibio Capel Bangor, ac wedi hynny, trodd y tir yn fryniog iawn drachefn. Dois ar draws helfa efo marchogion a haid o gŵn yn fy amgylchynu, ac yn fy snwffian. Gall ci fod yn anifail peryglus a wyddwn i ddim a oedd y cŵn yn fy nghwmpasu er mwyn ymosod arnaf. Safai'r marchogion ar un ochr o'r ffordd ac efallai fod yr un syniad wedi mynd drwy eu meddyliau hwythau wrth iddynt symud naw neu ddeg troedfedd i ffwrdd oddi wrthyf a dyma'r haid o helgwn yn eu dilyn.

TAL-Y-BONT: Tref braf wedi ei lleoli rhwng prysgwydd a bryniau. Roedd yr haul yn gwenu'n braf wrth i mi ddod i'r pentref ac wrth gerdded i fyny'r stryd, clywais y Gymraeg hyfrytaf a cheiniaf a glywais erioed. Goslef bersain y gŵr o Gonnacht! meddyliais. Rhaid bod rhan orllewinol bob gwlad yr un fath.

Tua hanner milltir tu allan i'r pentref, cefais gip ar Fôr Iwerddon. Yr oedd llechwedd i lawr o'm blaen a thua dwy filltir o dir gwastad, ei hanner yn dir corsiog yn ymestyn allan i'r môr. Codais fy het i'r awyr mewn gorfoledd gan gredu fod un rhan o dair o'm siwrne wedi ei chyflawni erbyn hynny – bron i gan milltir drwy fynyddoedd gerwin cyn cyrraedd y môr eto yma yn y gogledd.

Ro'n i'n dilyn llwybr hyfryd bellach, i'r gorllewin ar hyd y traeth, a'r mynyddoedd yn codi yn uchel yn fewndirol. Roedd lliwiau'r wlad yma yn debyg i Wicklow heb amheuaeth. Mae Iwerddon yn debycach i rannau deheuol Ewrop, dwi'n credu, o ran hinsawdd a natur y dirwedd – nag i ynys Prydain. Dyma sut y byddwn i yn ei ddisgrifio: gogledd Ceredigion fel Wicklow, Sir Feirionnydd fel Swydd Down, a Chaernarfon fel Donegal. Euthum drwy'r pentrefi bach oedd yn swatio dan bontydd hynafol a'r copaon bryniog a'r mân goediach uwchben. Ac addewais i mi fy hun y byddwn yn dychwelyd i Gymru rywbryd eto pan fyddai hi'n well arnaf a threulio mwy o amser yno. Sylwais ar bentref bach o'r enw Taliesin, a barodd i mi ddyfalu oedd yna gysylltiad rhwng y pentref a'r bardd sy'n enwog gan y Cymry fel mae Oisín i ni yn Iwerddon. Taliesin, yn ôl y sôn, a broffwydodd fel hyn i'r Cymry:

> Yna y caiff Brython
> a'u tir a'u coron,
> a'r bobl estronion
>   a ddiflanno.

Yn fuan wedi hanner dydd, dringais dros ffos oddi ar y ffordd fawr a chael tamaid i'w fwyta. Unwaith y teimlwn yn llawn, dyma fi'n ymestyn a gorwedd ar y llawr gan smocio sigarét. Pwy welais i'n dod i fyny'r ffordd ond y crwydryn, un o'r tri dyn ro'n i wedi mynd heibio iddynt yn gynharach y bore hwnnw, tua phymtheg milltir yn ôl. Doedd o ddim yn mynd ar gyflymder ffyrnig o gwbl, ac roedd yn anodd credu ei fod wedi dal i fyny efo mi mor sydyn.

'Fe wnest amser da,' gwaeddais arno, 'oni bai i ti gael help car i fynd beth o'r ffordd.'

Roedd yn gyndyn o ddeud dim yn syth, fe petai'n ansicr sut i ymateb, yna dywedodd,

'Ddim o gwbl. Ches i'm unrhyw gar.'

'Mae hynny'n fy synnu,' meddwn, 'o ystyried mod i wedi mynd heibio i chi bore 'ma, a chredwn mod i o leiaf un mynydd ar y blaen i chi.'

Safodd yno ac aros am ennyd wrth i mi luchio fy mag dros f'ysgwydd a cherddodd y ddau ohonom ar y briffordd efo'n gilydd.

Dyn bychan ydoedd, ysgafn o gorff a dan ddeugain oed. Roedd ganddo wyneb cul, efo lliw haul, llygaid bywiog tywyll a mwstásh. Mi welwch filoedd o'i fath yn ninasoedd mawr gogledd Lloegr. Roedd ei ddillad yn dra gwahanol ac yn gweddu i'w fywyd crwydrol. Roedd ganddo wallt hir du, a modfedd, neu fodfedd a hanner ohono yn ymwthio o'r cefn dan hen gap. Roedd ganddo fag go fawr a thrwm ar ei gefn, gwisgai ddwy gôt fawr, a phâr o esgidiau, gyda'u blaenau wedi eu torri ymaith i fod yn fwy cyfforddus ac roedd y sawdl o leiaf yn fodfedd a hanner o drwch.

'Rwyt ti wedi gweld dipyn go lew o'r wlad, ddywedwn i?'

'Dydw i ddim wedi bod yn hir yn y wlad hon,' meddai, 'ond dwi wedi teithio drwy Loegr a'r Alban i gyd. Un o Loegr ydw i fy hun, o Swydd Efrog.'

'Dydi ddim yn dda yno ar hyn o bryd,' meddwn.

'Na, dydi hi ddim,' cytunodd. 'Nid ers y Rhyfel. Wrth dyfu, ro'n i'n gweithio efo sadlar, 'blaw aeth hynny'n ffradach wedi'r Rhyfel. Es i i'r Alban wedyn a gweithio yno tan y Dirwasgiad Mawr yn 1923, pan gollais i 'ngwaith unwaith eto. Wnes i adduned wedyn na fyddwn i byth yn gwneud diwrnod arall o waith.'

'Mae crwydro'r ffyrdd yn fywyd caled er hynny,' meddwn.

'Dwi'n cytuno,' meddai, 'yn enwedig yn y gaeaf. Ond dydw i'n gwneud fawr o gerdded yn y gaeaf. Aros mewn tlotai fydda i. A wna'i ddim cysgu allan yn y gaeaf chwaith; dydw i ddim wedi cysgu allan eto eleni. Mond hyn a hyn fedr y corff dynol ei gymryd.'

'Gwir bob gair,' meddwn, yn sylweddoli drwy gerdded ar fy mhen fy hun, mod i wedi bod yn llawer dewrach nag a dybiwn.

'Lle wyt ti'n cysgu,' gofynnais, 'pan wyt ti allan?'

'Mewn tas wair,' atebodd.

'Wyt ti'n cael unrhyw drafferth oherwydd hynny?'

'Nac ydw,' meddai, 'cyn belled nad wyt ti ddim yn difrodi dim byw, dydyn nhw ddim yn gas efo ti. Fel rheol, dwi'n gofyn am ganiatâd i gysgu yno gyntaf.'

Sais go iawn, hyd yn oed tase ti ar y ffordd am gan mlynedd, medda fi wrthyf fy hun.

'Dydw i ddim yn smocio dim mwy,' meddai. 'Dyna arferiad arall dwi wedi rhoi'r gorau iddo.'

'Mi wnest yn dda i goncro hwnna. Mae smocio bron mor wael â gweithio.'

Rai eiliadau wedyn, holais:

'Felly p'run o'r tair gwlad, yr Alban, Lloegr neu Gymru wyt ti'n ei hoffi orau?'

'Fedri di ddim cyffredinoli a deud y gwir,' meddai, yn wir. 'Maen nhw'n ddigon crintachlyd ym mhob un ohonyn nhw.'

'Mae mwyafrif yr hil ddynol yn grintachlyd. Well ganddyn nhw hynny na bod yn onest. Falle ei fod yn rhatach iddynt yn y pen draw,' atebais.

Wrth inni siarad, dyma ni'n sylwi ar grwydryn arall ar y ffordd o'n blaenau. Stopiodd hwnnw ac aros nes ein bod wedi ei gyrraedd. Cymro oedd hwn, creadur bach gwydn efo gwallt cochaidd, y math fyddech chi'n ei ganfod yn unrhyw fan yn Iwerddon. Mi ddaru'r tri ohonom gerdded efo'n gilydd, a ches fy nerbyn fel un ohonynt hwy, ac anaml iawn mae hynny'n digwydd i mi. Fel rheol, pan dwi'n canfod fy hun ymysg pobl sydd ag enw o fod yn ddesant, maen nhw'n oer ac yn elyniaethus tuag ataf. Efallai y byddai'r union bobl hyn yn fy nisgrifio fel person iawn wrth eraill; ond wedi deud hynny, fyddai person ddaeth i'm 'nabod yn ddigon da i gwffio efo mi byth yn dweud hynny. Pan mae hwyliau da arnaf, does gen i ddim poen yn y byd. A fyddwn i ddim wedi gallu gofyn am gwmni gwell na'r ddau yma.

Doedden ni ddim wedi bod yn cerdded am hir pan drodd y sgwrs i drafod Comiwnyddiaeth. Gwyddai'r Sais dipyn go lew am y pwnc, ond wyddai'r Cymro fawr ddim amdano.

'Mae'n rhaid iddo ddod ryw bryd,' meddai'r Sais. 'Mi ddaeth i Rwsia, ac mi ddaw yma hefyd.'

'Os y daw yn y ffordd dylai o ddod,' meddwn innau.

'Dydw i ddim yn deall o gwbl,' meddai'r Cymro.

'Dyma'r hyn dwi'n ei ddeall ydi o,' meddwn. 'Deud, er enghraifft, fod y siop draw fan'cw rŵan … yn lle bod yn siop sy'n cael ei pherchnogi gan un unigolyn a bod y person hwnnw'n gwneud yn siŵr nad oes neb yn dwyn ganddo – byddai gan bawb yr hawl i fynd i mewn a gwneud a fynnent â'r nwyddau ar werth, a chymryd beth a fynnent oddi ar y silffoedd. Fydde pobl ond yn cymryd yr hyn roeddent ei angen a dim mwy na hynny.'

'Hym!' meddai'r Cymro, a gallwn ddweud wrth edrych arno y carai gyfle i roi cynnig ar rywbeth felly.

'Fyddet ti ddim yn cymryd mwy nag wyt ti ei angen,' meddwn, 'achos allet ti mo'i roi i neb arall unwaith fyddet ti wedi ei ddwyn. Byddai gan bawb ddigon i fyw arno.'

Parodd hyn iddo feddwl, hyd yn oed os gwyddwn yn fy nghalon y byddai yn dwyn rhywbeth a'i basio mlaen i eraill, petai'n cael hanner cyfle. A gwyddwn pe na bai ganddo rywun i'w rannu o efo fo, y byddai'n colli diddordeb mewn dwyn yn ogystal. A! Y gwir, y gwir! Cyn lleied sy'n cerdded y ffordd honno ac mor agos ydyw i'r wyneb hyd yn oed ymysg y dynion mwyaf anonest!

Dyma geisio tynnu sgwrs o'r Sais wedyn.

'Mae yna ugain miliwn o bobl yn ormod yn Lloegr,' meddwn wrtho, 'a be ti'n meddwl ddylid ei wneud yn ei gylch?'

'Wnawn nhw ddim byd da iddynt, fedri di fod yn sicr o hynny,' meddai. 'Mi wn beth ddylid ei wneud â hwy. Mae 'na ddigon o diroedd eang yn Awstralia a Chanada a dylent eu hanfon yno, a'i gwneud yn bosib iddynt fyw yno.'

'Fasa hynny'n ateb y broblem,' atebais, 'petai Canada ac Awstralia eu hangen nhw, ond dydyn nhw ddim.'

'*Dydyn* nhw ddim,' meddai, 'ond mi ddylent ddweud wrthynt eu bod naill ai yn rhan o'r Ymerodraeth, neu dydyn nhw ddim.'

Mae'r Ymerodraeth yn dal mewn bod, meddyliais wrthyf fy hun.

'Beth bynnag,' meddwn, 'dydw i ddim yn siŵr y gallet wneud ffermwyr da o bobl y ddinas, a nhw ydi'r rhai sy'n ddi-waith yn Lloegr.'

'Fedra i ddim gweld pam lai,' meddai. 'Maen nhw'n ddigon cryf ac mae digon yn eu pennau, a ddylia gweithio ar y tir ddim bod yn fwy anodd nag unrhyw fath arall o waith.'

'Maen nhw'n ddigon cryf,' meddwn, 'ac maent yn ddigon galluog, ond mae arna i ofn nad ydi gwaith amaethyddol mor rhwydd â hynny. Beth bynnag, fydde'r un llywodraeth yn ei wneud, y ffordd mae pethau'r dyddiau hyn. Falle wnân nhw anfon can mil o bobl y flwyddyn ar y mwyaf. Cyn i'r fath ymfudo ddigwydd byddai'n rhaid i'r gweithwyr gael rheolaeth o'r holl beth a byddai'n rhaid iddynt gael arweinydd da.'

Ddaru ni newid y pwnc wedyn a dyma'r ddau grwydryn yn trafod gwahanol agweddau ar eu bywydau dyddiol. Rhoesant eu barn am wahanol dlotai a ffermydd. Roedd y fan-a'r-fan yn berwi o lau, ac roedd hwn-a-hwn neu hon-a-hon yn grintachlyd. Yn y diwedd, dywedodd y Sais ei bod yn amser inni orffwyso a chawsom doriad. Daeth y ddau arall o hyd i graig ac eistedd arni. Mae gen i arferiad o ymestyn fy hun a gorwedd ar y ddaear – ond ro'n i'n gallu gweld fod yr hyn wnaethant hwy yn gwneud synnwyr, felly dewisais innau graig ac eistedd arni hefyd. Mae'n hawdd dal oerfel os yn eistedd ar y ddaear.

Filltir neu ddwy yn ddiweddarach, daethom i Landyfi.

'Weli di'r dafarn yn fan'na?' gofynnodd y Cymro. 'Ddaru 'na rywun geisio torri mewn yno'n ddiweddar, ond gafodd o'i ddal. Doedd ganddo ddim digon o amynedd, ac mi feddwodd o tra roedd o mewn yno.'

'Roedd hynny'n wirion,' meddwn, 'i beidio gorffen y gwaith dwyn gyntaf, a chael ei lymaid nes ymlaen yn rhywle roedd o'n saff oddi wrth ei elynion.'

Dywedodd y lleill fod hynny'n ddigon gwir, a throdd y sgwrs yn ôl at ddwyn.

'Fydde hi'n werth dwyn moto rŵan,' meddai un dyn.

'Fydde hi ddim yn hawdd dwyn un,' meddwn, 'gan fod gan yr awdurdodau rif y car ac enw'r perchennog wedi ei gofrestru ar ffurflenni papur y dyddiau hyn ac mi allent fynd ar dy ôl a'th ddal di ble bynnag yr aet.'

Doedden nhw ddim yn edrych fel petaent yn gwybod llawer am yr ochr hon o bethau.

Mi ddaru ni drafod ugain math arall o ddwyn – o fanciau a swyddfeydd post a ballu – a dywedais wrthynt beth bynnag ro'n i wedi ei glywed amdano. Fel hyn y treuliwyd yr amser nes inni gyrraedd pentref Machynlleth.

'Be ydi enw'r lle yma?' holodd y Sais.

'Machynlleth,' atebodd y Cymro.

Rhoddodd y Sais gynnig ar ynganu'r lle ddwywaith, a'r trydydd tro, dywedodd rywbeth oedd yn swnio'n nes ati. Gallwn i ei ynganu yn reit rhwydd. Swniai yn debyg i 'Machunchleat' petaech yn ei sillafu mewn Gwyddeleg.

'Does yna ddim trefi mawr allan yn fan hyn,' meddai'r Sais 'fel sydd yna yn y de. Dwi'n credu mai Caerdydd yw'r fwyaf, y brifddinas.'

'Honna yw'r ddinas fwyaf ond wn i ddim ai dyna'r brifddinas,' meddai'r Cymro, yn tybio eu bod eisiau gwneud Aberystwyth yn brifddinas i'r wlad.

'Yr oedd yna adeg unwaith pan mai hon oedd prifddinas

Cymru,' meddwn, yn pwyntio at Fachynlleth ac yn cofio bod Owain Glyndŵr wedi cynnal ei senedd yma ar un cyfnod.

Roedd y Sais wedi ei syfrdanu gan hyn.

Aethom i mewn i Fachynlleth gan fynd heibio i efail ar gyrion y dref.

'Dwi'n nabod y gof yn fa'ma'n dda,' meddai'r Cymro.

Dechreuodd y Sais adrodd cerdd,

> Under a spreading chestnut tree
> The village smithy stands;
> The smith, a mighty man is he
> With large and sinewy hands.

'Dwi'n gweld dy fod yn caru barddoniaeth,' meddwn. 'Falle dy fod wedi cyfansoddi ambell i bennill dy hun, wyt ti?'

'Dydw i ddim,' meddai. 'Ges i fy magu mewn man lle nad oedd dim heblaw baw a budreddi ym mhob man. Falle y byddwn wedi cyfansoddi barddoniaeth tawn i wedi canfod fy hun mewn man lle'r oedd gogoniant y byd i gyd o'm cwmpas pan o'n i'n iau, a taswn i wedi cael addysg.'

Cerddais efo nhw i ganol y dref. Yna, fel ro'n i'n eu gadael, dyma fi'n dymuno'n dda iddynt yn y modd canlynol:

'Boed i'ch teithio brofi'n ffrwythlon a boed i'ch meddyliau ymchwilgar beidio heneiddio, a boed i chi fyth flino ar harddwch yr hen fyd 'ma. Mae gan y ddau ohonoch gyfoeth sydd wedi ei guddio oddi wrth lawer o ddynion eraill fyddai yn tybio eich bod yn dlawd. Peidiwch byth â rhannu'r cyfoeth hwnnw efo neb heb gydnabyddiaeth haeddiannol o'i werth.'

Dyma fi'n eu gadael ac aethant hwy i chwilio am dloty ac es innau i gaffi. Edrychai'r tŷ hwn efo caffi ynddo yn debyg iawn i dŷ Gwyddelig, yn fwy na dim arall y deuthum ar ei draws ar fy nhaith. Yr hyn dwi'n ei olygu ydi fod hwn yn dŷ mor Gymreig â phosib yng Nghymru fel y byddai tŷ yn Iwerddon yn un hynod Wyddelig. Crogai llun o Lloyd George ifanc ar y wal, un cyn iddo dyfu ei wallt yn hir a chyn iddo fritho. Roedd tysteb wedi ei fframio yn uchel ar y wal hefyd i ddynodi fod person arbennig – dyn y tŷ am wn i – yn aelod o Orsedd y Beirdd. Roedd yn f'atgoffa o'r hen ddyddiau pan oedd llun John Redmond i'w weld ym mhob yn ail dŷ yn Iwerddon a phan oedd baneri gwyrdd dros Ymreolaeth ym mhob man yr aech.

Roeddwn i'n dal tu mewn yn bwyta pan sylwais ar blismon yn gwirio y ceir oedd yn mynd heibio i'r ffenest y tu allan. Daeth y plismon i mewn i'r caffi a mynd yn syth am y gegin ac ro'n i ar bigau'r drain. Mae gen i ryw ragargoel am bethau fel hyn cyn iddynt ddigwydd i mi. Gwrandewais ar y sgwrs am funud a chlywed y canlynol:

'Does gan y mwyafrif ohonynt ddim digon i dalu am daith ar drên hyd yn oed.'

A dyma fi'n deud wrthof fy hun, rwyt ti 'run fath â'r mwyafrif o bobl y dyddiau hyn, rwyt ti yn fyr dy dymer ac ar frys. Ac ar eneidiau fy hynafgwyr a pharch y genedl Wyddelig, mi falaf dy sennau os byddi yn fy mhlagio. Rwyt ti tua'r un maint ... a hyd yn oed pe na baet ... Fe welaist ti fi'n dod i'r dref hon gyda dau gardotyn ac medda ti wrthot dy hunan, 'Gallwn drechu'r gŵr hwn mewn cwffas.' Ond dwyt ti ddim wedi rhoi cynnig arni eto.

Byddwch yn deall o hyn – y math o bethau sy'n rhaid i'r artist eu goddef wrth fynd drwy'r hen fyd 'ma.

Gadewais y dref ryw hanner awr yn ddiweddarach a pharhau i'r cyfeiriad gogleddol. Hawdd oedd dweud eich bod yn y gogledd bellach. Tra'r oedd y bryniau yn welltog ac esmwyth lawr yn y de, roeddent yn fwy ysgythrog yma. Roeddwn wedi cerdded ugain milltir ers bore 'ma ac roedd hi'n un filltir ar bymtheg arall i Ddolgellau a wyddwn i ddim a oedd unrhyw dŷ o gwbl ar y ffordd. A byddai yn awr arall cyn i'r haul fachludo. Dywedais wrthyf fy hun y byddwn yn cerdded yn ddygn heb ddiffygio y diwrnod hwnnw, beth bynnag arall ddigwyddai.

Doeddwn i ddim wedi mynd yn bell pan gwrddais ddyn ddaru sgwrsio yn glên ac yn gymdeithasol efo mi. Mae llawer o'r Cymry yn bobl gyfeillgar a byddant yn eich cyfarch yn harti. Buom yn ymddiddan am dipyn. Gofynnodd i mi un o lle'r oeddwn, ac atebais mai Gwyddel oeddwn.

'Rydw i wedi bod yn Iwerddon,' meddai, 'draw yn Swydd Limerick. Mae tir da i'w gael yn yr ardal honno. Ac er bod yna gwffio yn digwydd yno ar y pryd, ac y dywedwyd wrthyf ei bod yn beryglus yno, ches i ddim trwbwl gan neb.'

'Wrth gwrs na chawsoch,' meddwn, 'a pham fyddech chi'n cael unrhyw drwbwl?'

'Mae gennym Wyddel fel cynrychiolydd seneddol dros fan hyn hefyd,' meddai wedyn.

'Chaech chi ddim dyn gwell,' meddwn. 'Dyn fydd yn ymladd dros ei batsh ar eich rhan a fydd ddim yn gadael i neb ei sathru.'

'Rydach chi'n llygad eich lle,' meddai. 'Fedra i ddim dweud dim byd drwg am y Gwyddel. Ro'n i'n gweithio yn y pyllau efo rhai ohonynt lawr yn y De. Roedd yna bobl o bob cwr o'r byd yno, hyd yn oed pobl dduon. Ac roedden nhwythau'n bobl iawn hefyd – dynion tawel, hawdd-gneud-efo-nhw.'

'Gystal ag y byddech yn cyfarfod â hwy yn unman,' meddwn. 'Gwaith ciaidd ydi gwaith yn y pyllau, 'te?'

'Ges i'r gwaith caletaf un,' meddai. 'Am mod i'n gryf, dyna pam. Rydych yn ddyn cryf eich hunan. Gan mod i'n gryf, nid gwaith dyn gefais i ganddyn nhw, ond gwaith anifail, gwaith fyddai ceffyl yn ei wneud.'

Roedd golwg cryf ar y dyn hefyd. Roeddwn fodfedd neu ddwy yn dalach nag o, ond yr oeddem tua'r un pwysau. Creadur mawr, cryf efo agwedd ddidwyll at y byd. Ro'n i'n hoff ohono.

Wedi bod yn sgwrsio am beth amser, i ffwrdd â fi ar fy nhaith drachefn, ac roedd golwg arw ar y glyn. O'm cwmpas, roedd y goleuadau yn diflannu, ac fe fu'n bwrw yn ddi-stop. Daeth yn nos. Tyfodd y mynyddoedd yn dalach. Deuthum i dref o'r enw Corris a dydw i ddim yn siŵr beth roedd o'n f'atgoffa ohono yn union. Euthum drwy'r glyn a lawr â mi drwy fwlch dychrynllyd oedd yn arwain at droed Cader Idris, wedi fy nallu gan y glaw yr holl ffordd. Roedd hi mor dywyll fel mai ychydig iawn o'r ffordd o'm blaen y gallwn ei gweld. Aeth bws heibio i mi unwaith a goleuodd y glyn ar fy llaw chwith a dyna pryd gwelais y ddisgynfa anferth oedd yno.

Doedd hi ddim yn hir nes i'r ffordd fynd ar i lawr a meddyliais wrthyf fy hun, rhaid mai hwn ydi'r mynydd mwyaf y dois i lawr o erioed. Lawr ac i lawr yr es, fel y teimlwn mod i'n gostwng i waelodion y byd, a hyn ar y noson waethaf o ran tywydd a brofais ers cychwyn ar fy nhaith. Deuthum i groesffordd yn y diwedd lawr yn y glyn a gwelais mod i hanner ffordd yno, ac mai wyth milltir arall oedd yna i Ddolgellau. Mae wyth milltir ar hugain mewn diwrnod yn hen ddigon meddwn wrthyf fy hun, ond O Dduw, lle ca'i roi 'mhen i lawr heno yn y glyn arswydus hwn? Y funud nesaf, sylwais ar olau gryn bellter o'm blaen, wrth droed y mynydd, a dyma anelu ato. Ond doeddwn i erioed wedi gweld golau oedd mor anodd i'w gyrraedd â hwn. Doedd dim golwg o lwybr o gwbl, a chefais fy nghrafu a'm rhwygo wrth fynd i fyny drwy'r ffosydd a'r caeau. Pan gyrhaeddais yr ochr bellaf i'r cae, sylwais ar bont dan y golau a sylweddoli pam fod y golau yno. Yr oedd wedi ei osod er mwyn i bobl allu cerdded ar draws yr afon. Rhwng y ffensys a'r ffosydd a wnaed o brysgwydd tal a gwrychoedd, fedrwn i ddim cyrraedd y golau ac roedd yn rhaid i mi droi yn fy ôl. Es ymhellach ar hyd y ffordd fawr a dod at arwydd oedd yn nodi 'Y llwybr i Gader Idris'. Dwi'n iawn rŵan, meddwn wrthyf fy hun.

Dilynais y llwybr hwn a daeth â mi at groesiad afon arall ac at bont arall. Gafaelais yn y canllaw ar y bont gan ei bod yn amhosib gweld dim, a byddai wedi bod yn ddudew ar y gorau yn y glyn enfawr hwn. Cerddais am tua phump neu chwe throedfedd ond fedrwn i ddim canfod canllaw pellach ar ôl hyn. Rhewais a chefais fy ngadael yn sefyll yno fel delw. Mae'r bont hon wedi torri, meddyliais. Gallwn glywed cerrynt grymus yr afon yn rhuo oddi tanaf a doedd gen i ddim syniad p'run ai oeddwn droedfedd uwch ben y dŵr neu hanner can troedfedd, neu a oedd yr afon ei hun yn chwe modfedd neu'n chwe throedfedd o ddyfnder. Ond mentrodd Mac Grianna i gymryd y cam er gwaethaf y tywyllwch dudew a'r ffaith mod i ar fy mhen fy hun ynghanol nunlle ac er gwaethaf Cader Idris a'r glaw diferol a'r blinder enbyd. Y peth nesaf a deimlwn oedd cerrig bychain dan fy nhraed; roedd hanner y bont yn yfflon.

Dyma geisio canfod fy ffordd drwy goed a gwelais olau yn dod o dŷ dros y ffordd i mi, ond cyn i mi ddod at y golau hwnnw, dois ar draws hen dŷ bach gwag, ac es i mewn iddo. Roedd bron yn adfail. Roedd darnau o'r nenfwd yn dal i grogi hwnt ac yma a dyma fi'n canfod cornel lle'r oedd yna gysgod. Es allan a chasglu pentwr o redyn. Mae yna redyn a dyf wrth droed Cader Idris sydd yn bedair i bum troedfedd o hyd. Roeddent yn wlyb domen, ond doedd hynny ddim yn fy mhoeni gan fod gen i gynfas rwber.

Dyna'r lle mwyaf unig i mi gysgu ynddo yn ystod yr holl daith.

Pennod 13

Pan ddeffrois y bore wedyn, roedd hi'n ddiwrnod braf a heulog eto, hyd yn oed os oedd hi'n dal yn eitha' oer. Dois at fy nghoed a mynd i lawr y ffordd fawr drachefn ac yn fuan cefais fy ngolwg dda gyntaf o Gader Idris. Dim ond rhyw gan troedfedd yn uwch na Mynydd Slieve Donard ydyw, ond yn bendant mae o ddwywaith ei led ac mae'n ysgythrog a chreigiog ac mae darnau gwyn megis eira ar ei gopa. Mae'n wyth milltir o amgylch godre'r mynydd i Ddolgellau ac o leiaf ddwywaith hynny os ydych eisiau mynd rownd y mynydd i gyd. Roedd y dyffryn yn olygfa wirioneddol wych y bore hwnnw wrth i mi droedio gwaelodion y mynydd, gyda llyn hir cul ar y gwaelod, a'r môr yn ymestyn allan rhwng y cymylau a'r tir y tu hwnt. Ychydig iawn o olygfeydd yn neheudir y wlad sydd i'w cymharu â'r rhai yn y gogledd.

Cerddais i fyny ar y ffordd a oedd newydd ei hagor. Roedd olion yr hen lwybrau a'r ffyrdd yn dal yn y golwg ar yr ymylon, wedi eu herydu gan y glaw. Ymlaen â fi ar hyd y crib oer, llwm, ac eistedd wrth nant gan fwyta 'mrecwast o fara a chaws ac yfed llymaid o ddŵr.

Mae dydd Sul yn tueddu i fod yn ddiwrnod digalon a phrudd yr ochr arall i'r môr, ac roedd gen i ofn na fyddwn yn canfod unman i brynu bwyd. Cyrhaeddais dŷ o'r enw The Cross Foxes a gofyn oedd ganddyn nhw sigaréts o gwbl. Llwyddais i gael 'chydig, ac wedi i mi gerdded chydig filltiroedd ar hyd y briffordd, es at lan afon ac eillio fy wyneb. Fedrwn i ddim anghofio ei bod yn fore Sul ac y dylai rhywun fod wedi eillio ar y Sul.

DOLGELLAU: Tref foel, greigiog yr olwg, meddyliais, ac roeddwn hanner ffordd drwyddi cyn i mi sylwi ar y ffenestri gwydr a'r coed oedd yn yr adeiladau. Dois o hyd i gaffi ar agor wedi i mi gerdded reit o amgylch y lle. Wrth adael, es heibio pobl oedd allan am dro, ac edrychent yn dosturiol arnaf. Dwi'n siŵr mod i'n gloff fel dwn-i'm-be erbyn hynny. Roedd fy nghoesau yn fy lladd ac yn teimlo fel tasent ar fin rhoi oddi tanaf. Doedd dim carreg filltir nac arwyddbost ar y ffordd i'r Bala ac anodd yw credu mor bell yw'r ffordd pan nad oes gennych gerrig i nodi'r milltiroedd. Yr oedd wedi oeri erbyn y pnawn, oerni oedd yn treiddio i fêr eich esgyrn. Roedd yr Aran yn dalp o fynydd i'r gorllewin oddi wrthyf ac edrychai'n erwin. Âi fy nhraed yn fwy poenus gyda phob cam a gymrwn. Yn y diwedd, meddyliais y byddwn yn teimlo'n well pe tynnwn fy esgidiau, a throchi 'nhraed yn yr afon. Pan ddaru mi hynny, yr oedd fel pe bawn wedi eu gosod mewn pelen o dân – ond ymhen dipyn, cefais ryddhad mawr o'r boen, a gallwn ailgychwyn ar fy nhaith.

Nid oeddwn wedi mynd yn bell iawn pan deimlwn fy nghoesau yn ddolurus. Aeth beic cacwn heibio i mi a cheisio ngwthio i'r ffos. Plygais i estyn carreg a'i lluchio at y gyrrwr. Petawn wedi llwyddo i'w daro a malu ei benglog, fyddech chi ddim wedi gweld fawr o fai arnaf. Dydi ddim yn hawdd taro creadur ar feic cacwn pan mae'n symud i ffwrdd oddi wrthych p'run bynnag. Tase fo wedi dod ar fy ôl, byddwn wedi cwffio efo fo, hyd yn oed os oeddwn yn teimlo fel cadach; anaml wnaiff dyn anwybodus neu ffôl aros o gwmpas am ffeit unwaith mae o wedi ei chychwyn beth bynnag.

Yn y cyfamser, ro'n i ar bigau'r drain i gael fy ngolwg gyntaf o Lyn y Bala a chymrodd amser maith i ddod i'r golwg. Mae hwn yn llyn enwog iawn, a does dim llyn yn y wlad, ar wahân i un, sydd yn fwy nag o. Fe'i gwelais o'r diwedd ac roedd codiad coediog ar yr ochr agosaf, a bryniau llwm yr ochr bellaf. Doedd dim byd enbyd o hardd am y llyn, meddyliais. Fodd bynnag, erbyn hynny, doedd fawr o hwyliau arnaf i edmygu'r llyn yn iawn, gan ei bod yn nosi, ac ro'n i eisoes wedi cerdded tair milltir ar hugain. Bu raid i mi adael i rai pobl fynd heibio i mi ar y briffordd cyn canfod rhywle i orwedd am y noson. Yn y diwedd, dois o hyd i giât a dilyn llwybr bach clên yn arwain ymlaen. Cysgais mewn sied wair gampus y noson honno – y tro cyntaf i mi wneud hynny ers dechrau'r daith – ar fferm o'r enw Gwernhefin, rhyw dair milltir y tu allan i'r Bala.

Codais yn y bore a mynd i lawr at ochr y llyn ac ymolchi. Doeddwn i ddim eisiau mynd i'r dref tan roedd pobl wedi codi, felly cerddais o gwmpas am dipyn a myfyrio ar y ffaith mai ar lannau'r llyn hwn roedd bardd o Sais wedi sgwennu Mort d'Arthur, cerdd hir a adroddais yn uchel i mi fy hun. Euthum i'r Bala yn fuan wedyn, ond dros fy nghrogi, fedra i ddim cofio enw'r dafarn lle ces i frecwast [Y Llew Gwyn]. Dwi'n cofio un peth p'run bynnag, roedd cadair bardd yn y cyntedd, un o'r cadeiriau gaiff eu rhoi fel gwobr yng ngŵyl lenyddol yr Eisteddfod [Y Llew Gwyn]. Eisteddais yn y gadair a dweud:

'Rwy'n cyhoeddi, O Fardd, mod i'n dod i'ch tŷ
A molaf dy gadair fel sedd brenhinoedd,
Dof â chan bendith ac un draw o Iwerddon
I bob dyn wnaeth ddim ildio i arferion Estroniaid.'

Ymddangosodd dyn bach o'r gegin y funud honno a gwenu arnaf.

'Ydi ots gennych mod i'n gofyn i chi,' meddwn, 'ai chi ydi'r bardd sy'n berchen y gadair wych hon?'

'Nid fi ydi o,' atebodd. Dychwelodd i'r gegin a dod yn ôl efo dyn arall. 'Hwn ydi'r bardd'.

Dyma ni'n cyfarch y naill a'r llall ac fe'i holais am y gadair.

'Fe'i henillais mewn Eisteddfod yma saith mlynedd yn ôl,' meddai.

'Hoffwn i glywed y gerdd,' meddwn.

Doedd o ddim angen dim mwy o anogaeth, a dechreuodd adrodd y gerdd yn frwd, o leiaf ugain pennill ohoni. Ychydig a ddeallais ohoni, ond cododd fy nghalon ac am rai munudau wedyn, dyma anghofio gofalon pitw y bywyd bydol hwn. Gofynnodd i mi adrodd cerdd Wyddelig, ac adroddais *Laoi Argain Mhic Ancair na Long* (Cân Argain, mab criw Angor y Llong). Gofynnodd ai fi oedd wedi cyfansoddi'r gerdd a dywedais mai cerdd hynafol ydoedd ond y gallwn adrodd cerdd ro'n i wedi ei sgwennu, ac adroddais rai penillion o *Creach Chuinn Uí Dhomhnaill* (Cwymp Conn O'Donnell).

'Mae gennyt lais Cymraeg yn dy ben,' meddai.

'Wel, mi ddyweda i wrthot ti fod gen tithau lais Gwyddelig yn d'un di,' meddwn. 'Ac mi ddyweda i wrthyn nhw nôl yn Iwerddon mod i wedi cyfarfod dyn a oedd yn esiampl o'i draddodiad. Mi ddywedaf wrthynt fod beirdd yn dal i deyrnasu yng Nghymru fel ag yn oes y brenhinoedd.'

Yna, allan a mi a cherdded i lawr at ochr y llyn ac ystyried fy nhaith. Roeddwn wedi cerdded 168 o filltiroedd mewn wythnos. Y cyfan oedd gen i'n weddill oedd decswllt. Fedrwn i ddim mynd yn fy mlaen i'r Alban ar gyn lleied â hynny. Y peth gorau i mi ei wneud oedd dychwelyd i'r lojings ro'n i wedi aros ynddynt ddwytha, meddwn wrthyf fy hun. Roeddwn 150 milltir o Gaerdydd a gwyddwn na allwn fforddio aros mewn unrhyw dai eraill na bwyta mwyach mewn caffis a'r cyfan a gawn o hyn ymlaen fyddai'r bwyd gwaelaf a rhataf a dŵr mynydd yn ddiod.

Es heibio pen arall y llyn a chychwyn i gyfeiriad deheuol. Wedi i mi fynd am ryw dair, bedair milltir, gwelais y dyffryn mwyaf godidog a welais yn y wlad. Fedrwn i ddim dweud i mi ddod ar draws unrhyw ddyffryn mor ogoneddus â hwn yn unman yn Iwerddon chwaith ac mae Iwerddon yn wlad dlysach na Chymru. Mi wnes i gyfarfod dyn ar y ffordd a dywedodd mai enw'r dyffryn oedd Hirnant sy'n golygu 'dyffryn hir'. Dringais i ael y bryn ac ymddangosodd coedlan yn llawn o goed a milltiroedd o ffensys weiar o'm blaen. Gwyddwn fy mod yn dod yn agos at y llyn oedd yn gwasanaethu pobl Lerpwl. Deuthum i olwg y llyn ei hun ac roedd dau neu dri thŷ efo golwg Seisnig arnynt yn y pen pellaf.

Gorweddais yn fflat ar fy nghefn wrth droed arwyddbost lle'r oedd dwy ffordd yn gwahanu i amgylchynu'r llyn – ro'n i'n flinedig. Dim ond deg neu unarddeg milltir oeddwn wedi eu cerdded y bore hwnnw, ond roedd fy nhraed mor boenus fel mai dim ond ewyllys gref a'm cadwodd i symud drwy gydol y dydd. Roeddwn felly am weddill yr wythnos – yn groc llwyr tua hanner dydd bob dydd, a dim ond yn llwyddo i lusgo fy hun nes deuai yn amser cysgu. Hyd yn oed petai gennyf y nerth i ail-fyw y daith honno heddiw, fyddwn i ddim yn dymuno gwneud hynny.

Roedd rhywun wedi aredig y tir yn y rhan yna o'r mynydd gyferbyn â mi, ac roeddent wedi ffurfio cae gwair gwych ohono – mor dwt â llian bwrdd efo defaid yn pori arno. Sylwais ar ddwy ddafad a dau oen wrth ymyl. Roedd un oen mor dew fel ei fod bron yn ordew. Roedd yn sugno'r ddwy ddafad ond roedd yr oen arall mor denau a gwan fel y câi drafferth i sefyll ar ei draed. Bob tro yr oedd yn dod at y naill ddafad neu'r llall yn swil, byddent yn rhoi hergwd iddo a'i wthio i ffwrdd. Dyma'r ail olygfa ddychrynllyd o drist a welais ar fy siwrne.

Dduw annwyl, meddyliais, pwy wnaiff ofalu am yr oen hwn? Neu a oedd wedi ei ragordeinio yn yr achos hwn y dylai un oen gael dwy fam a bod y llall yn amddifad? Ydi'r cyfoethog yn gwneud y naill a'r llall yn gyfoethocach, ac ydi'r cryf yn dinistrio'r gwan? Mae arna i ofn mod i wedi gorddefnyddio'r gymhariaeth hon mae'n debyg, ond dyna fo. Tua blwyddyn yn ddiweddarach, mi wawriodd arnaf falle fod y ddau oen yn cael eu diddyfnu a bod un ohonynt wedi cael y blaen ar y llall. Rydw i wedi argyhoeddi fy hun bellach fod yr oen tenau yn werth digon i rywun neu'i gilydd iddynt fod wedi cadw llygad ar y creadur.

Er gwaethaf hyn, roedd yr olygfa wedi tarfu arnaf ac wedi difetha'r pnawn. Wrth i mi gerdded y pum milltir i lawr wrth ochr y llyn, sylweddolais nad oeddwn wedi teimlo mor drwm fy nghalon ac isel ers y bûm yn y Rhondda, hyd yn oed os oedd yr olygfa yma yn anhygoel o brydferth – rhwng y dŵr a'r coed, a chopaon ar bob tu. Dyma'r olygfa fwyaf trawiadol a welais erioed.

Deuthum at bont ar ben y llyn ac yna roedd croesffordd lle stopiais lanc ar feic a gofyn iddo pa ffordd ddylwn i ei ddilyn. Roedd un ffordd yn arwain i Loegr, a'r llall yn mynd i gyfeiriad deheuol drwy ardal a elwir gan y Cymry yn Drefaldwyn. Hon oedd y ffordd a ddilynais, ond yn fuan, ro'n i'n ansicr ai hon oedd y ffordd iawn. Yn ôl y map, roedd yna ffordd i'r dde oedd yn ymddangos yn fyrrach na'r ffordd arferol. Cyn gynted ag y deuthum i droad i'r dde, meddyliais mod i fwy na thebyg yn mynd i'r cyfeiriad iawn, ond ro'n i wedi cerdded am dair milltir cyn sylweddoli nad oedd y ffordd hon ond yn mynd am dipyn i'r mynydd, ac yna'n dod i ben. Penderfynais gysgu yn y das gyntaf a welwn. Ro'n i'n ffodus. Hwnnw oedd y tŷ olaf yn y dyffryn. Dyma ddyfalu mod i wedi cerdded pedair milltir ar bymtheg y diwrnod hwnnw, ond o ystyried y modd y trefnwyd yr arwyddbyst, doeddwn i ddim yn gallu bod yn sicr.

Pennod 14

Pan godais yn y bore, dyma fi'n dychwelyd i'r briffordd am Lanfyllin. Ddigwyddodd 'na fawr y diwrnod hwnnw, a mater o roi un droed o flaen y llall ydoedd, can cam ac yna, cant arall, mil o gamau, wedyn mil arall – lawr tua'r de drwy Drefaldwyn. Roedd rhan gynta'r dydd yn braf, ond pan ddaeth y pnawn, daeth cafod fawr o law. Er gwaethaf hyn, dwi'n credu i mi gerdded saith milltir ar hugain a hanner y diwrnod hwnnw hyd yn oed os na wn o ble ges i'r cryfder i gyflawni hynny. Chydig o gwsg a gefais ac ro'n i wedi cysgu allan y noson flaenorol hefyd. Ond does wybod sut mae'r meddwl yn gweithio; falle bod tosturio wrth yr oen hwnnw wedi bod o ryw les yn y diwedd.

Y diwrnod canlynol, cerddais i'r Drenewydd yn y bore, ac roedd yn tywallt y glaw. Es i siop i brynu bara. Doedd dim torthau ar werth yn y siop, ond rhoddodd y wraig tu ôl i'r cownter un i mi oedd wedi ei sleisio'n barod, a'i rhoi hi am ddim.

'Dylech fynd at y Gwarcheidwaid,' meddai honno.

Dyma'r tro cyntaf ar y ffordd i mi gael fy ystyried yn gardotyn go iawn.

Roedd y tywydd yn warthus y diwrnod hwnnw. Roedd popeth yn wlyb a fedrwn i ddim eistedd i lawr nac ymlacio o gwbl heb roi fy mag bach i lawr a gosod y gynfas rwber oddi tanof. Ro'n i'n flinedig iawn yn cyrraedd stesion Abermiwl. Es i mewn ac eistedd yn y cysgod yno. Ac yna daeth temtasiwn i'm rhan ac ystyriais ddal trên. Ro'n i wedi pwyso fy hun a doedd hynny ddim wedi helpu. Wrth adael Caerdydd, ro'n i'n pwyso pedair stôn ar ddeg yn union mewn dillad ysgafn iawn. Ro'n i wedi colli pedwar neu bum pwys o floneg gaeaf, ac mae'n siŵr mod i o gwmpas y pwysau iawn yr adeg honno. Ond yma yn Abermiwl, dim ond tair stôn ar ddeg a chwe phwys oeddwn i, er mod i'n gwisgo'r gôt fawr drom yma a oedd yn wlyb domen dail. Sylwais mod i wedi colli stôn gyfan mewn pwysau mewn dim ond naw diwrnod. Doedd hyn ond yn naturiol o ystyried yr amgylchiadau, ond byddaf wedi lladd fy hun os wna i barhau fel hyn. Gallwn deimlo y tamprwydd a'r blinder a'r unigrwydd ro'n i wedi ei deimlo yn ystod y naw diwrnod dwytha yn pwyso arna i fel plwm a chodais o'm sedd a mynd i weld beth oedd prisiau'r trên. Yna dois yn ymwybodol beth ro'n i'n ei wneud, a rhedais o'r stesion. Tu allan, cyfrais fy arian a chanfod fod gen i chwe swllt yn weddill. Byddai hynny wedi 'ngalluogi i deithio un rhan o dair o'r siwrne ar drên. Ond taswn i wedi aros eiliad yn hwy yn y stesion honno, byddwn yn sicr wedi dal y trên, p'run ai oedd gen i docyn ai peidio.

Yn y diwedd, gadewais y stesion a mynd ar fy ffordd unwaith eto, ac os yw'r geiriau 'mynd ar y ffordd' yn ymddangos yn aml yn y stori hon, yna dydi hynny ddim heb reswm.

Cerddais ar gyflymder araf, braf, yn gobeithio cyrraedd Llanbadarn [Fynydd] y noson honno. Es heibio sied fechan rhyw dŷ ar ymyl cors ac roedd dyn carpiog yr olwg yn llyfnu cae drws nesaf iddo. Roedd yn siarad efo dyn arall oedd yn mynd heibio ar y ffordd wrth i mi ymddangos. Ro'n i'n lecio ei ffordd, a'r holl regi a'r ffordd ddramatig, swnllyd roedd o'n traethu.

'Does dim byd tebyg i waith fel'na,' gwaeddais arno.

'Myn diawl i, ond mae hwn yn waith blydi caled,' meddai. 'Tasa 'na bridd yma, byddai hynny'n rhywbeth, ond y cwbl dwi'n ei gael ydi mawn trwm socian!'

'I'r sawl sydd wedi ei fagu efo fo, dydi o ddim yn broblem o gwbl.'

'Dduw mawr, ches i mo fy magu efo hwn o gwbl. O'r Rhondda ydw i, was, o Fargoed. Maen nhw'n rhoi tir inni weithio arno y dyddiau hyn, a dyma'r math o dir ges i. Mi gymrais i o, hyd yn oed os mai dim ond ffordd i ddifyrru'r amser ydi o yn y pen draw.'

'Dwyt ti ddim yn gweithio mor galed ag ydw i,' meddwn.

'Myn uffar i, ond dwyt ti'n gwneud dim 'blaw cerdded er mwyn dy bleser dy hun. Mae 'na amryw fel ti, ac maen nhw'n berchen sawl swllt mewn gwirionedd,' meddai.

'Byddet yn synnu pa mor brin ydi'r sylltau dyddiau hyn,' meddwn.

'Pam mor bell wyt ti'n mynd?'

'I Lanbadarn gynta', ac wedyn i Gaerdydd.'

'Os wyt ti eisiau cyrraedd Llanbadarn yna mae yna ffordd fyrrach drwy'r bryniau. Cymer y troad i'r chwith fyny ffordd 'na, ac mi gei arbed dwy filltir yn hawdd. Mae 'na ddynes glên, ddesant yn Llanbadarn (gan gyfeirio at hon-a-hon) ac mi wnaiff hi bryd da i ti mewn dim o dro. Mae'n lecio ei thropyn. Dylet alw heibio iddi.'

Diolchais iddo, a cherdded ymlaen. Roedd gan y dyn lygaid croes, ac roedd golwg amheus arno, ond dwi wedi canfod sawl gwaith fod ei siort o yn fwy o help na'r bobl y tybir eu bod yn garedig neu yn hael. Mae gan bobl ofn helpu dyddiau hyn.

Dilynais y llwybr byr beth bynnag, ond fy nghyngor i fyddai i bobl osgoi cymryd ffordd amgen os ydych mewn tir sy'n ddieithr. Ddaru'r troad i'r chwith ddim mynd â mi i Lanbadarn wedi'r cyfan. Daeth â mi i dŷ ar y bryn yn hytrach lle'r oedd gwraig yn byw ar ei phen ei hun. Cafodd fraw pan welodd fi, a phrin y gallwn gael gair o'i phen, heb sôn am gyfarwyddiadau. Roedd yn rhaid i mi gerdded traws gwlad wedyn drwy lawer o gaeau cyn y gallwn fynd yn ôl ar y ffordd i Lanbadarn. Dois allan ar grib ddigysgod a'r gwynt milain yn chwipio; roedd hi'n anodd dal i fynd efo'r gwynt cythreulig yn fy nhrywanu hyd at yr asgwrn.

Daeth llanc ifanc i'r golwg ar y ffordd o'm blaen, ar ei ffordd adre o'r ysgol – er ei bod bron yn bump o'r gloch y prynhawn.

'Be gadwodd ti?' holais.

'Dydyn nhw ddim yn gadael i chi fynd tan hanner awr wedi pedwar.'

'Ym mha ddosbarth wyt ti?'

'Seithfed dosbarth.'

'Wyddost ti unrhyw algebra?'

Edrychodd yn ddiddeall arnaf fel na wyddai beth ro'n i'n sôn amdano.

'Lle wyt ti'n byw?'

'Yn y tŷ draw fan'cw, ar dop y bryn.'

'Ydi Llanbadarn yn bell o fan hyn?'

'Pedair milltir, syr.'

'Wnes i ddim meddwl ei fod o mor bell â hynny.'

'Mae'n chwe milltir a hanner o'n tŷ ni i'r coed,' meddai. 'Mae ffos o amgylch y coed sy'n llawn tyllau ac mae'n defaid ni o hyd yn canfod eu ffordd yna. A hyd yn oed wedyn, mae'n dal yn ffordd go bell o fanno i Lanbadarn.'

Cyrhaeddais y coed a ddaru o groesi fy meddwl efallai y dylwn dreulio'r noson yno, ond yna cofiais am y noson ym Mannau Brycheiniog. Doeddwn i ddim yn hapus efo faint o filltiroedd ro'n i wedi eu cerdded y diwrnod hwnnw ychwaith – felly mi gerddais filltir arall. Gwelais dŷ ryw hanner can milltir o'm blaen. Af yno a chael gorffwys, meddwn wrthyf fy hun. Gan gerdded yn nes, ceisiais feddwl am reswm i'r bobl adael i mi fynd i mewn am y noson. Roedd postyn yn rhwystro'r ddwy ochr i'r llwybr, ac wrth i mi ei symud o'r ffordd, gwelais fod y lle i gyd wedi ei orchuddio â thyfiant. Plygais, a chamu dan y postyn. Doedd dim golwg o ieir na moch na chi na dim, ac edrychai'r olion olwynion yn y pridd yn hen . Roedd y tŷ wedi ei adael, a doedd neb wedi byw yno ers amser maith, a neb yn gofalu amdano.

Dyma fy llety am y noson dywedais. Es at y drws a cheisio ei agor, ond roedd wedi ei gloi, ac roedd rhywun wedi gosod clo newydd cryf arno na fyddai'n torri yn hawdd. Roedd y ffenestri mewn cyflwr reit dda ac wedi eu cau o'r tu mewn. Dyfalais am dipyn fyddwn i'n ffôl i geisio torri mewn, a hithau'n dal yn olau – felly cerddais ymaith.

Ond unwaith ro'n i wedi cerdded milltir i lawr y ffordd fawr, gwyddwn nad oeddwn i'n agos o gwbl at Lanbadarn. A dyma fo'n gwawrio arna i hefyd y gallwn oleuo tân yng nghefn y tŷ gwag a chael noson braf yn ymlacio yno. Eisteddais i orffwys ar ochr y bryn am ychydig, yn ansicr beth i'w wneud. Dydi o ddim yn beth hawdd i fynd yn ôl ar lwybr 'dach chi newydd ei gerdded a fedrwch chi ddim torri mewn i dŷ heb fod ar eich gwyliadwriaeth drwy'r amser. Yn y diwedd, mi barodd y syniad o dân i mi droi yn fy ôl. Pan ddychwelais, ro'n i yn y gwyll, ac es rownd i'r cefn i gael golwg iawn ar y lle. Roedd poncen bridd tua phedair neu bum troedfedd yno a ffos fudr rhwng honno a wal y tŷ. Roedd pentwr o wellt gwlyb ar y boncen yn uwch i fyny, a fforch yn ddwfn yn ei ganol; doedd neb wedi bod yn agos at y lle ers amser maith – fel tase pobl wedi gadael y lle ar frys ynghanol eu gwaith – neu fel tase nhw wedi marw, neu rywun wedi eu hel oddi yno.

Sylwais ar rywbeth wedyn ddaru godi fy nghalon beth bynnag. Canfyddais ffenest fechan yng nghefn y tŷ lle'r oedd chwarel y ffenestr yn rhydd, a'r unig beth yn ei ddal yn ei le oedd darn o weiren wedi ei chlymu ar y tu allan. Cymrais fy nghyllell a thorri'r weiren yn rhydd o'r hoelion. Daeth y gwydr yn rhydd, ond syrthiodd a thorri cyn i mi gael y cyfle i'w ddal. Teflais fy mag drwy'r ffenest a rhoi mhen drwyddi.

Llwyddais i gael f'ysgwyddau drwy'r ffenest – o drwch blewyn – ac yna, wedi ymdrech, llwyddais i wasgu gweddill fy nghorff drwyddi, gan droi a throsi nes mod i mewn. Dyma ganfod fy hun mewn stafell fechan oedd yn edrych fel stafell olchi. Roedd gan y tŷ ddwy stafell arall. Roedd yno le tân a rhyw fanion – fel ei fod bron yn edrych yn foethus i'r herwr oedd newydd ddod lawr o'r bryniau. Roedd yna fwced a stôl a rhyw ugain o bethau eraill hefyd, felly mi fyddwn wedi gallu byw yno taswn i eisiau.

Y peth cyntaf a wnes oedd cydio yn y bwced a mynd allan i nôl ychydig o ddŵr. Roedd ceg y bwced yn rhy lydan beth bynnag, felly roedd rhaid i mi ei phlygu i'w chael allan o'r ffenest. Yn od iawn, nes i ddim meddwl am ddefnyddio'r ffenestri yn nhu blaen y tŷ o gwbl. Croesais y ffordd at yr afon oedd yn y glyn, a dychwelyd efo bwced lawn, a'i gwasgu drwy'r ffenest eto. Teflais dipyn o'r hen wellt drwy'r ffenest, casglu dipyn o briciau a'u taflu hwythau i mewn. Yna, i mewn â fi eto.

Yr oedd fel bol buwch tu mewn i'r tŷ erbyn hyn, ac roedd hyn yn ei gwneud yn anodd i geisio dod â'r gwellt a'r priciau drwy'r gegin. Gosodais dipyn o'r gwellt a'r priciau yn y lle tân, a'i danio efo matsien, ond roedd y gwellt yn rhy damp, ac er gwaethaf fy ymdrechion, roedd yn gwrthod tanio. I goroni'r cwbl, gollyngais y bocs matsis ar y llawr, a fedrwn i mo'i ganfod wedyn. Yn y diwedd, ro'n i'n cropian o gwmpas y llawr ac yn ymbalfalu nes dod o hyd iddo. Yna, torrais ddalen o'm llyfr nodiadau a llwyddo i gynnau'r tân. Roedd gen i ddigon o goed arno, ac yn fuan, roedd gen i dân braf. Dechreuais baratoi swper ar fy nghwrcwd, ond rhwng y gwres a'r blinder eithafol, ro'n i'n tueddu i bendwmpian. Nes i baratoi gwely efo'r gwellt tamp a chysgu fel twrch, gystal ag y gwnes ers dydd fy ngeni.

Wn i ddim a sylwodd unrhyw un ar oleuni yn y tŷ o gwbl wedi hanner nos y noson honno ai peidio. Wn i ddim a fu unrhyw straeon gwyllt am weld ysbrydion rhwng yr afon a'r tŷ wedi hynny chwaith. Y cwbl wn i ydi pan adewais y tŷ y bore wedyn, welais i 'run enaid byw wrth i mi gerdded tuag at Lanbadarn.

Teimlwn mod i wedi fy adnewyddu wedi cael noson iawn o gwsg, gymaint felly fel y deuai penillion newydd o farddoniaeth i mi, a dydi barddoniaeth ond yn dod pan mae corff ac enaid yn iach a heini. Dyna pam mae barddoniaeth mor brin yn y byd heddiw. Mae cerddi yn blaguro fel blagur ar goed, mae eu harddwch yn rhagflaenu'r ffrwyth. Ro'n i'n cyfansoddi penillion fel hyn, un ar ôl y llall:

'Deuthum lawr o'r mynyddoedd cyn iddi wawrio
Fy hunan – blaw am Owain Glyndŵr;
Gan gerdded i'r gorllewin drwy y glyn,
Fy hunan – blaw am sŵn traed o'r gorffennol ...'

Ond doedd hi fawr o dro cyn i mi anghofio'r penillion eto wrth i'r glaw ymddangos a gadawodd Ebrill i mi wybod ei fod yn dal i'm dilyn ar hyd y ffordd. Fe gliriodd tua hanner dydd pan ddeuthum i le bach o'r enw Llanbister a phrynais bot o de a bwyta 'mara efo fo. Wrth i mi nesáu at Landrindod, roedd y tywydd yn braf ac roedd yna haul bendigedig yn yr awyr. Mae'r dref yn adnabyddus am ei gallu i iacháu ac yn sicr, ro'n i'n teimlo fod rhywbeth arbennig yn yr awyr. Euthum i mewn i'r dref lle dois ar draws gwestai mawr a thai lojing, y mwyaf o'r rhain oedd gwesty motor – y motors gaiff y lojings gorau y dyddiau hyn! Teimlwn yn eiddigeddus ac yn isel yn y dref hon. Bron nad oeddwn yn eiddigeddus o'r motos ei hunain gan mod i wedi cerdded cymaint erbyn hynny fel mod i bron yn cymharu fy hun efo motor. A dyma'r eiddigedd a'r iselder yn adfywio'r poen yn fy nghoesau ac roeddent yn teimlo cynddrwg fel mod i'n teimlo mod i ar farw. Es i'r parc ar gyrion y dref ac eistedd ar fainc a dwn i ddim o ble gefais i'r cryfder i ailgychwyn cerdded unwaith eto.

Tua naw o'r gloch y nos, dyma gyrraedd Llanfair-ym-Muallt a gwyddwn mod i'n ôl ar yr un ffordd ag y bûm arni pan oeddwn yn teithio i'r gogledd. Es drwy Glanwye yn chwilio am das wair. Ro'n i'n meddwl fod popeth yn iawn, ond y peth nesaf, daeth dyn o'r tŷ efo lantern, felly es ymlaen dipyn pellach. Cerddais bedair neu bum milltir allan o'r dyffryn i gae arall. Roedd ci yn gorwedd yn y gwair yno a chwyrnodd ar y dechrau, ond mi ddaethom yn gyfeillion wedyn. Cododd wedi rhai munudau a gadael, ond roedd cysylltiad wedi ei wneud, ac roedd hi'n amlwg petai o'n ddynol, gallech ddweud ei fod wedi cymryd ataf. Ro'n i'n hapusach ynof fy hun y noson honno. Ro'n i wedi cerdded yn bell ac ro'n i o fewn deg milltir a thrigain i Gaerdydd a synhwyrwn fod y ddawn o gerdded bron iawn yn perthyn i mi.

Pennod 15

Wrth fynd drwy'r dyffryn y bore canlynol, y prif beth ar fy meddwl oedd y ffaith mod fy mhres yn dod i ben. Ro'n i wedi gwario chwe cheiniog arall ar bot o de yn Llyswen, a'r cyfan oedd yn weddill oedd swllt a naw ceiniog. Dyma edrych ar y map a sylweddoli y byddai yn gryn dasg i wneud gweddill y daith mewn deuddydd ond ro'n i am gymryd y llwybr byr o'm blaen ac roedd rhan newydd o'r wlad i'w chanfod, a fyddai dim rhaid i mi aildroedio yr un ffordd a'r un llefydd ro'n i wedi eu gweld o'r blaen – felly roedd hynny'n rhywbeth.

Ro'n i wrth fy modd efo'r llwybr byr am ddau reswm. Yn gyntaf, roedd ardal o'm blaen oedd oddi ar y brif lôn ac yn lle anhygoel o dlws, tlysach na dim welais i erioed. Roedd yn dirlun oedd rhwng y garw a'r llyfn, a thir oedd ddim yn hynod o wastad chwaith. Roedd popeth yn hanner cysgu. Roedd yn bnawn pan gyrhaeddais yma, ond roedd hi wastad yn bnawn mewn lle fel hyn, hyd yn oed yn y bore. Deuthum cyn belled â thref fach o'r enw Llangors lle ymddangosodd llyn o'm blaen drwy agoriad yn y bryniau. Mae llynnoedd yn bethau digon prin yng Nghymru. Wedi gadael Llangors, euthum yn fy mlaen i Bwlch yn union fel roedd y gwartheg yn mynd adre ar hyd y briffordd. Es i chwilio am fara ond doedd dim yn y siopau. Roedd gen i un darn o fara yn weddill a phrynais wy a'i fwyta yn amrwd. Gallwn yn hawdd fod wedi cerdded pum milltir arall, ond wnes i ddim. Dyma'r tro cyntaf i mi deimlo yn ddiog drwy gydol y daith. Pan wawriodd, roeddwn ar y ffordd drachefn. Doedd gen i ddim unrhyw fwyd yn weddill ac roedd Crughywel bum milltir i ffwrdd. Tra'n cerdded ar hyd y ffordd, meddyliais y gallwn fwyta rhywbeth oedd yn tyfu yn y caeau cyfagos, ond y cwbl oedd yno oedd cae o fresych crych. Codais ambell blanhigyn a'i fwyta, ond teimlwn fel cyfogi. Dydi bresych crych ddim yn hawdd i'w fwyta, yn enwedig pan mae'n wyrdd ac amrwd.

Mae Crughywel yn dref braf a dowch ar ei thraws yn annisgwyl;

mae'n eistedd yno wrth droed y mynyddoedd efo rhyw olwg hynafol arni sy'n rhoi naws arbennig iddi. Es i siop a phrynu hanner peint o lefrith a gwerth dimau o fara. Wedyn, trois i fyny stryd gefn ac eistedd wrth dalcen hen dŷ a edrychai fel castell i fwyta'r bwyd. Mi fwynheais yr amser hwnnw yn fwy na bron i unrhyw beth arall yn ystod y daith gyfan. Dydi o mond yn cymryd rhywbeth bach i danio teimlad barddol yn rhywun a dychmygais mod i ar erchwyn y byd yma, yn eistedd wrth droed castell mewn lle mor anghysbell ag y bûm ynddo erioed. Wyddwn i ddim beth oedd enw'r castell na'r bryn gyferbyn â mi, a doeddwn i ddim eisiau gwybod ychwaith. Hyd y gwyddwn, roedd Gwlad Ieuenctid Tragwyddol yn gorwedd yr ochr arall i'r mynydd neu cyn i mi gerdded y filltir nesaf – a byddwn yn canfod fy hun yn ôl yn y byd y breuddwydiwn amdano mor aml pan wyf ar fy mhen fy hun.

Dydi'r byd dynol ac amser ddim yn cyfateb p'run bynnag. Byddai Amser yn farwolaeth inni heblaw ein bod yn ei ddal a'i rannu'n funudau ac oriau, a gwnawn gymaint o bethau gwahanol i ohirio ei daith, pethau sy'n ymddangos yn ddigon ffôl ar brydiau. Dydw i erioed wedi deall y rhesymeg o sut y treuliwn ein bywydau. Codais a dechrau cerdded a gadael y gorfoledd tu cefn i mi gan wynebu yn hytrach fyd gwag distryw. Hyd yn oed petaech yn cynnig Nefoedd i rywun, fydden nhw ddim yn ei gymryd, ac mae hyn yr un mor wir am y dyn mwyaf hunanol ag ydyw am yr un tebycaf i sant. Os nad ydych yn fy nghredu, yna dechreuwch wneud daioni i bobl, a fyddwch chi ddim yn hir cyn canfod.

Rydym mor ddiffygiol o ran doethineb a deall fel mai'r unig beth sydd yn ein dychryn yw ofn marwolaeth. Dydych chi'n ffrind i neb arall a dydi neb yn ffrind i chi.

Ro'n i'n ystyried y pethau hyn wrth i mi nesáu at y ffordd fawr pan welais boster ac fe'i darllenais. Mae pwy bynnag fagwyd yn Iwerddon wedi hen arfer efo darllen cyhoeddiadau, p'run ai ydyn nhw'n alwad i ryfel neu'n ddarn o bropaganda, a dyna pam yr oedais i ddarllen y poster. Hysbysebu rhyw wraig oedd yn dweud ffortiwn oedd o.

Yn Iwerddon credem mai Colm Cille oedd yr unig un oedd yn proffwydoliaethu. A fedrwn i mo'i ddychmygu o yn yr oes fodern. Ni ellid dychmygu proffwydoliaethau Colm Cille yn cael eu hadrodd yn unman ar wahân i o amgylch tân mawn mawr lle'r oedd pawb yn deall y naill a'r llall, a chysgodion anferth y mynyddoedd tu allan, a'r môr grymus yn dyrnu'r creigiau 'sgythrog, ac yn gwneud ei siwrne hynafol i fan arall, ac unigrwydd enbyd y byd uwchben beddrodau'r seintiau.

Daeth y delweddau hyn â mi ar hyd milltir arall o ffordd. Roedd y tywydd o gymorth i mi hefyd gan ei bod yn ddiwrnod braf nes i mi gyrraedd y dref nesaf. Sylwais ar bentwr mawr o lo ar ochr y ffordd a chyfres o dai bach, isel a daeth cip o'r llwch glo a'r lludw â phopeth yn ôl i mi unwaith eto. Suddodd fy nghalon fel gwialen 'sgota yn diflannu i'r dyfnderoedd. Ro'n i'n dychwelyd i'r Rhondda drachefn. Roedd hyd yn oed yn waeth nawr mod i'n gwybod fod y Rhondda o'm blaen a mod i'n mynd 'nôl yno yn dipyn mwy llegach nag ro'n i'r tro cyntaf.

Brynmawr oedd enw'r dref hon ac roedd gen i ddewis o dair ffordd o fanno i Gaerdydd. Ymlaen â mi nes i mi gyrraedd pentref o'r enw Sirhowy a rhoddais fy nhair ceiniog a dimau olaf yn y byd i brynu torth o fara. Ger y groesffordd, cymrais y troad ar y dde i Rhymni. Wrth i mi fynd heibio'r pentref, gwelais blismon cydnerth ar ddyletswydd yn gwylio'r ceir. Ddaru o edrych arna i, a minnau arno yntau ond cerdded ymlaen wnes i. Cefais y teimlad y byddai yn ceisio fy stopio – peidiwch gofyn i mi pam. Y peth nesaf, clywais chwibaniad byr tu ôl i mi. Ei anwybyddu wnes i, ond yna mi waeddodd arna i. Dilynodd fi am tua deng llath nes i mi ddod i stop.

'I le rydach chi'n mynd?' gofynnodd.

'Lawr y dyffryn,' atebais.

'Pa fusnes sydd gennych chi yno?' gofynnodd.

'Fedrwch chi ddim gweld fod gen i ddwy goes?' meddwn.

Roedd golwg farwaidd a chysglyd yn ei lygaid un funud, ond pan glywodd hyn, bywiogodd drwyddo, dwi'n deud wrthych.

'Pa mor bell lawr y dyffryn ydych chi'n mynd?'

Edrychais ar yr haul.

'Dibynnu pa mor hir gymrith hi. Cyn belled â Chaerffili falle? Da chi'n fodlon rŵan?'

Cerddais ymlaen. Doedd gen i 'run bwriad o fynd i Gaerffili y noson honno, ond ro'n i'n meddwl ei bod hi'n werth ei daflu oddi ar fy nhrywydd.

Nid y prinder o lefydd i aros a gorffwys ynddynt oedd fy mhroblem fwyaf yn y Rhondda, ond y ffaith ei bod yn anos canfod lle i gysgu. Dyma'r rheswm i mi stopio unwaith y deuthum at y filltir gyntaf o dir agored – yr ochr bellaf i Abertyswg, hyd yn oed os oedd dipyn o'r dydd yn weddill. Es i fyny i ochr y bryn a gwneud gwely o redyn i mi fy hun a gorwedd yno yn gwylio wrth i gyplau fynd heibio i garu.

Daeth yn nos, a llanwodd y dyffrynnoedd efo golau. Byddech wedi taeru fod holl sêr y ffurfafen yn goleuo'r Rhondda y funud honno. Fe'm llanwyd â gorfoledd wrth edrych arnynt ac ro'n i'n hapus mai dim ond un dydd o gerdded oedd yn weddill, hyd yn oed os o'n i'n flinedig iawn erbyn hynny.

Y diwrnod canlynol, fedrwn i ddim cofio os cefais gaws i frecwast neu dim ond bara a dŵr, ond euthum drwy'r pentrefi canlynol, un ar ôl y llall – New Tredegar, Pengam, Llanbradach a Chaerffili, nes yr oeddwn ar ochr arall y Rhondda unwaith eto. Mae yna lechwedd mawr ar ochr ddeheuol y pentref dwytha ac ro'n i wedi penderfynu bwyta'r tamaid olaf o fwyd oedd gen i ar ben y llechwedd hwn. Ro'n i mor frwd i gyrraedd pen y llechwedd fel y teimlwn na fyddwn byth yn cyrraedd yno. Yr oedd pobl yn mynd am dro ar bnawn Sul fel ffordd o ddifyrru'r amser a dyna lle'r oeddwn i yn cwffio bob cam o'r ffordd a thri chan milltir o ddioddefaint ac o lwgu wedi eu gwreiddio yn fy nwy goes, ac ro'n i'n teimlo bob mymryn. Yn y diwedd, dyma gyrraedd y top. Ro'n i'n gyfarwydd â'r lle yn barod, yr eglwys fechan bren oedd fawr mwy na cherbyd ar ochr y ffordd wrth droed hen gastell, a'r parc ar y llaw chwith yr oeddwn wedi mynd heibio iddo bedair wythnos ynghynt. Es dros y ffens a llenwi fy mhotel ddŵr a bwyta pob briwsionyn o fara oedd gen i'n weddill. Yna gorweddais yn fflat ar y ddaear ac ymlacio'n fodlon. Dim ond pump o'r gloch oedd hi.

Codais ar fy nhraed ymhen dipyn a cherdded y saith milltir i Gaerdydd, fy nghalon yn ysgafn ac yn llawn hapusrwydd. Roedd y ffordd oedd yn mynd heibio'r ddinas o'm blaen fel crafangau cranc a gwelais y niwl uwchben y gwrychoedd a'r coed, a'r holl simneiau, a sylwais mor dila a disylw yr ymddangosai'r ddinas o'i chymharu â'r mynyddoedd mawr dan ehangder y wybren.

Roedd fy siwrne ar ben. Ro'n i'n teimlo'n falch ohonof fy hun. Petai rhywun wedi gofyn i mi pam y gwnes y daith, byddwn wedi cael trafferth egluro iddynt. Hon oedd fy ffordd i, fy ffordd fy hun. Roedd wedi cryfhau fy meddwl ac wedi caledu fy nghorff. Ro'n i wedi cerdded cryn bellter ac yr oedd wedi bod yn anodd. Ond fasa'r un diawl ar y ddaear wedi fy argyhoeddi i wneud rhywbeth bach a haws i'w gyflawni. Ro'n i wedi cael cychwyn da. Falle ryw ddydd y byddwn yn cerdded o amgylch y byd cyfan. Roedd y siwrne hon wedi sgubo ymaith sawl syniad a phryder ffôl sy'n cystuddio person sy'n dioddef yn feddyliol.

Yn hytrach na bod yn nerfus ac yn betrusgar wedyn, ro'n i'n barod i ysgwyddo unrhyw galedi neu drafferthion roedd y byd am ei daflu ataf. Budd arall o'r daith oedd yr un sydd ddim mor hawdd i'w roi mewn geiriau – y syniadau a'r breuddwydion rheini sy'n amlygu eu hunain ac yn ffurfio yn fy isymwybod, yn yr un modd ag y mae cymylau yn ymddangos ar frig y gorwel. Falle nad yw'r fath ddelweddau yn amlygu eu hunain yn syth i mi, ond byddant yn sicr yn dod i mi ryw ddydd pan fydd fy llong yn llawn ei hwyliau a phan fydda i'n croesi môr na theithiwyd arno 'rioed. Mae cyfanrwydd y byd yn gorwedd yr ochr arall i'r sgrin fach honno o eiriau rydyn ni'n ei gorchuddio â hwy, ac mae gan y rheini lawer fwy o rym ac ystyr nag fydd ganddynt fyth yma – lle canfyddwn ein hunain ar hyn o bryd – y byd hwn o orchwylion a rheolau lle mae'r dall yn arwain y dall, a lle na ŵyr neb pa ffordd i deithio arni. Fydde'n well gen i gael fy nghyfrif yn od na chael fy nghlymu lawr. Well gen i gerdded y ffordd ar y noson dywyllaf nag aros yn ddall.

A dyna sut aeth stori fy nhaith o amgylch Cymru hyd yma.

Pennod 16

Derbyniais ychydig o bres o Iwerddon a'm helpodd i ddychwelyd adref eto. Llwyddais hefyd i gael taith am ddim dros y môr efo criw o bobl oedd ar eu ffordd i'r Rasys yn Curragh. Ar wythfed dydd yr haf, dyma gyrraedd Leinster.

Mae gan Iwerddon un diffyg mawr o'i chymharu â gwledydd eraill. Mae yna syrthni ynddi, neu'r hyn a alwn yn ddiffyg teimlad. Dwyt ti ddim yn hidio am neb arall, a does neb arall yn hidio amdanat ti. Ac mae hyn yn fwy amlwg yn Nulyn nag yn unman arall. Pan o'n i'n cerdded strydoedd Dulyn, ro'n i bob tro yn teimlo nad oedd neb yn ymwybodol o'm bodolaeth a doeddwn ddim yno yn hir y tro hwn cyn teimlo mod i'n suddo i ddyfnderoedd tywyllaf fy mod unwaith eto. Es i weld yr Harbwr Mawr i weld a oedd y cwch, Y Forforwyn, ddaru mi ei chymryd flwyddyn ynghynt, yn dal yno. Yr oedd yno, yn siŵr i chi – yn gorwedd yno wedi ei gadael yn yr un lle ag yr oedd o'r blaen.

Wedi i mi fod yn eistedd am dipyn yno yn syllu allan i'r môr, codais a dychwelyd i'r ddinas, ond fedrwn i ddim cael ymwared â'r pryder oedd yn fy llethu.

Roedd hi'n anodd i mi ganfod lojings. Chwiliwn am y rhai rhataf a cherddais drwy'r rhan fwyaf o'r strydoedd cefn gyda'r gwres yn fy lladd. Roedd rhai o wragedd y l0ety yn anfodlon efo mi a minnau'n anfodlon efo nhwythau. O'r diwedd, pan oeddwn yn y siop un dydd yn yfed gwydriad o lefrith, holais y siopwr a oedd lojings o gwbl yn y stryd honno. . .

A rhyw lithro yn ôl i'w hen ffordd o fyw mae Mac Grianna, yn cael ei daflu o'r l0ety eto fyth ar gownt ffrae am dalu'r rhent, ac aiff yn ei flaen i ganfod lle arall, yn y frwydr ddiddiwedd i ganfod lle y gall orffwys ei gorff. Mae'n dod ar draws mwy o bobl, yn adrodd eu straeon ac yn byw am chydig efo'i frawd. Ond dydi petha' ddim yn hawdd yno chwaith, a brawddeg olaf y bennod yw hon,

Dois o hyd i lojings efo gwraig weddw oedd mor dlawd â mi fy hun, a dyma ni'n goddef y naill a'r llall yn iawn dros yr haf.

Pennod 17

Ym mhennod olaf y llyfr, parhau i gael trafferthion efo lle i aros mae Mac Grianna, a dyma sut mae'n gorffen,

Gadewais y lojing fy hun yn fuan wedi hyn. Dwi'n ei chael yn anodd setlo yn unman yn hwy na rhyw dri mis. Unwaith dwi wedi bod yn aros mewn lle am dri mis, mae'n fy nharo fod rhywbeth arall yn disgwyl amdanaf mewn lle gwahanol. Ambell waith, dwi'n meddwl mod i'n ffoi rhag ofn i'm cymdogion ddod i wybod gormod amdanaf, a mod i'n dod yn un ohonynt. Dro arall, dwi'n argyhoeddedig fod y byd yn cuddio cyfrinach oddi wrthyf a bod rhaid i mi barhau i grwydro'r byd nes i mi ei ddarganfod. Ar adegau eraill, credaf mai fi yw Seanchán Toirpéist, prifardd o'r chwech ed ganrif, yn crwydro'r byd ar drywydd *Táin Bó Cuailnge* – cerdd arwrol Wyddelig. A thrwy'r amser, mae arna i ofn codi rhyw fore i ganfod mod i wedi tyfu'n hen – fel Oisín a blygodd i lawr i helpu ei 'chydig ddilynwyr oedd yn dal yn driw iddo a'u cynorthwyo i godi baich, pan dorrodd ei harnais. A pha mor aml dwi wedi dweud wrth y sgwenwyr olaf yn yr Wyddeleg, 'Rhag eich cywilydd, chi dorf ddi-asgwrn cefn! Oni allwch ganfod y nerth i gynnal y baich bychan hwn eich hunain, dim ond am dipyn?' Yn union fel rydw i wedi ei oddef bob tro. Un tro, *Dochartach Dhuibhleanna* oedd o; dro arall *Ar an Tráigh Fhoilimh*; un tro *Creach Chuinn Uí Dhomhnaill* oedd o; dro arall *Séamus Mac Murchaidh*.

A sawl tro y mae'r un ddelwedd erchyll wedi ymddangos gerbron fy llygaid – yr harnais yn torri a minnau'n disgyn i lawr i'r ddaear a dynion yn fy nghanfod yno ar y llawr a hwythau efo llyfr gramadeg neu gwrs sylfaenol ar gyfansoddi yn eu dwylo.

Ond er hyn i gyd, dydw i ddim yn meddwl y byddant yn fy ninistrio. Mi ddaru nhw ei dorri, ond falle ei fod o'r farn fod rhywbeth gwerth chweil ynddynt, ac wedi dangos gormod o barch tuag atynt. Ar brydiau, falle ei fod yn meddwl mai nhw oedd yn gywir. Ond hyd yn oed petaent yn iawn, faswn i byth yn cyfaddef hynny. Gallant wneud eu gwaethaf, ond mi wna i barhau i aredig yr un gŵys sydd o fy mlaen. Mi gaf y gorau arnynt ryw ddydd, ac mae gen i deimlad na chymrith lawer i'w trechu yn y diwedd. Falle ei bod yn dipyn o ymdrech i mi, ond maen nhw yn chwalu yn ddarnau. Falle eu bod wedi argyhoeddi eu hunain eu bod yn gryfach na mi, ond yng ngwaelod eu bod, gwyddant mai smal ydi hyn. Mi gaf weld ffrwyth fy llafur yn y man, a bydd fy enw ar wefusau Gwyddelod ac Albanwyr ym mhob man ryw ddydd.

Ac i bwy bynnag sydd yn gofyn i mi at bwy yr ydw i'n cyfeirio yma – mi atebaf mai ochr dywyll fy enaid fy hun ydyw. Y ffrindiau dros dro hynny fu gennyf sydd gen i mewn golwg. Gweddillion Cynhadledd Kilkenny, y rhan honno o Iwerddon sydd yn Wyddelig ac wedi ei Seisnigo ar yr un pryd. Mae rhai ohonynt yn y Gaelic League, rhai yn Weriniaethwyr, rhai'n gomiwnyddion ac eraill yn Fianna Fáil; mae rhai yn Fine Gael a llawer iawn heb fod yn yr un o'r grwpiau hyn.

Y rhai a'n bradychodd, ddaru nhw ddim gwneud hynny oherwydd nad oedd ganddynt ddafn o waed y gorchfygwr yn eu gwythiennau. Nhw ydi'r bobl ddaru ymladd yn ddigon caled a dewr, ond a ymladdodd bob tro er mwyn y daioni lleiaf. Nhw yw'r rhai a oedd yn llawn o siarad mawr ac anwybodaeth, ond cafodd eu teulu eu hunain y gorau arnynt, y rhai y cafodd eu gwragedd eu hunain y gorau arnynt; nhw ydi'r bobl a gaiff eu llethu gan gyffroadau a disgleirdeb y ddinas a'r Llo Aur.

Nhw yw'r un bobl rydych yn eu cyfarfod ble bynnag yr ewch ond sy'n rhy llwfr i edrych i fyw eich llygaid; a hyd yn oed petaech yn syllu arnynt, y cwbl gaech chi fyddai chwarddiad diflas. Nhw ydi'r un bobl a gafodd synnwyr cyffredin pan ddylent fod wedi sicrhau cryfder a grym yn hytrach. Ac am yr holl bobl eraill yn Ulster a Leinster a Munster a Connacht, bendith fo arnynt! Os gwnaethon nhw golli, ddaru nhw ddim colli go iawn ac os oeddent yn fuddugoliaethus, wnaeth o ddim drwg iddynt. Roeddent bob tro ar fy ochr i, ac mi fyddant yn wastadol.

Ac mae fy ffordd fy hun yn dal i ymestyn o'm blaen yn dragwyddol. Fy ffordd fy hunan – mae'n gwyro ger talcen y tŷ hwn, ac yna'n diflannu rhwng y coed ac i mewn i'r nos a'r gwyntoedd grymus fry uwchben. Ac ar derfyn y ffordd hon mae mynyddoedd yn ymestyn allan hyd ddiwedd y byd a'r pencampwr morwrol allan ar y blaen yn amddiffyn yr holl rywogaethau byw ac yn rhwygo'r tywyllwch o ganol dydd hyd y wawr efo'i gleddyf mawr o oleuni.

Mae'r tŷ dwi'n aros ynddo ar hyn o bryd yn un y bu Liam O'Flaherty yn byw ynddo ar un adeg ac yn un y galwodd Pádraic Ó Conaire ynddo am sgwrs ar ei siwrne olaf i Ddulyn lle bu farw. Wyddwn i mo hyn nes i mi ddod yma i fyw. Wn i ddim i ble y bydd fy ffordd fy hun yn arwain iddo nesaf, ond gwn y bydd rhyfeddodau'r cread yn fy nghanfod. Mae'r byd cyfan yn llawn barddoniaeth i ddyn sydd â'i dynged i ddod i'w deall, a wnaiff y ffynnon hon byth sychu. A chyn belled â bod anadl ynof, mi arweiniaf bobl Iwerddon i'w tharddiad.

Rhagair

'Ar Olwyn yn Eire'

Mewn ffordd wahanol, mae hon yn gyfrol unigryw hefyd. Wel, mae'n llythrennol unigryw – dim ond un copi sydd ohoni, tan rŵan. Pan soniais am y syniad o gyfieithu *Mo Bhealach Féin* wrth ffrind, ei hymateb oedd 'Byddai'n ddifyr cymharu ei sylwebaeth efo rhywun aeth o Gymru i Iwerddon yr un pryd'. Mi wyddwn yn syth pwy allai hwnnw fod – fy nhaid.

Yn 1939, roedd fy nhaid wedi bod yn sôn am fynd ar wyliau, ac fe'i perswadiwyd gan fy nhad, Arial, oedd yn 14 oed ar y pryd, y byddai taith feics a gwersylla yn syniad da. Penderfynwyd gwneud hynny, ac aeth fy nhad, a'i chwaer 19 oed, Ffion, a Taid i Iwerddon am dair wythnos. Ysgrifennodd hanes y daith i bapur enwadol Y Wesleaid, *Y Gwyliedydd Newydd* a ymddangosodd fesul wythnos am gyfnod rhwng 1939 a 1940. Wedi iddynt gael eu cyhoeddi, torrodd Taid y colofnau o'r papur a'u gludo ar ddalennau a'u rhwymo rhwng dau glawr. Galwodd y llyfr yn 'Ar Olwyn yn Eire'.

Doedd Taid ddim yn ŵr ifanc yn gwneud y daith – roedd yn tynnu at ei drigain oed. Nid oedd yn ŵr yr awyr iach – athro fu drwy ei fywyd, dyn oedd yn hoffi ei ddesg a'i lyfrau. Petai wedi gwneud y daith ar feic a chysgu mewn gwesty, byddai wedi bod yn gryn her. Roedd teithio'r holl filltiroedd a chysgu mewn pabell yn gofyn am dipyn mwy o ymdrech! A doedd gan yr un o'r tri brofiad o wersylla – bu'n rhaid mynd i siop a phrynu pabell newydd sbon. Rhaid oedd cario'r cwbl ar y beiciau. Ond dwi'n falch eu bod wedi mentro. Cawsant wyliau i'w gofio. Ac er iddo sôn yn y bennod gyntaf y carai ymweld â Ffrainc, Rwsia ac Ynysoedd Môr y De, ni ddaeth cyfle. Yn wir, cael a chael oedd hi i'r tri adael Iwerddon ar ddiwedd Awst 1939 wrth i'r papurau newydd sgrechian penawdau am Hitler. Erbyn diwedd y rhyfel, byddai Ffion wedi priodi, Arial yn filwr yn y Dwyrain Canol ac roedd Taid adref ym Mangor ei hun. Cyfle mewn oes oedd y gwyliau hwn felly, a dwi mor falch ei fod wedi cofnodi'r daith.

Mae'n cofnodi Iwerddon oedd yn prysur ddiflannu. Rhyfeddol meddwl mai dim ond un mlynedd ar bymtheg ynghynt yr oedd hi'n Rhyfel Cartref yn Iwerddon. Roedd y cof yn fyw am erchyllterau y

'Black and Tans'. Roedd sloganau yn dal ar y muriau ac mae o leiaf un cyfeiriad at ŵr yn cael ei saethu ar y stryd. Roedd tlodi yn rhemp, fel y gwelwn o'r cyfeiriad at y criw o ddynion di-waith oedd ar y bont ger Vinegar Hill, a'r dyn ddaru eu gwadd i lochesu yn ei stafell a dim byd ond llawr concrid yn y tŷ a phentwr o fawn yn y canol. Mae'n cyfeirio sawl gwaith at yr hyn alwodd Waldo yn 'blant troednoeth cyfoethog'. Daw i gysylltiad gweddol reolaidd efo pobl sy'n siarad Gwyddeleg.

Yr hyn a wêl Taid yw gwlad ifanc yn dechrau ymffurfio wedi chwerwder arwyddo'r Cytundeb efo Prydain. Gan iddo gael ei eni yn 1880, addysgwyd Taid yn y drefn lle'r oedd yr Ymerodraeth Brydeinig yn ei bri. Chafodd o erioed wers am Iwerddon, ond roedd wedi addysgu ei hun, ac roedd yn go hyddysg yn hanes a llên y Gwyddel. Dyn eitha' swil oedd Taid, ond efo diddordeb ysol mewn pobl ac mewn gwleidyddiaeth. Bob cyfle a gafodd, tynnodd sgwrs efo pobl y wlad, a dyna ddiléit pennaf y llyfr. Nid oes lluniau camera o'r daith, ond mae'r disgrifiadau ohonynt yn rhoi darlun byw iawn ohonynt, boed hwy'n ferched yn eu siolau du, yn ffermwr myfyrgar, yn blentyn bach ar lan afon yn casglu raffl neu'n wŷr di-waith neu'n blismon oedd yn yr ysgol efo Gracie Fields! Yr argraff gyffredinol yw y caiff Taid haelioni di-ben-draw gan y Gwyddelod croesawgar.

Heddiw, byddech yn disgrifio eu profiad fel 'gwersylla gwyllt' – doedd fawr o foethusrwydd ar y daith. Caiff drafferth i gysgu yn y babell ar y noson gyntaf gan ei fod yn gallu teimlo pob asgwrn yn ei gorff. Ond wrth i'r croen felynu ac wrth i'r haul tanbaid ei gynhesu, daw eu cyrff yn fwy ystwyth. Tila iawn yw'r fwydlen – maent yn byw ar dorth y dydd a thri pheint o lefrith yn y bore a gyda'r nos. O ganlyniad, mae'r ymweliad achlysurol â chaffi yn gymaint mwy cofiadwy. Mwy nag unwaith, maent yn molchi yn y gwlith ac yn golchi dillad yn yr afon. Am dair wythnos, sipsiwn ydyn nhw. Dwi'n rhyfeddu eu bod wedi gwersylla mewn man gwahanol bob un noson o'r gwyliau.

Tua'r diwedd, maent yn amlwg yn dechrau blino, ac mae 'cartref yn tynnu fel drafft mewn ffwrnais'. Mae symudiadau Hitler yng nghanol Ewrop yn peri fod rhaid i'r tri yma o Gymru brysuro ar eu taith. Maent hefyd yn awyddus i wybod canlyniadau arholiadau 'Higher' Ffion.

Ar brydiau, mae arddull *Ar Olwyn yn Eire* yn ymddangos yn hen ffasiwn iawn, fel y byddai dyddiadur sydd yn bedwar ugain oed. Y mae darnau pur flodeuog ynddo. Byddai Taid wedi hoffi bod yn fardd, dwi'n credu. Wedi'r cwbl, mi ddaru sgwennu gwerslyfr i'r cynganeddion, ond prin yw'r cerddi a wnaeth. Ond yr hyn sy'n amlwg yn *Ar Olwyn yn Eire* ydi gŵr sydd yn caru geiriau. Mae hefyd yn hoff o natur, ac mae'n llwyddo i gyfleu harddwch rhyfeddol Iwerddon yn haf hynod heulog 1939.

Y mae un person yn absennol o'r daith, ac i honno y cyflwynir y gyfrol – Bet, y pedwerydd – fel mae'n cyfeirio ati. Bet oedd gwraig Taid, fy nain, er na chefais erioed ei chyfarfod. Yn 1933, bum mlynedd cyn y daith i Iwerddon, dioddefodd Bet '*nervous breakdown*' ac fe'i cymerwyd i Ysbyty Meddwl ym Manceinion. Yno y bu tan ei marw yn 1955. Bu Taid yn ymweld â hi'n fisol am ugain mlynedd. Yn hyn o beth, roedd rhywbeth yn gyffredin rhyngddo a Seosamh Mac Grianna.

Petai'r ddau wedi cwrdd, dwi'n credu y byddent wedi cymryd at ei gilydd. Dwi'n meddwl y byddent wedi cael sgwrs ddifyr. Ac yn sicr, wedi taith epig y ddau, y naill yng ngwlad y llall, byddent wedi cael digon i drafod ac i ddadlau yn ei gylch. Drwy gyflwyno'r gyfrol hon i chi, mi gewch gyd-gerdded y ddwy daith, a chewch chi ddyfalu beth fyddai'r drafodaeth wedi bod rhwng y Gwyddel a'r Cymro. Ar un wedd, maen nhw'n ddwy wlad sydd wedi newid yn llwyr. Ar y wedd arall, does fawr ddim wedi newid yn ei hanfod.

Mwynhewch y teithiau.

Angharad Tomos

ON Bu bron i 'Ar Olwyn yn Eire' – yr unig gopi yn y byd, fynd i ebargofiant. Yn 1980, penderfynodd Dad y carai ail-wneud y daith i Eire, bron i ddeugain mlynedd yn ddiweddarach. Roedd wedi troi ei hanner cant ac roedd ganddo wraig a phump o ferched, felly roedd beiciau allan ohoni. Aeth efo car a charafán, ac felly mi ges i y flwyddyn honno y cyfle i ddilyn trywydd 'Ar Olwyn yn Eire'.

Roedd gan Mam ei phryderon. Yn y saithdegau, lle peryglus oedd Iwerddon – doedd o ddim yn lle roeddech chi'n mynd ar wyliau. A Margaret Thatcher yn teyrnasu ers blwyddyn, roedd Bobby Sands wedi marw ym mis Mai, ac roedd naw carcharor yn ymprydio yn Long Kesh. Falle nad y flwyddyn honno oedd yr orau i ymweld ag Iwerddon. Sicrhaodd 'Nhad hi mai yn 'y Gogledd' oedd yr helynt hwnnw, ac mai taith i'r Weriniaeth oedd hon. Wna i byth anghofio cyrraedd Dulyn y mis Awst hwnnw a gweld y Swyddfa Bost wedi ei phlastro efo posteri am yr ymprydwyr a chriw o bobl wedi ymgynnull yno, roedd pob syniad o 'gogledd' a 'de' wedi mynd. Yr hyn oedd yn drawiadol ar y daith honno oedd baneri bach duon i gofio'r ymprydwyr ar bob polyn teligraff o Ddulyn i Gorc. Bu farw dau o'r ymprydwyr tra oeddem yn Iwerddon.

Fodd bynnag, fel roeddem yn agosáu at ddiwedd y gwyliau, parciodd Dad y garafán mewn maes carafanau y tu allan i Ddulyn, ac aethom am noson i Ddulyn i weld ffilm yn y pictiwrs. Tra oeddem yn y sinema, cafodd y car ei ddwyn. Bu raid inni wynebu'r dasg drannoeth o orfod mynd â charafán adre i Gymru – a hynny heb gar. Soniodd Dad ddim gair ar y pryd, ond fe wyddai fod un peth o werth mawr yn y car, sef yr unig gopi o 'Ar Olwyn yn Eire'. Byddai'r cofnod o'r daith honno yn 1939 wedi mynd am byth.

Rai dyddiau wedi cyrraedd adre o'r gwyliau hwnnw, cafodd Dad alwad ffôn o Iwerddon gan y Gardaí yn dweud fod ei gar wedi'i ganfod, ond fod popeth wedi ei ddwyn ohono. Dychwelodd Dad i Iwerddon i nôl ei gerbyd. Oedd, roedd popeth wedi mynd, gan gynnwys cotiau, mwy nag un camera a pha beth bynnag arall roedd teulu o saith yn ei gadw mewn car. Dychmygwch orfoledd Dad pan welodd yng nghefn y car glawr coch treuliedig yr hen lyfr – roedd y dyddiadur wedi goroesi. Iddo ef, roedd modd cael cotiau a chamerâu newydd, ond hwn oedd y peth nad oedd modd ei adfer. Dyn hapus yrrodd adre i Gymru.

AR OLWYN YN EIRE

David Thomas

I Bet, y pedwerydd

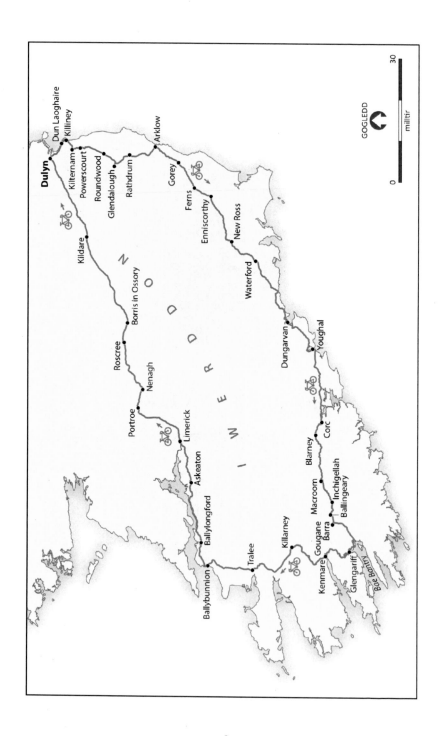

Dulyn

Dun Laoghaire
Killiney
Kilternam
Powerscourt
Roundwood
Glendalough
Rathdrum
Arklow
Gorey
Ferns
Enniscorthy
New Ross
Waterford
Dungarvan
Youghal
Cabir
Blarney
Macroom
Inchigeelah
Ballingeary
Gougane Barra
Kenmare
Glengarriff
Bae Bantry
Killarney
Tralee
Ballybunnion
Ballylongford
Askeaton
Limerick
Portroe
Nenagh
Roscree
Borris in Ossory
Kildare

LLWYDDON

GOGLEDD

0   milltir   30

118

Pennod 1

Croesi Drosodd

Treuliodd y plant a minnau yn agos i dair wythnos o wyliau'r haf eleni ar daith yn Iwerddon. Buom yn sôn am wythnosau y carem fynd ar ein gwyliau i ryw wlad dramor, a theithio ar feic o'r naill le i'r llall, ac yr oedd gennym ffansi rhoi cynnig ar Ffrainc. Penderfynu wnaethom y tro hwn fodd bynnag fod Iwerddon yn nes atom, ac y caem fynd i weld Ffrainc a Rwsia ryw flwyddyn eto. Ni fu'r un ohonom y tu allan i Brydain Fawr o'r blaen. Teimlwn gryn lawer o ddiddordeb yn Iwerddon a'i hanes ers blynyddoedd, yn enwedig rhai o'i harweinwyr megis Wolfe Tone, Thomas Davis, Michael Davitt a James Connolly, ac edrychwn ymlaen yn eiddgar at weld rhai o'r lleoedd oedd yn gysylltiedig â'i hanes, a beddau rhai o'i gwŷr gorau.

Mynnai Arial, fy mab, inni fynd â thent i'n canlyn, a chysgu ynddo ar y ddaear galed bob nos, a chan fod Ffion, ei chwaer, yn ei gefnogi, nid oedd dim i'r hen ŵr i'w wneud ond bodloni i drefniadau'r bobl ifainc. Dyma brynu tent newydd, wedi'i bacio'n daclus, a llen rwber i'w rhoi o danom rhag i'r lleithder godi atom o'r ddaear. Dyma wneud 'sach gysgu' i bob un ohonom hefyd, sef dyblu gwrthban gwlanen, a gwnïo'r gwaelod a'r ochr i'w wneud ar lun sach. Yn y sachau hyn y cysgem bob nos, a rhagor o flancedi wedi'u taenu drosom, a phan ddigwyddai fod y nos yn oerach nag arfer, taenu ein cotiau dros ein hysgwyddau i'n cynhesu. Prynem ein bwyd wrth fynd yn ein blaenau, a'i fwyta ar ochr y ffordd.

Yr oeddem wedi ymuno â Chlwb Beicio (y Cyclists' Touring Club) ychydig cyn hyn, a chawsom gan hwnnw fraslun o daith drwy ddeheudir a gorllewin Iwerddon, drwy Cork a Killarney a Limerick, ac yn ôl i Ddulyn, ryw wyth gan milltir i gyd. Gadawsom rannau o'r daith hon allan a newid ychydig arni, ac ychwanegu rhyw fymryn ati, a theithio ychydig dros chwe chan milltir yn ystod y pedwar diwrnod ar bymtheg y buom oddi cartref – o Awst 8 hyd

Awst 26, 1939. Dangosai'r syglomedr oedd ar olwyn flaen Arial faint o filltiroedd a deithiem bob dydd. Cawsom dywydd rhagorol ar hyd y daith, a mwynhau ein hunain bob cam o'r ffordd, a chyrraedd adref yn gryfach ac yn iachach ac yn felynach o lawer nag yr oeddem yn cychwyn.

Dydd Mawrth oedd y diwrnod cychwyn, a chan fod y llong i adael Caergybi ddau o'r gloch, a ninnau efo rhyw bum milltir ar hugain o ffordd i gyrraedd yno, dyma adael y tŷ oddeutu chwarter wedi naw yn y bore a digon o amser wrth gefn. Ar ôl cyrraedd aethom yn gyntaf i brynu ein ticedi, a rhoi ein beiciau ar fwrdd y llong, ac yna mynd i westy i gael bwyd a gofalu am ddychwelyd i'r llong cyn i drên Llundain ddod i mewn. Cawsom fordaith hyfryd dros ben; ni welsom neb yn sâl ar hyd y ffordd. Yr oedd y môr yn dawel ac o liw glas dwfn, a phelydr yr haul ar ei grychni yn fflachio fel diamwntiau ar wisg 'prima donna'.

Yr oedd pob munud o'r fordaith hon yn hyfrydwch pur. Ni fuasai'n bosibl cael diwrnod brafiach, a symudai'r llong drwy'r dŵr mor gadarn â phetai ganddi ddaear gadarn dan ei thraed. Daeth creigiau a goleudy'r South Stack i'r golwg gyda'n bod wedi gadael Caergybi, a chyn hir yr oedd Mynyddoedd yr Eifl a Charn Fadryn a Mynydd y Rhiw i'w gweld yn niwlog yn y pellter, a'r haul yn gynnes ar bob peth. Wedi tynnu at hanner y ffordd drosodd, edrychai'r teithwyr ymlaen at weld mynyddoedd Wicklow yn dod i'r golwg; yr oedd i mi swyn neilltuol yn yr olygfa honno.

Edrychwn ymlaen at gael beicio drwy eu canol ymhen diwrnod neu ddau. Daeth glannau môr Iwerddon a'i phentrefi i'r golwg mewn dipyn o beth, a chyn hir yr oeddem yn hwylio i mewn i borthladd Kingstown. Dun Laoghaire (Dŵn Lare) yw'r hen enw ar y lle – dinas Laoghaire, a oedd yn frenin Iwerddon yn nyddiau Padraig Sant, medden nhw – ac y mae'r Llywodraeth Wyddelig newydd yn brysur yn dwyn yr hen enwau yn eu holau. Dun Laoghaire yw'r unig enw a glywais i ar y lle tra bûm yn Iwerddon.

Pennod 2

Killiney

Wrth imi adrodd hanes yr hyn a welais ac a glywais yn Iwerddon, rhaid cadw mewn cof o hyd mai argraffiadau hollol arwynebol a dderbyniais, ac ni waeth imi heb honni bod dim dyfnder yn yr wybodaeth a gesglais. Yr hyn a welais wrth brysuro ar hyd y ffordd ar gefn beic, neu wrth grwydro heolydd ambell ddinas, yw'r rhan fwyaf ohoni, a'r hyn a ddysgais oddi wrth ymddiddan â rhywun ar y ffordd, neu â rhyw ffarmwr a roesai ganiatâd inni gysgu ar ei dir.

Teimlwn ar unwaith fy mod mewn gwlad ddieithr. Gwyrdd oedd y lliw swyddogol yma, fel y gweddai i'r 'Ynys Werdd'. Gwyrdd oedd y pyst llythyrau, a gwyrdd oedd y bysiau ar yr heolydd.

Wrth adael Dŵn Lare, dyma brynu torth gan lanc efo fan fara, a chymerodd hwnnw gryn drafferth i'n helpu i'w rhwymo y tu ôl i'r beic. Sylwais ar y siopau papur newydd; yr un math o lyfrau rhad a chylchgronau oedd ar werth yno ag a geir yn y wlad hon – yr un pethau yn union, gan mwyaf. Ar i lawr yr oedd ein taith tua Dalkey, a ffordd boenus i'r eithaf ar feiciau, ffordd wedi'i phalmantu'n fras â brics, rheiliau tramiau yn cymryd y rhan fwyaf ohoni, a'r lle cul rhwng y rheiliau a'r palmant yn anwastad ac yn beryglus iawn. Dyna ddechrau go anhyfryd.

Cyrraedd Dalkey (sef 'ynys ddrain' yn ôl ystyr yr enw), un o faestrefi Dŵn Lare tua'r de, a chael llecyn dymunol dros ben yn agos i'r môr, ac yna eistedd ar sedd bren i fwyta ein tamaid. Yr oedd lliwiau'r môr yn dlws, a rhyw ychydig o bellter o'r lan codai rhes o fân ynysoedd gwynion o'r dŵr, o garreg galch neu fflint. Byddai wedi bod yn braf aros yno'n hwy i fwynhau'r olygfa hyfryd, ond rhaid oedd prysuro tua Killiney, lle roeddem yn bwriadu cysgu y noswaith gyntaf.

Yr oedd y ffordd yn well erbyn hyn, ac ar y llechwedd ar y dde inni safai llawer o dai mawr braf yn wynebu'r môr, ac enwau rhai ohonynt yn awgrymu glannau'r môr yn yr Eidal. Dringo tipyn weithiau, a chyrraedd Killiney yn y man. Yn y pentref, gwelsom dai a hysbysiadau y tu allan gan fod 'cake' i'w cael am swllt y pen, a dyna fynd i mewn i un ohonynt, i brofi ansawdd y wlad. Daeth gwraig garedig a chroesawus i weini arnom, a dyma ddeall yn fuan mai teisen gri, neu deisen gradell, yw'r hyn a elwir yn 'cake' yn Iwerddon. Dyma sylwi ym mhob lle y buom mai rhoi tafelli o fara ar y bwrdd a wnânt yn y wlad honno, a gadael i chi daenu'r menyn arno eich hunain. I lawr y grisiau yr oedd y teulu'n byw yn y tŷ hwn, a thoc mi glywn ar y radio sŵn un o'm hoff ddarnau miwsig, un o'r darnau mwyaf gogoneddus mewn bod, sef 'Trumpet Voluntary' Purcell ar yr organ. Codais i agor y drws oedd rhyngom a phen y grisiau er mwyn ei glywed yn well.

Cyfarwyddwyd ni gan y bobl ifanc yn y tŷ i ddarn o dir a alwent 'y Cwari' lle y byddai teithwyr weithiau yn gwersylla, meddent hwy. Cawsom ganiatâd i fynd yno, a dyma ddewis lle cyfleus yng nghysgod craig, uwchben Dŵn Lare. Fel y dyfnhâi'r tywyllwch, hyfryd oedd gwylio'r goleuadau ar y môr oddi tanom, a'r goleudai draw yn fflachio, bob yn un yn ôl ei amser ei hun. Arial a ofalai am osod y babell; ef oedd y mwyaf profiadol ohonom, a chyn hir yr oedd popeth yn barod, a ninnau wedi ein gosod ein hunain ar lawr i drio cysgu. Anodd iawn oedd dygymod â'r ddaear galed ar y dechrau, ond ni fu Fy Meistr Cwsg yn hir iawn cyn dod heibio, er hynny. A'r hwyr a fu, a'r bore a fu, y dydd cyntaf.

Rhaid fy mod wedi cysgu'n reit drwm y rhan gyntaf o'r nos, ond mi ddeffrois yn oriau mân y bore, a dyna lle y bûm yn ceisio anghofio nad matres gwely oedd o danaf. Bobl annwyl! Ni feddyliais erioed o'r blaen fod gennyf gymaint o esgyrn yn fy nghefn, a mwy na hynny, ni ddychmygais erioed y gallai asgwrn fod yn beth mor dendar. Yr oedd fy holl esgyrn, a gewynnau gwaelod fy nghefn i gyd, yn ddolurus, a'r anghysur yn mynd yn fwy anodd ei ddioddef bob munud. Codais tua chwech o'r gloch, a mynd am dro fy hun ar ben y mynydd, gan adael Ffion ac Arial yn cysgu. Yr oedd yr awel iach yn bêr, a'r olygfa i bob cyfeiriad yn ddigon o dâl am godi mor fore. Tua'r dwyrain ymestynnai'r môr, yr agoriad i harbwr Dŵn Lare, ac i bob cyfeiriad arall yr oedd y mynyddoedd. Crwydrais gryn dipyn, ond toc mi welwn y cymylau'n ymgasglu ar ben y 'Sugar Loaf' tua'r gorllewin ac yn fuan dechreuodd lawio. Prysurais yn ôl i'r dent, a'm taflu fy hun ar lawr yn fy nillad fel yr oeddwn, a chyn i mi wybod dim yr oeddwn yn cysgu, ac mi gysgais yn drwm am awr a hanner solet. Wedi deffro, prin y medrwn goelio fy llygaid pan welais beth oedd hi o'r gloch.

Ni pharhaodd y gawod fawr o dro, a dyma ddechrau hwylio i godi, a chael brecwast tra byddai'r babell yn sychu. Mynd ati i ymolchi a siafio, a sylweddoli ein bod, o ddiffyg profiad, wedi lluestu mewn lle heb ddim dŵr yn agos iddo. Nid oedd dim amdani ond defnyddio'r gwlybaniaeth ar y glaswellt, nes deuem i le mwy cyfleus. Mi fûm yn siafio ar foreau eraill mewn afon cyn cyrraedd Dungarvan, ac yn Afon Lee yn Inchigeelah, ac yn y môr yn Arklow, ac mewn lleoedd eraill cawsom fenthyg bwced o ddŵr o'r ffarm gerllaw; ond dwywaith ar ôl y bore cyntaf bu raid imi fodloni ar siafio yn y gwlith, sef y tu allan i Enniscorthy, a'r tu allan i New Ross. Cofiais am hen gân Saesneg sydd yn dweud, 'Tis dabbling in the dew keeps the milkmaids fair' a bûm yn byw mewn gobaith am beth amser ar ôl hyn. Credaf mai ffrwyth dychymyg y bardd yw'r cwbl i gyd – yn boeth y bo fo!

Pennod 3

Powerscourt

Aethom i lawr yr allt o Killiney, drwy bentref Ballybrack (sef 'y dref frech'), a chyfarwyddwyd ni i droi i'r chwith wrth y Dderwen Goffa. Ffordd gul wledig ar ôl troi wrth y dafarn, a chloddiau gleision persawrus o boptu iddi. Dringo ychydig wedyn ar hyd ffordd letach nes dyfod i bentref bychan Kilternam, a chael bwyd yn ymyl y pwmp – yr oedd gennym gwpan *bakelite* bob un. Yn y man, dyma ddringo ochr y mynydd i groesi'r Scalp.

Ar y ffordd i lawr gwelsom eglwys hardd iawn cyn cyrraedd Enniskerry, ac un arall ar ei hanner yn ymyl y pentref ei hun. Troi i fyny yma ar y dde tua Powerscourt. Rhedai'r ffordd yn awr drwy diriogaeth Iarll Powerscourt, un o bendefigion mwyaf Iwerddon. Ef yw Cadeirydd y Pwyllgor sy'n trefnu'r *sweepstakes*, ac mi glywais mewn rhyw sgwrs pa faint o filoedd o bunnau y flwyddyn yw ei gyflog.

I fyny ac i lawr yr aethom, nes dyfod at lidiart oedd yn arwain i Barc Ceirw Powerscourt. Troesom i mewn yma, a thalu 6c y pen i weld Rhaeadr Powerscourt, ddau can troedfedd o uchder. Taith ddymunol oedd y daith dan y coed nes cyrraedd y pistyll – dygai ar gof i mi Bistyll Rhaeadr – a dyma eistedd yno ar laswellt mân, sidanaidd, o dan y pinwydd tal, i fwynhau'r olygfa, a'r haul yn gynnes ar bopeth, a thwrf y dŵr yn llenwi'n clustiau.

Dyma hi'n dechrau bwrw yn ysgafn cyn inni symud oddi yno, ac i lawr â ni a chroesi'r bont wrth y llidiart, a dechrau dringo'r ffordd yr ochr arall i'r afon. Cyn inni ddringo mwy na rhyw ganllath, dyma'r glaw yn genlli. Cysgodi dan y coed nes bod y rheini'n diferu, ac yna bu'n rhaid rhedeg i'r tŷ lle trigai ceidwad y llidiart, a gofyn i honno wneud te inni. Yr oedd nifer o bobl eraill yno, wedi troi am loches o'r glaw fel ninnau.

Bu'n rhaid cysgodi yno am oriau, a'r glaw trwm yn dal i ddisgyn yn gyson, yn llinellau unionsyth rhyngom a'r coed. Ar ôl te yn y parlwr, cawsom eistedd yng ngwres y tân mawn yn y gegin yn gwrando ar y newyddion ar y radio, a darllen papur newydd *The Irish Press*.

Pan euthum i dalu i'r wraig am y te, ystyriwn fod y pris a ofynnodd yn rhy fach, a dywedais hynny wrthi, gan gynnig ychydig yn fwy. Petrusodd beth cyn ei dderbyn, ac yna dywedodd, 'O wel, rhaid i chwi gael te arall am hyn'na'. Ac felly y bu. Nid oedd y croeso a gawsom gan y wraig foneddigaidd a charedig hon yn ddim ond un enghraifft o'r caredigrwydd anhygoel a amlygwyd tuag atom ym mhob man ar hyd ein taith yn Iwerddon. Clywsan lawer o sôn cyn mynd yno fod pobl Iwerddon yn anghyffredin o garedig, ond 'ni fynegwyd mo'i hanner'.

Ar un adeg, nid oedd dim golwg am i'r glaw beidio y noswaith honno, ond peidio a wnaeth, er hynny, rywbryd wedi chwech o'r gloch, a thywynnodd haul yr hwyr arnom. Dyma ail gychwyn; yr oedd y beiciau'n ddigon sych o dan y macintosh a daflasem drostynt. Fel y dringem, clywem yr awel yn ffres ac yn lân, a deuai atom aroglau llysiau pys pêr ar ôl y glaw. A chyn hir daeth y ceirw i'r golwg, yn ddau ac yn dri, ac yn finteioedd. Bydd Arial wrth ei fodd bob amser yn gwylied pob math o anifeiliaid, yn enwedig rhai bychain, ac ni allai Ffion na minnau chwaith lai na mwynhau'r olygfa swynol, un o'r golygfeydd harddaf a welsom ar hyd y daith i gyd. Ar y llechwedd uwchben ar y chwith, gwelem garw ifanc a'i fam yn troi eu llygaid prydferth, diniwed tuag atom, ac yn prysuro ymaith drwy'r rhedyn; ar y dde, daethom i olwg y naill fintai ar ôl y llall, a'u llygaid disglair yn gwibio'n ofnus i bob man wrth weled dieithriaid yn tresmasu ar eu tiriogaeth. I lawr yn y gwaelod, ar fin yr afon, dacw fintai fawr arall yn pori'n dawel o dan y coed, a dacw eraill yn trotian yn ysgafn yn uwch i fyny; dyma nhw eto yn nes atom, chwaneg ohonynt, a dyma ddau neu dri yn cyrneitio ar draws y ffordd o'n blaenau. Ceirw a cheirw, gwelsom gannoedd ohonynt, yn sicr ddigon, ar y llechweddau rhedyn o boptu inni, ac ar y gwastadedd islaw.

Yr oedd yr awel yn fain ar yr uchelderau, a dyma brysuro ymlaen i geisio cyrraedd y dyffryn a lle mwy cysgodol i noswylio, cyn iddi dywyllu. Ymhen yr hwyr a'r rhawg, a ninnau eto heb ddisgyn llawer, teithiem drwy bentref bychan Roundwood, a chyfarfod gweithiwr llwyd, prudd a gofyn iddo a wyddai am rywle agos lle y gallem godi pabell dros nos. 'Wel, mi allwch chi wersylla ar fy nhamaid hanner-acer i,' meddai, a throdd yn ei ôl i ddangos y lle inni. Rhes o dai bychain concrit newydd un uchder oedd yno – 'Tai'r Cownsil' y mae'n debyg – a chlwt o dir llwm y tu cefn i bob un; yr oedd talcen y tŷ pen rai llathenni o'r ffordd ac yn hwnnw roedd y dyn yn byw. Arweiniodd ni i'w gae ei hun, lle'r oedd merlen yn pori, a dyma ninnau'n chwilio am y llecyn gorau ar y tir llaith, digysgod. Teimlai'r gŵr ei hun, y mae'n amlwg, mai lle go ddigalon oedd yno i godi pabell, a chynigiodd inni fynd i gysgu mewn ystafell wag yn ei dŷ, ac yn wir roeddem yn falch o'r cynnig. Dyna'r unig noswaith inni gysgu i mewn tra buom yn y wlad honno.

Ystafell fechan, a llawr concrit hollol noeth, oedd y gegin, tân mawn yn y grât, a thomen fawr o fawn yn llenwi canol yr ystafell. Byw ei hunan yr oedd y dyn, gallwn feddwl, prin iawn oedd ei eiriau, ac ni welswn wên ar ei wyneb gymaint ag unwaith. Aethom drwy'r gegin i'r ystafell nesaf, llawr a waliau concrit oedd i honno eto, ac yno gwahoddwyd ni i gysgodi am y noswaith. Yr oedd y llawr yn galetach hyd yn oed na phridd y ddaear, ond cawsom gysgod rhag y gwynt oer, a diolch amdano.

Pennod 4

Glendalough

Y bore wedyn, bore Difiau, dyma adael pentref tlodaidd Roundwood, a chychwyn am Laragh, a throi yno ar y dde i fyny'r dyffryn am Glendalough (sef 'glyn y ddau lyn'). Dyma un o'r lleoedd enwocaf am eu harddwch yn holl ddwyreinbarth Iwerddon, ac nid yw hynny'n syndod yn y byd – lle i'w gofio am oes yw. Arweiniodd y ffordd ni i gwm llydan yn y mynyddoedd, a hen fynwent ac eglwysi diddorol, ac yn uwch i fyny ddau lyn yn adlewyrchu glas dwfn yr awyr uwchben. Aethom heibio i Westy'r Saith Eglwys, ac i mewn i'r fynwent yn gyntaf, heibio i'r stondin lle gwerthai hen wreigen gardiau post, a delwau a phaderau. Tyfai glaswellt hir rhwng y cerrig beddau, ac yng nghanol y fynwent safai ysgerbwd hen eglwys fawr, y to i gyd wedi syrthio, ond y rhan fwyaf o'r muriau uchel yn sefyll, y ffenestri Gothig pigfain wedi colli eu gwydr, a'r gwynt yn chwythu drwy'r tyllau. Lle bu llawr yr eglwys, yr oedd yn awr nifer o gerrig beddau allorwedd, a dalan poethion yn tyfu yn y corneli. Gwelsom nifer o groesau Celtaidd hefyd.

Gerllaw, yr oedd Twr Crwn main, uchel; hwn oedd y cyntaf a welsom o'r tyrau crynion sy'n gyffredin iawn yn Iwerddon. Cynigiwyd llawer esboniad ar y tyrau hyn o dro i dro, ond cytunir yn awr mai tyrau a godwyd ryw fil o flynyddoedd yn ôl ydynt, yn noddfa i'r bobl rhag rhuthradau'r Daniaid.

Aethom i fyny i weld y llynnoedd wedyn, yn enwedig yr uchaf o'r ddau. Tir gwastad, clapiog sydd o gwmpas y llyn isaf, a golwg tebyg i gorstir ar beth ohono; dywedir bod gweddillion hen ddinas o'r 6ed ganrif i'w canfod yma a thraw ar hyd-ddo. Dyma gyrraedd y llidiart sydd yn arwain at y llyn uchaf, a gadael ein beiciau yno. Yr oedd golygfa odidog o'n blaenau yn awr. Dyma gerdded ar hyd y ffordd tua phen ucha'r cwm. Glas dwfn, dwfn oedd dwr y llyn, lliw indigo drwy ddail gwyrdd y coed, a chan fod awel gref yn gyrru ar i lawr, gwelem frigau gwynion y tonnau yn britho'r dyfnlliw glas. I fyny ar y dde, yr oedd llawer iawn o garreg risial hyd ochr y mynydd yn tywynnu'n llachar wyn yn yr haul, a llawer ohoni hefyd yng ngherrig y ffordd o dan ein traed.

Hwyliasom i gerdded at y lan y dŵr ym mhen y llyn, lle'r oedd traeth o dywod mân, melynwyn, ond yn gyntaf fe ddaru ni eistedd ar astell o garreg wastad ar ochr uchaf y ffordd i edrych ar y prydferthwch oedd o'n hamgylch. Daeth llygedyn o haul poeth, poeth o'r awyr las uwchben, ond byr fu ei barhad. Sylwodd Ffion ar gwmwl o niwl gwyn yn croesi pen y mynydd, ac yna'n ehedeg i lawr yn gyflym atom, yn debyg i haid o wenyn gwynion, a chyda sydynrwydd mellten, dyma'r gwynt yn rhuo, a'r glaw yn pistyllio arnom. Rhedeg fel milgwn i'r coed am gysgod ac ymwthio i lwyn rhododendron. Nid hir y bu'r glaw cyn dyfod o hyd inni yno, ac o lwyn i lwyn am loches y buom yn gwibio, nes gorfod sylweddoli o'r diwedd mai ofer pob ymgais i gysgodi o dan ddail rhag cafod fel hon. Rhedeg eto am y tŷ nesaf atom; caban coed ydoedd, lle darperid bwyd i ddieithriaid. Yr oedd wedi amser cinio bellach, a chawsom bryd o fwyd yno, ac yna fe beidiodd y glaw.

Pennod 5

Avoca

Cyn gadael Glendalough, aethom am dro yn yr haul, a sefyll ar y bont sydd yn croesi'r ffrwd rhwng y ddau lyn, ac edrych i fyny'r cwm. Yna yn ein blaenau dros y bont a cherdded ar hyd y llwybr drwy'r cae ym mhen isaf y llyn. Gorchuddir y llechweddau serth yr ochr yma i'r cwm gan goed, a draw ar ddarn o graig uwchben y llyn, y mae ogof a elwir 'Gwely Sant Kevin'. Bydd llawer o ymwelwyr yn croesi'r llyn i'w gweled.

Daeth Sant Kevin i Glendalough yn y 6ed ganrif, a sefydlodd eglwys yno. Yn ôl hen draddodiad, ffoi a wnaeth oddi wrth ferch ifanc a roesai ei serch arno.

'Twas from Kathleen's eyes he flew
Eyes of most unholy blue,

medd Tom Moore, yn ei Irish Melodies, ac â ymlaen i adrodd fel y dringodd y sant i fyny'r graig, a gwneud ei lety yn yr ogof hon yn Glendalough. Ond druan ohono! Cafodd Kathleen hyd iddo hyd yn oed yn y fan honno. Deffrodd o'i gwsg un bore, a dyna lle'r oedd hi yn sefyll uwch ei ben; cyfododd yntau mewn dicter sanctaidd, a hyrddiodd hi oddi ar y clogwyn i'r dyfroedd islaw.

Glendalough! Thy gloomy wave
Soon was gentle Kathleen's grave!
And her ghost was seen to glide,
Smiling, o'er the fatal tide!

Dywaid stori arall mai curo'r ferch â dalan poethion wnaeth y sant, ac i'r oruchwyliaeth honno oeri ei serch tuag ato. Do, mae'n debyg!

Rhaid oedd gadael Glendalough, er hardded oedd, a hwylio'n

ôl drwy Laragh eto am Rathdrum. Teithio drwy ddyffryn prydferth Clara, lle treiglai Afon Clara ('Clarach' yng Nghymru) drwy diroedd gwastad, coediog. Cododd Arial bwrs ag arian ynddo ar y ffordd, ac ymhen rhyw ddwy filltir dyma gyfarfod geneth o forwyn oedd wedi troi yn ôl ar ei beic i chwilio amdano. Mynd i Rathdrum ar neges i'w meistres yr oedd pan gollodd ef. Druan ohoni! Gellwch ddychmygu ei llawenydd o'i gael.

Wedi cyrraedd y tu allan i'r pentref hwn, Rathdrum ('y gaer ar y drum neu gefnen') dyma sefyll ar waelod tamaid o allt i orffwyso, ac i fwynhau'r olygfa ar y chwith. Yn y cae yr ochr arall i'r wal, yr oedd myn gafr wedi ei rhwymo, a bu Arial ac yntau yn sgwrsio â'i gilydd tra buom ninnau'n dau yn gwylied yr afon oddi tanom.

Pentref bychan o ryw bum cant o boblogaeth yw Rathdrum; dyma brynu bwyd a ffrwythau yno, ac ymlaen am Avoca. Ffordd dda, esmwyth, lydan, ac aroglau cynhaeaf gwair i'w glywed o'r meysydd bob ochr iddi. Rhyw filltir neu lai o'r pentref dyma orffwyso ar gamfa garreg, ac ar ben post llidiart i gael bwyd, a gwylied y dynion yn cario gwair yn y cae ar draws y ffordd. Gwelsom ambell gar modur neu fan masnachwr yn mynd heibio, ond yr oedd ceir motor yn llawer llai cyffredin yn Iwerddon nag yn y wlad hon. Dyma sgwennu ambell gerdyn post cyn ailgychwyn ar ein taith, ac yna ar i lawr am ddwy filltir neu dair a choed lartswydd ar y chwith inni, a dyffryn ac afon ar y dde, a ninnau cyn hir yn hwylio ar ein beiciau fel adar yn ehedeg, heb symud braidd ddim ar ein coesau nes cyrraedd y lle a elwir yn 'Gyfarfyddiad y Dyfroedd'. Dyma un o'r golygfeydd y bydd mwyaf o gyrchu i'w gweld yn holl Iwerddon. Avon ac Avoca yw'r afonydd sydd yn cyfarfod â'i gilydd yma, a chanodd Tom Moore un o'i ganeuon enwocaf am y lle:

There is not in the wide world a valley so sweet
As the vale in whose bosom the bright waters meet.

Cyrchle ffasiynol yw'r lle hwn, ac yr oedd yno westy ac ambell siop ar gyfer dieithriaid, a llu o bobl yn sefyllian ar y bont uchel uwchlaw'r afon, a cheir motor lawer iawn, a 'jaunting cars' – rhyw gerbydau uchel a cheffylau yn eu tynnu, a'r teithwyr yn eistedd gefngefn, a'u traed at yr olwynion.

Cyn dyfod at y bont, yr oedd llwybr yn mynd i lawr at y llecyn lle cyfarfyddai'r dyfroedd. Troesom yn ôl, a chyfeirio ar hyd hwnnw am ryw ganllath, fwy neu lai, gan adael ein beiciau yng nghysgod pren. Llecyn tlws a swynol dros ben yw hwn, ond ni allwn lai na theimlo yma, megis y teimlais yn Glengariff, fod troi harddwch Natur yn nwydd masnachol yn cymylu rhywfaint ar ei swyn.

Pennod 6

Arklow

O Gyfarfyddiad y Dyfroedd, yr oedd gennym yn agos i 9 milltir i gyrraedd Arklow, porthladd ar ochr ddwyreiniol Iwerddon â phoblogaeth o ryw 4-5 mil. Troi o'r neilltu i bentref bychan Avoca ymhen tua dwy filltir, i bostio llythyrau, ac yna taith ddymunol heb ddim byd neilltuol yn digwydd, ond ein bod yn canu dros y wlad, weithiau unawd, weithiau ddeuawd neu driawd, nes swyno pobl Iwerddon am filltiroedd. Ar gyrion Arklow, siaradais ag un o'r 'Civic Guards' – dyna enw Iwerddon am ei phlismyn – a gofyn iddo am le i babellu. Gŵr ifanc, siriol a charedig ydoedd, a dywedodd y gallem godi ein pabell, yn rhad ac am ddim, ar y 'Sand Dunes', sef y bonciau tywod oedd ar lan y môr. Cychwyn yno, a chael morfa eang, anwastad, o dywod a glaswellt crinsych, ac ugeiniau o bebyll wedi eu gosod i fyny, o bob lliw a llun a maint, llawer ohonynt yn perthyn i'r Sgowtiaid, a lluoedd o blant y dref yn chwarae o gwmpas – cicio pêl-droed ac ati. Buan yr aeth ein pabell ninnau i fyny, ond nid oedd dŵr glân yn agos, ac aeth Ffion ac Arial i'r dref i brynu bwyd, a llefrith, os gallent ei gael. Daethant yn eu holau heb ddim llefrith, ond yr oedd ganddynt wyau, a thun o *pineapple chunks*, a photel o *stone ginger*, gyda phethau eraill.

Wedi cael swper, ac agor y tun *chunks* i dorri ein syched, aethom am dro dros y bonciau tywod hyd at lan y môr. Noswaith dawel, glaear, y tonnau mân yn torri'n ddiog ar y traeth yn y llwydwyll, ac ymhellach draw, tu allan i'r harbwr ar y dde, llong hwyliau yn angori, a'i hwyliau i gyd i lawr. Hyfryd ydoedd aros yno yn y distawrwydd a'r unigedd, wedi holl brysurdeb a mwyniant y dydd.

Yn y bore, cawsom ymolchi yn nŵr y môr, ac yna mynd ati i ferwi'r wyau yn y tun *chunks*. Cafodd Arial a minnau hwyl a difyrrwch ar y gwaith hwn, tra bu Ffion yn paratoi brecwast. Dyma osod nifer o frics a cherrig i wneud lle tân, a chasglu crinion eithin yn danwydd, ac yn fuan yr oedd wyau'n berwi'n braf, a'n llygaid ninnau'n llosgi gan fwg eithin yn y gwynt troellog. Diod o 'ddŵr a gwynt' i'w yfed gyda brecwast; beth oedd un botel rhwng tri?

Wedi pacio'r babell, a chyn inni lwytho'r beiciau yn barod i gychwyn, dyma genlli o law fel glaw taranau yn disgyn arnom heb eiliad o rybudd – y drydedd gafod drom, sydyn, mewn tri diwrnod. Lle anobeithiol o ddigysgod oedd y morfa, ac felly nid oedd dim i'w wneud ond cipio ein paciau o dan ein ceseiliau, a rhedeg â'n beiciau tua'r ffordd, i chwilio am gysgod yn rhywle. Eithr mor annioddefol oedd y drochfa yn fuan, taflasom ein beiciau i lawr yn wyllt a rhuthro i mewn i babell gerllaw oedd â'i drws yn llydan agored; ni welsom berchennog y babell honno hyd y dydd heddiw. Peidiodd y gafod mor sydyn ag y daeth, ac ymlaen â ni.

Wythnos yr Eisteddfod Genedlaethol ydoedd hon yng Nghymru, ac yr oedd yn syn gennyf weld pa gyn lleied o ddiddordeb a deimlai pobl Iwerddon ynddi. Arferwn â thybied bod cyfathrach agos rhwng Cymru ac Iwerddon, a bod y naill wlad yn ymddiddori yn hanes y llall, ond cyn belled ag y gwelais i, ni wyddai papurau newyddion Iwerddon ddim cymaint â bod y fath beth ag Eisteddfod Genedlaethol. Bore dydd Gwener, yr oedd arnaf eisiau gwybod pwy oedd y Bardd Cadeiriog, a llwyddais i brynu copi o'r *Daily Express* am ddwy geiniog, sef ceiniog am y papur a cheiniog o doll ar bapur newydd tramor. Yn hwnnw, roedd llun Mr Lloyd George, a nodyn o dano yn dweud mai ef oedd Llywydd yr Eisteddfod Dydd Iau, pryd y barnwyd nad oedd neb yn deilwng o'r Gadair, megis nad oedd neb yn deilwng o'r Goron Ddydd Mawrth. A dyna'r cwbl o hanes yr Eisteddfod a gefais nes cyrraedd adre'n ôl i Gymru.

Y mae gan Iwerddon lawer iawn o Gerfluniau Coffa i'w gwladgarwyr – llawer mwy na Chymru, yn ôl yr herwydd. Gwelsom un mawr yn Arklow ar ein ffordd i lawr nos Iau. Llun offeiriad ydoedd, a ffon yn ei law, a blocyn mawr o garreg yn bedestal o dano. Dyma'r geiriau oedd ar yr wyneb: 'To the memory of Father Michael Murphy and his gallant followers, who fought and died for their country at Arklow on 9th June, 1798', ac ar ochrau'r pedestal yr oedd lluniau Wolfe Tone, Anthony Perry, ac Esmond Kyam, ac enwau'r Pwyllgor o America a gododd y cerflun.

1798 yw blwyddyn un o'r gwrthryfeloedd mwyaf a ddigwyddodd yn Iwerddon,

Who fears to speak of Ninety Eight?
Who blushes at the name?

chwedl yr hen gân. Ychydig flynyddoedd cyn hynny, sefydlodd Wolfe Tone Gymdeithas y Gwyddyl Unedig (*United Irishmen*) i uno'r gweithwyr, yn Brotestaniaid a Phabyddion, i hawlio llais i'r werin yn llywodraeth y wlad. Esiampl y Chwyldro Ffrengig a'i hysbrydolodd i wneud hyn. Ceisiodd y Llywodraeth ddinistrio'r Gymdeithas hon, megis y ceisiodd y Llywodraeth Brydeinig ddinistrio'r cymdeithasau cyffelyb oedd yn Llundain ac Ysgotland (dyddiau Morgan John Rhys oedd y rhain). Anfonwyd cannoedd o filoedd o filwyr Prydeinig drosodd i Iwerddon, ac yn eu plith filoedd o filwyr Almaenaidd; cyfododd y Gwyddyl mewn gwrthryfel, a bu creulonderau barbaraidd o boptu, yn enwedig o du'r milwyr.

Bu'r gwrthryfel yn dost yn siroedd Wicklow a Wexford, ac mewn rhannau o ganolbarth a gorllewin Iwerddon. Ymosododd dros 20,000 o'r gwrthryfelwyr ar y garsiwn yn Arklow ar Fehefin 9, 1798, o dan arweiniad y Tad Michael Murphy, a'i frawd, y Tad John Murphy; ond lladdwyd Michael ar flaen ei fyddin, a chlwyfwyd Esmond Kyam, a gorfod i'r gwrthryfelwyr gilio.

Pennod 7

Ar y ffordd i Enniscorthy

Yr oedd Ffion heb gael ymwared â thipyn o beswch oedd arni cyn gadael cartref, ac mi drois i siop drygist yn Arklow i brynu potel o ffisig iddi. Cynigiodd y siopwr imi ffisig o'i waith ei hun, ag enw crand arno sef 'Compound Corrageen Cough Balsam'. Diflannodd y peswch cyn pen ychydig ddyddiau, ac efallai y dylai Mr Corrageen gael peth o'r clod am hynny.

Taith i'r gorllewin, a'r gwynt i'n herbyn, a gawsom yn ystod y bore a gorfod 'ymochel cawod' yn awr ac yn y man, er bod yr haul yn gynnes rhwng y cafodydd. Oddeutu amser cinio, dyma eistedd ar ben y clawdd lle y disgwyliem gael dŵr poeth o dŷ gerllaw, gan fod gennym de a siwgr yn ein paciau. Nid oedd dŵr poeth i'w gael fodd bynnag, ac felly dyma fwyta ein tamaid yn sych, ac eithrio bod gennym orenau i dorri ein syched.

Yn fuan wedyn, teithiem ar i lawr hyd ochr y ffordd haearn, ac yna troi i bentref Gorey, ryw ddeuddeg milltir o Arklow. Troesom yma i dŷ bwyd, i ystafell gysurus, am gwpanaid o goffi bob un. Coffi poeth, a digon o siwgr, a phinsiad go lew o halen ynddo – bobl annwyl, yr oedd yn dda! – a chawsom glyffiau o deisen afalau, o bobiad cartref, a chrystyn brau, blasus i'w fwyta gydag ef. Yr oedd set radio yn yr ystafell, a chlywsom y cyhoeddwr o'r Sioe Geffylau yn Nulyn yn disgrifio'r Ras am Gwpan yr Aga Khan. Teimlem wedi adfywio yn rhyfeddol ar ôl y gorffwys, ac ymlaen â ni.

Wrth adael y pentref, gwelsom ar ochr y ffordd gofadail i'r rhai laddwyd yng Ngwrthryfel 1798.

Ymhen rhyw bedair milltir arall, dyma bentref Ferns (sef 'gwern' yn Gymraeg), lle mae gweddillion Abaty enwog. Yr ochr arall i'r ffordd, arweiniai llwybr troed i lawr tua'r afonig, ac ar fin hwnnw yr oedd delw o Grist ar groes, a ffynnon o ddŵr oer, oer, o dano, a chwpan yn rhwym wrth gadwyn at wasanaeth teithiwr sychedig. Gwelsom lawer o fân offrymau wedi eu gosod ar astell wrth draed y ddelw, ychydig ddarnau bychain o arian neu fedalau, dimeiau a phaderau.

Ychydig filltiroedd eto, a dechreuem edrych o'n cwmpas am le i babellu cyn iddi dywyllu. Gwelsom ffarm fawr ar y dde cyn cyrraedd Enniscorthy, a golwg ffarm fonheddig braidd ar y lle. Tybed a gaem ni groeso yma? Gwelsom wraig yn dod ar hyd y rhodfa oddi wrth y tŷ – cymdoges dlawd wrth ei golwg, a dyma ei holi a wyddai am rywle lle y caem ganiatâd i babellu. Cynghorodd ni i droi ar y dde ar y tro cyntaf a gaem, a dyna wnaethom. Lôn wledig ydoedd, a thoc gwelsom deulu o sipsiwn yn pabellu ar glwt bychan o dir glas ar ochr y ffordd. Tybed ai yma y bwriadai'r wraig ddiniwed honno i ninnau aros? Ie, mae'n siŵr. Nid oedd lle i ni ar y clwt hwnnw, fodd bynnag, ar wahân i'r ffaith ein bod yn rhy swil i drio cyfeillachu â'r sipsiwn, er mor ddiddorol fuasai'r anturiaeth y mae'n ddiamau.

Aethom yn ein blaenau at lidiart cae, a phan oeddem ar fedr ei hagor, gwelsom ŵr yn dod ar hyd y ffordd. Dyma ofyn iddo ymhle yr oedd tenant y cae hwnnw'n byw, a chynigiodd ddangos y lle inni, ac wrth gyd-gerdded ag ef ar ei daith, daethom at y tŷ fferm y buom yn sefyll wrtho o'r blaen. Cawsom beth o hanes y lle gan ein harweinydd; dywedodd fod rhai o ffermydd gorau Iwerddon yn y parthau hyn, ac mai tir da iawn ydoedd.

Dyma gerdded ar hyd y rhodfa at y tŷ – ffarm fawr, gefnog a gwelsom ŵr ieuanc a'i fam yno. Cawsom ryddid i babellu yn y cae gwair gerllaw, a daeth y gŵr ifanc gyda ni i ddangos y ffynnon ddŵr mewn cae arall, a thrachefn i'n harwain i'r cae gwair. Ni fuom fawr o dro yn chwilio o ba gyfeiriad y chwythai'r gwynt, ac yn codi ein pabell yng nghysgod un o'r mydylau gwair yn agos i'r gwrych.

Wedi i Arial a minnau gychwyn yn ôl tua'r tŷ i gael llefrith i swper, dyma daro ar y ffarmwr unwaith eto, yn dyfod o'r briffordd gan arwain ceffyl ifanc, un o'r rhai harddaf a welsom erioed. Y mae'r rhan hon o'r wlad yn enwog am ei cheffylau, a bydd cof am y ceffyl hwn yn un o'm hatgofion hyfrytaf am ein taith yn Iwerddon. Ceffyl sioe ydoedd, y mae'n amlwg, a chanddo rwymau gwlanen am ei goesau, gwisgai'r gŵr ifanc glos pen-glin a legins. Wrth gyd-gerdded ag ef dyma ddweud wrtho beth o'n hanes, a digwyddais innau ddweud cymaint mwy cyfforddus fyddai cysgu ar y mydylau gwair nag ar ddaear galed.

Tybed a oeddwn i'n disgwyl iddo dderbyn yr awgrym a rhoddi

caniatâd inni i daenu peth o'r gwair o danom? Ar fy ngwir, ni wn i ddim; efallai fod rhyw obaith o'r fath yn dirgel lechu yng nghilfachau fy meddwl, ond rwy'n methu yn fy myw â bod yn siŵr. Beth bynnag am hynny, dweud wrthym a wnaeth ef yn ddigon rhwydd fod croeso inni dynnu gwair o ochr y mydylau i gysgu arno. Cawsom wely esmwyth a chynnes o danom y noswaith honno, ac yr oedd y llen rwber yn ddigon o ddiogelwch rhag y lleithder. Y peth olaf a welais wrth gau drws y babell cyn mynd i gysgu oedd y blaned Mawrth yn tywynnu'n goch uwchben Vinegar Hill.

Pennod 8

Vinegar Hill

Cyn inni ddechrau ar ein brecwast y bore wedyn, bore Dydd Sadwrn, yr oedd y gwas â'r car a'r ceffyl yn y cae yn cario'r gwair. Rhyw gar fel sled ar ddwy olwyn isel oedd ganddo, a chariai un mwdwl o wair ar unwaith. Ni fu fawr o dro yn clirio cae cyfan o wair, a bu raid inni frysio i hel ein paciau at ei gilydd, rhag iddo ddyfod a chipio ein mwdwl gwair ninnau o dan ein trwynau.

Yr oeddwn yn edrych ymlaen heddiw at ddringo i ben Vinegar Hill, lle y bu'r frwydr fawr rhwng y Gwyddyl Unedig a milwyr y brenin yn 1798. Mynydd yw hwn uwchben Enniscorthy, a hwn oedd prif wersyllfa'r gwrthryfelwyr yn y rhan hon o'r wlad, ac yno y cyrchai llawer o ffoedigion am nodded. Dywedir bod 10,000 o wŷr a gwragedd a phlant yno ar un adeg, ac arhosai rhai o'u milwyr yn nhref Enniscorthy i gadw gwyliadwriaeth. Ymosodwyd arno ar Fehefin 21 gan 13,000 wedi eu rhannu'n gatrodau, a'u pennu i amgylchynu'r mynydd, fel na fyddai fodd i neb ddianc. Bu brwydr ffyrnig a dewr o boptu, ond y milwyr oedd drechaf. Cyrhaeddodd un o'r catrodau yn hwyr, gan adael bwlch i'r Gwyddyl ddianc oddi ar y mynydd a chilio tua Wexford.

Heddiw, dyma ninnau'n cychwyn ar ein taith i weled y lle, o barch i'r dynion a fu'n amddiffyn eu rhyddid ar ei lechweddau. Dyma gyrraedd Enniscorthy ymhen rhyw filltir, gan fynd i lawr allt ysgafn i'r dref. Rhedai'r ffordd hyd ochr afon Slaney, afon go fawr, ac yna dros bont. Safai llawer iawn o weithwyr yn segur yn pwyso ar y wal oedd rhwng yr afon a'r ffordd, a hefyd ar y bont, er nad oedd yn agos i'r awr ginio. Dyma ofyn i ddyn ifanc oedd ar y bont pa ffordd yr aem tua Vinegar Hill; troes yntau at ei gydymaith a gofyn iddo, 'Gawn ni fynd i ddangos y ffordd iddyn nhw?' Dau lanc ifanc dymunol iawn oeddynt, oddeutu ugain oed mwy neu lai, a chawsom gwmni diddan i ben y mynydd.

Gofynnais iddynt paham yr oedd cymaint o ddynion yn segur yr amser hwnnw o'r dydd, a'r ateb oedd bod y melinau blawd a'r darllawdai yn y dref wedi eu cau am dymor a bod cannoedd o ddynion heb waith. Synnent glywed ein bod yn arfer siarad Cymraeg y naill wrth y llall. Yr oeddynt hwythau wedi bod yn dysgu'r Wyddeleg yn yr ysgolion – dysgir yr Wyddeleg yn holl ysgolion Iwerddon er pan sefydlwyd y Dalaith Rydd – a gofynnais iddynt a fyddent yn ei siarad weithiau, a fyddai'r plant yn ei siarad wrth chwarae. Na fyddent byth, meddent hwy, ac ychwanegodd un ohonynt, 'Does dim gwerth masnachol ynddi.' Efallai y bydd dysgu'r iaith yn yr ysgolion yn foddion i adfywhau'r Wyddeleg drwy bob rhan o Iwerddon ymhen amser; y mae'n rhy fuan i fesur ei effeithiau eto. Siaredir hi yn ddigon cyffredin yn siroedd y gorllewin o hyd. Yr oeddem eisoes wedi sylwi bod y cyfarwyddiadau ar y pyst ar ochr y ffyrdd ymhob man yn yr iaith Wyddeleg yn ogystal ag yn yr iaith Saesneg, geiriau megis *crosaire* (croesffordd), *coirneal* (tro), *scoil* (ysgol), *cnoc ard* (allt serth), ac ati. Nid aeth yr un Cyngor Sir yng Nghymru cyn belled â hyn eto, hyd y gwn i, ac er hynny fe gwynwn fod y Saeson yn diystyru'r iaith Gymraeg.

Corff y felin wynt oedd y nod amlycaf ar ben y mynydd, fel y dringem ar hyd y ffordd wledig, gul, tuag ato. Yr oedd golygfa wych i bob cyfeiriad oddi yma, a gallai'r bechgyn ddweud wrthym enwau'r mynyddoedd pell, dangos y ffyrdd a gyfeiriai tua Wexford a New Ross a lleoedd eraill.

Ar y ffordd i lawr, cyd-gerddwn â'r llanc a gyferchais gyntaf ar y bont. Sôn am brinder gwaith; yr oedd y dirwasgiad yn Neheudir Cymru yn pwyso'n drwm ar siroedd de-ddwyrain Iwerddon, meddai ef. Cyn ymwahanu, cefais gryn drafferth i'w berswadio i dderbyn rhodd fechan iddo'i hun a'i gydymaith am eu caredigrwydd. Nid oedd wedi disgwyl dim byd, yr oedd hynny'n amlwg. Llwyddais o'r diwedd i gael ganddo gymryd rhywbeth 'i gofio amdanaf'; 'ond mi fydda i'n siŵr o gofio amdanoch heb hynny,' meddai â gwên siriol a chyfeillgar. Dyna i chwi enghraifft gwbl nodweddiadol o foneddigrwydd naturiol y Gwyddel.

Pennod 9

Waterford

O Enniscorthy, aethom ymlaen am New Ross, ugain milltir i ffwrdd, tref o ryw 5,000 o boblogaeth, braidd yn llai nag Enniscorthy. Yr oedd yn hwyr y prynhawn arnom yn cyrraedd New Ross, wedi mynd heibio i felinau a chamlas a phont godi fawr yn Ballyanne ychydig cyn hynny.

Bu'n rhaid i mi aros yn y dref hon am awr neu ragor i drwsio fy watsh, a chawsom hamdden felly i grwydro'r heolydd. Gwelsom gofadail arall, un fawr, 'To our heroic ancestors who fought and fell in the borough of New Ross June 5th 1798 from a grateful posterity'.

Cerdded ddaru ni ar hyd y cei yn New Ross, ar lan afon Barrow, afon fawr iawn. Dyma ofyn i'r siopwr a drwsiodd fy watsh a wyddai ef am rywle lle y cawn babellu am y noswaith, a chynghorodd ni i fynd ymlaen am ryw dair milltir i gyfeiriad Waterford, i le a elwid Dooley's Place. Ffarm ar fin y ffordd ar y dde ydoedd hon, tŷ braidd yn hen, a phalis coed o'i flaen.

Cawsom ryddid i babellu mewn cae gwastad tu cefn i'r tŷ, a dyma gerdded iddo drwy fuarth go fudr. Cae pori ydoedd, yn llawn o wartheg a lloi blwydd, mulod a moch a gwyddau ac ysgall.

Yn lled gynnar yn y bore, bore dydd Sul, clywsom a gwelsom gryn lawer o fân gerbydau yn teithio ar hyd y ffordd gul tua'r briffordd. Mynd i wasanaeth Offeren yr oeddent i gyd. Yr oedd y cerbydau bychain hyn i gyd yn gyffredin iawn ymhob rhan o Iwerddon, ac oherwydd hynny yr oedd y ffyrdd braidd yn futrach nag ydynt yn y wlad hon – mwy o dail ceffylau hyd y llawr.

Dyma gychwyn yn fuan wedyn, ac ymlaen i Waterford, a'r gwynt i'n herbyn eto, a'r haul yn llethol o boeth. Ffordd wastad, gan mwyaf, ar hyd dyffryn llydan, ac afon Barrow yn llifo'n ddiog ryw led cae neu ddau oddi wrthym yn aml.

Un o borthladdoedd mwyaf Iwerddon yw Waterford; y mae yn

agos i 30,000 o bobl yn byw yno. Yr oedd yn bwysig hyd yn oed yn nyddiau'r Daniaid, pan oedd y rheiny'n teyrnasu yn Nulyn yn y 10fed ganrif – 'pobl Dulyn', neu 'y cenhedloedd duon' chwedl Brut y Tywysogion – ac enw a roesent hwy ar y lle yw 'Waterford' (Vadrefiord).

Chwilio am fwyd oedd ein gwaith cyntaf ar ôl cyrraedd Waterford; gwibio i fyny ac i lawr yr heol oedd yn wynebu'r cei, ond yr oedd pob siop a thŷ bwyta wedi ei gau. Yr oeddwn wedi gofyn i'r plismon yn New Ross y noswaith gynt a fyddai'r siopau yn agored yn Waterford ar ddydd Sul i brynu bwyd, ac yntau wedi dweud yn siŵr wrthym y byddent. Torrodd Arial ar draws y dref i fyny un o'r strydoedd, ac ymhen y rhawg daeth yn ei ôl â hanner dwsin o *sausage rolls* a thorth dair. Yr oedd tap dŵr wrth ymyl y cloc mawr ar y cei, ac yno y cawsom ein cinio. Cerddai digon o bobl heibio inni, heblaw'r rhai oedd yn sefyllian o gwmpas, ond 'doedd waeth heb fod yn swil. Cei mawr braf ydoedd hwn; yr oedd yr afon yn llydan ac yn ddwfn, ac arni rai llongau mawrion, heirdd.

Pennod 10

Trwy Dungarvan

Gan ei bod yn ddydd Sul a bod pob man wedi ei gau, ni chawsom gyfle i weld fawr ar Waterford. Mynd yn syth yn ein blaenau a wnaethom i gyfeiriad Dungarvan, tref o faint New Ross, ryw ddeng milltir ar hugain i ffwrdd.

Yr oedd yn gynhaeaf ŷd gwyllt yn y rhan hon o'r wlad. Cynhaeaf gwair oedd hi yn Sir Fôn pan ddaru ni gychwyn ar ein taith, ac yn Sir Wicklow y dyddiau cyntaf. Gwelsom gryn dipyn o ŷd yn tyfu yn y sir honno a chaeau lawer o wenith yn cochi yn barod i'r bladur. Erbyn inni ddyfod i Sir Waterford, ymhellach i'r de ac ymhellach ymlaen yn y mis, yr oedd y cynhaeaf ŷd ar dro.

Diddorol ydoedd sylwi ar y bythynnod hefyd. Gwelsom lawer iawn o dai to gwellt, ac ambell ddiwrnod gwelem ddynion yn ail-doi un ohonynt. Tai tlodion oedd llawer o'r rhai efo llechi arnynt, tai heb lofftydd uwchben – 'byngalos' yn ôl y ffasiwn newydd o'u henwi; 'tai â siambr', yn ôl yr hen enw Cymraeg. Concrit oedd defnydd llawer iawn o'r tai newyddion, rhan o gynllun y llywodraeth i gael gwell tai i'r bobl.

Teithio ymlaen fel hyn y buom drwy ganol y wlad, a thrwy ambell bentref gwledig cysglyd, gan sylwi ar y meysydd a'r tai o boptu inni. Pan ddaeth yn ddiwedd y prynhawn, yr oedd yn bryd meddwl am fwyd, ond anodd oedd cael o hyd i siop yn agored. Troesom i dŷ ffarm i ofyn am lefrith ac ymenyn, ond nid oedd neb gartref. Gydag inni ddod allan o'r buarth, gwelsom dŷ yr ochr arall i'r ffordd, ar y dde, a ffordd wledig yn troi i lawr heibio iddo. O drugaredd, cadwai pobl y tŷ siop fechan a chawsom fara ac ymenyn yma, a hefyd ddwsin o afalau melyn am dair ceiniog. Safai pwmp ar glwt tair onglog o dir glas ar ganol y groesffordd, a thu draw iddo wal isel wastad, hawdd dringo drosti i'r cae. Yn y cae, yng nghysgod y wal, ac ar ben llechwedd esmwyth o dan goed tal y cawsom ein te. Wedi'r hir deithio drwy'r haul poeth a'r gwynt, yr oedd yn dangnefeddus o dan y coed.

Taith flinderus braidd a gawsom heddiw, er ei bod yn ddiwrnod nodedig o braf. Yr oedd gennym ddringo yn y rhan olaf o'r daith, croesi'r gefnen o ddyffryn Suir i'r dyffryn nesaf, a chyn cyrraedd pen yr allt, gwthio ein beiciau i fyny, buom yn chwilio am le i babellu. Dyma roddi cynnig ar ryw dŷ oedd yn ymyl a daeth gŵr dipyn yn fonheddig at y drws, ond gwrthododd inni babellu ar ei dir. Siaradodd yn eithaf cwrtais â ni; dywedodd wrthym ein bod yn nesu at ben yr allt, ac y caem ddigon o leoedd i babellu ar y ffordd i lawr yr ochr arall. Ymddangosai i mi mai siopwr neu fasnachwr go lwyddiannus ydoedd, wedi ymddeol i fyw i'r wlad, a chodi tŷ newydd iddo'i hun, ac y mae'n debyg yr ystyriai mai rhywbeth islaw ei urddas fyddai gadael i bobl babellu ar ei dir preifat.

Fel y dywedodd, ychydig yn rhagor o ddringo oedd gennym i'w wneud ac yr oeddem yn ddiolchgar am hynny. Yna cawsom hwylio i lawr, a'r allt yn ein cario yn ddi-lafur am yn agos i dair milltir. Yr oeddem o fewn dwy filltir i Dungarvan bellach, wedi teithio deugain milltir yn ystod y dydd. Troesom i ffarm ar fin y ffordd, a rhoddwyd caniatâd parod inni babellu mewn cae yn nhalcen y gadlas. Cysgodai'r gadlas ni rhag y gwynt, ac yr oedd canghennau prennau mawrion yn ein cysgodi uwchben. Rhyw ganllath neu lai i ffwrdd, rhedai afonig fechan, ac wedi inni gael swper – a llefrith i'w yfed, fel arfer – suodd yr afonig ni i gysgu. 'Naddo,' medd Arial wrthyf, 'yr oedd sŵn y dŵr yn rhy isel inni ei glywed'; o'r gorau, cyfrifwch y tamaid olaf yna yn farddoniaeth, ynteu.

Bore dydd Llun, daethom o hyd i adwy yn y gwrych yn ein harwain ar ein hunion at yr afon, islaw'r bont oedd yn cario'r brifffordd drosti. Dyma le hyfryd i ymolchi a siafio, a'r haul yn dechrau tywynnu, ac awel iach y bore yn ein hadfywio, a rhoi inni archwaeth at frecwast.

Yn fuan ar ôl gadael Dungarvan, cyd-redai afonig fechan â'r ffordd ar y dde, a llechwedd rhedyn yn codi yr ochr arall iddi.

Yr oedd gennym dair gêr ar ein beiciau bob un, ac yr oedd y gêr ganol a'r gêr isaf yn gynorthwy mawr i ddringo'r rhiwiau, ond weithiau byddem yn cerdded. Dyma gerdded i fyny'r llechwedd nesaf yma, ac yn fuan daethom at hen chwarel a llwyni mwyar duon lawer ynddi, a'r mwyar arnynt yn aeddfed ac yn fawr, ac yn llawn sudd fel grawnwin. Dyma aros i hel rhai mewn cwd papur, ac ymlaen â ni gan edrych yn ôl yn awr ac eilwaith ar y môr yn ymestyn yn las tu allan i Dungarvan. Cyn hir, daethom at glawdd pridd cyfforddus o dan goed, a phistyll gloyw yn disgyn yr ochr arall i'r ffordd. Aros yma i gael pryd o fwyd. Ffion yn torri'r bara menyn a'r mwyar duon yn brif enllyn. Hwn oedd y tro cyntaf inni fwyta *sandwiches* mwyar duon a siwgr, ac yr oeddynt yn 'lovely', chwedl y plant.

Pennod 11

Youghal

Wedi cychwyn i fyny'r mynydd rhwng Dungarvan a Youghal, a chymryd bwyd ar ben yr allt yng ngolwg y môr, buom yn dringo tua'r mynydd. Toc, daethom i rosydd eang ar yr ucheldiroedd, a golygfeydd godidog i bob cyfeiriad a'r awyr iach cyn bured a chyn bereiddied â dŵr glân, gloyw. Grug a helyg a phlu'r gweunydd a dyfai yno fwyaf, ac yn awr ac yn y man aethom heibio i byllau mawn. Gwelsom rywbeth tebyg i grib y mynydd o'n blaenau a meddwl ein bod yn ymyl cyrraedd ei ben, ond erbyn dyfod yno yr oedd uchder arall yn disgwyl amdanom, ac felly y digwyddodd fwy nag unwaith. Nid oedd hyn yn flinder inni, gan ein bod yn teithio'n hamddenol, ac yn mwynhau'r daith yn fawr.

Wedi dringo a dringo fel hyn am rai milltiroedd, gwelsom y ffordd a'r polion telegraff yn troi ar y chwith am ryw ganllath neu ddau ar hyd crib y mynydd, a choed duon yn tyfu mewn rhai mannau. Pan ddaethom i ben y darn hwn o'r ffordd, beth oedd odanom ar y dde ond y môr mawr, a dyma ni'n gweiddi o lawenydd uwchben y fath olygfa hyfryd, 'O, ond tydi o'n ardderchog?' meddem am y cyntaf, ac yr oeddem yn mwynhau'r olygfa yn fwy am fod ein pibellau gwynt a'n hymennydd wedi eu llenwi ag awyr iach yr ucheldderau. Ymestynnai'r môr glas amryliw ymhell tua'r de-orllewin, a'r haul yn tywynnu'n loyw arno. Yr oedd harbwr Youghal odanom, ac ymhell i'r dde gwelsom nifer o fân ynysoedd yn y dŵr.

Trodd y ffordd yn awr yn sydyn ar y dde, ac ar i lawr â ni. Gorfod brecio weithiau ar allt go serth, ond taith hyfryd oedd hi nes inni o'r diwedd gyrraedd y gwaelod. Daethom at afon fawr iawn, un o afonydd mwyaf Iwerddon, afon Blackwater.

Ymlaen â ni am Youghal, tref ddymunol. Seinir yr enw yn ddwy sillaf, yn debyg iawn i'r gair 'lo-an', ond bod y llafariad gyntaf yn lletach fel llais brân, 'Caw, caw'. Dywedir mai 'lle coed yw' ydi ei ystyr; bu llawer o goed yw yn tyfu unwaith ar y llechwedd yn wynebu'r môr, ac erys rhai ohonynt yno eto, a chafwyd hyd i fonion yw yn ddwfn yn y ddaear ar y traeth.

Daethom o hyd i barc glas ym mhen pellaf y dref, yn agos i'r môr, a phlant yn chwarae yno, a mamau â'u babanod yn eu cerbydau bach, a llawer o bobl yn eistedd ar seddau o gwmpas y lle. Yr oedd tap dŵr y tu allan yn agos i'r llidiard, a dyma eistedd ar sedd heb fod ymhell i fwyta ein tamaid. Ar fara ac ymenyn a llefrith y buom yn byw fwyaf tra buom yn Iwerddon, a phethau eraill yn enllyn, tomatoes, jam, *sardines*, caws a pha beth bynnag arall oedd i'w gael. Dŵr glân oedd ein diod y dyddiau cyntaf, ond yn Youghal dyma daro ar rywbeth gwell sef prynu potel o *lemonade crystals*, a chymysgu ychydig o'r rheini â dŵr a siwgr. Yfasom alwyni lawer o'r ddiod hon yn ystod y pythefnos nesaf. Yr oedd tapiau a phympiau dwfr yn bethau cyffredin iawn ar hyd y ffordd ymhob rhan o Iwerddon bron.

Rhoesom ein bryd ar gyrraedd o fewn ychydig filltiroedd i Gorc y noswaith honno, er mwyn bod yno yn gynnar fore drannoeth, a chael y diwrnod i gerdded o gwmpas y dref. Taith ar i fyny oedd o Youghal, a thai mawr braf ar y dde yn wynebu'r môr. Teithiem uwchben y môr am rai milltiroedd, ac aethom heibio i oleudy ar fin y ffordd ar y chwith, a gwelsom un arall ar y creigiau oddi tanom; mi dybiwn i mai cyfeirio'r llongau tua'r agoriad i harbwr Queenstown oedd eu pwrpas.

Troesom oddi wrth y môr cyn hir, ac wedi teithio am ddwy awr neu dair, dyma ddechrau chwilio am le i babellu. Edrych am siop hefyd, achos yr oedd ein bara'n mynd yn brin, ond ni chawsom o hyd i'r un. Toc, dacw ffarm ar y chwith, led cae oddi wrth y briffordd, a ffordd gul yn arwain ati. Troi tuag yno, a chawsom groeso ar unwaith. Yr oedd ceffyl ifanc yn pori yn y cae o flaen y tŷ, ac anfonwyd yr hogyn i'w droi i gae arall, er mwyn inni gael pabellu yn hwnnw.

Gofynnais am fenthyg bwced i gario dŵr glân, ac aethant i nôl peth imi o faril oedd yn y buarth. Sylwais fod y faril ar olwynion, a dywedais, 'Ond yr ydych chwi'n gorfod cario dŵr glân?' Ond ni wrandawodd arnaf. Nid oedd yr ychydig ddŵr a fyddai arnom ni ei eisiau nac yma nac acw, meddai. Gofynnais am lefrith hefyd a chawsom oddeutu chwart i swper a thri pheint i frecwast. Dyma babellu mewn lle cysurus ryw hanner y ffordd rhwng y tŷ a'r briffordd. Pan euthum at y tŷ i gyrchu'r llefrith, holais y llanc a safai wrth y drws, tra bu'r wraig yn nôl y llefrith, ymhle y caem hyd i siop i brynu bara i frecwast. Middleton, ryw dair milltir i ffwrdd oedd yr ateb. Tybiais ar y pryd mai'r gwas bach oedd y llanc, ond mae'n bosibl mai mab y ffarmwr a'i wraig ydoedd.

Aeth Arial â'r piser llefrith yn ei ôl wedi inni orffen swper, a gofynnodd y ffarmwraig iddo a oedd ein bara'n brin, ac atebodd yntau ei fod. A dyma hi'n rhoddi iddo hanner torth o deisen gradell, a darn o fara brith; golygai hynny arbed taith o chwe milltir cyn brecwast i un ohonom. Arial aeth ar neges i'r tŷ yn y bore drachefn, a daeth yn ei ôl â gwên ar ei wyneb oedd yn ymestyn o glust i glust, ac yn ffrydio allan drwy ei ddau lygad, ac yn ei freichiau'r oedd cwd papur yn llawn o afalau melys. Beth oedd yn ei wyneb, tybed, a barai i gynifer o wragedd ffermydd yn Iwerddon feddwl am afalau, a'u cynnig iddo?

Ac yn awr, i gyrraedd coron y stori gwmpasog hon. Cyn cychwyn y bore hwnnw – bore niwlog, ond buan y chwalwyd y niwl gan wres yr haul – gofynnais i'r wraig am gael talu am y llefrith a'r bara, ac am y lle i babellu. Gwrthododd yn bendant gymryd yr un ddimai gennym, ac ofer ydoedd pob dadlau â hi. Ni allwn wneud dim mwy yn y diwedd na chrefu arni ddyfod am dro i Fangor rywbryd, fel y caffwn wneud cwpanaid o de iddi, ond gwyddwn, yr un pryd, nad oedd gennyf ddim mwy o obaith am dalu iddi am ei charedigrwydd yn y ffordd honno na phed addawn dalu yn Nydd y Farn.

Pennod 12

Corc

Heddiw, ddydd Mawrth, wythnos ar ôl inni gyrraedd Iwerddon, dyma ni'n edrych ymlaen at gael gweld Corc. Tybed, a gaem ni ganu, yng ngeiriau un o 'Gerddi Huw Puw' –

> 'Yn harbwr Corc yr oeddwn, ryw fore gyda'r dydd,
> O hogiau bach, ryw fore gyda'r dydd'?

Dyma ninnau Gorc cyn hanner dydd, gan edmygu'r Marina Walk, fel y gwelem ef ar draws afon Lee, wrth fynd i mewn i'r ddinas. Llwybr gwastad ar lan yr afon ydi hwn, a choed trwchus, yn edrych yn debyg i ffawydd neu gastanwydd, yn cysgodi drosto. Anelu am ganol y ddinas a wnaethom ni, a chyrraedd St Patrick Street, heol fawr hardd, wedi'i hadeiladu'n gam, ar lun lleuad newydd. Adeiladau newyddion sydd ynddi, oblegid llosgwyd St Patrick Street yn ulw yn nyddiau'r 'Black and Tans', yn agos i ugain mlynedd yn ôl. Y mae llun yr adfeilion truenus o'm blaen y munud yma; gallai rhywun feddwl mai llun un o ddinasoedd Gwlad Belg neu Ogledd Ffrainc yn y Rhyfel Mawr ydoedd. Yn ystod yr helynt hwn y bu farw'r Arglwydd Faer, Terence McSwiney, wedi newynu ei hun i farwolaeth yn hytrach na goddef ei garcharu ar gam. Hyd yn oed heddiw, nid yw Iwerddon wedi'i heddychu'n llwyr. Ar ôl inni ddod oddi yno, fe saethwyd ditectif yn farw ar ganol St Patrick Street, gan un o wŷr yr IRA, ganol dydd golau.

Euthum am sgwrs â swyddog y CTC yma a rhoes yntau gyfarwyddiadau buddiol inni ynghylch y ffordd orau i weld rhai o brif adeiladau'r ddinas. Ar ein ffordd i Gorc, yr oeddem wedi sylwi ar fwy nag un post yn cyfeirio tua'r 'Cobh' (seinir ef yn 'cof') – dyna'r enw Gwyddeleg ar Queenstown, sef harbwr Corc yn y pen nesaf i'r môr. Gwelsom hysbysebion yn dweud bod rasys cychod mawr yn y Cobh y diwrnod hwnnw, a chan nad oedd mwy na rhyw bum milltir yno o Gorc, dyma ni'n meddwl mai taith ddifyr fyddai mynd yno. Gofynnais i swyddog y CTC a fyddai'n werth y drafferth inni fynd cyn belled â'r Cobh, i weld y *Regatta*. Atebodd yntau mai lle cythryblus y tu hwnt i bopeth fyddai yno a chynghorodd o ni i fynd os oedd arnom eisiau gweld ein beiciau wedi'u malu'n yfflon gan y dyrfa. Deallais y perygl ar unwaith, oblegid bu agos i mi gael dryllio fy meic yn ddarnau ryw dro gan y dyrfa oedd yn gorymdeithio i Hyde Park, Llundain, i wrthwynebu mesur addysg Mr Balfour yn agos i ddeugain mlynedd yn ôl.

Yn awr, aethom â'n beiciau i gadw, ac i'w harchwilio, ac yna meddwl am ginio cyn cychwyn ar draed i weld y ddinas. Troesom i dafarn lefrith a gedwid gan Gymdeithas Gydweithredol y Ffermwyr a chawsom ddigonedd o fwyd blasus heb golli amser a heb roddi dim trafferth i ni'n hunain i'w baratoi. Tipyn o newid amheuthun ar ôl byw ar fwyd plaen am ddiwrnodiau.

Troi i lawr wedyn a chroesi pont tros gainc o'r afon a chyn gynted ag yr aethom drosodd, gwelsom Neuadd y Dref ar y chwith inni. Adeilad mawr sgwâr ydoedd, heb fod yn uchel, a golwg nobl ac urddasol arno; adeiladwyd hwn eto ar ôl llosgi'r hen adeilad i lawr yn helyntion y rhyfel â Phrydain Fawr yn 1920 a 1921.

Oddi yma aethom ymlaen tua'r Brifeglwys Brotestannaidd, Eglwys Sant Finbar, neu Fionn Barr, fel y gelwir ef weithiau. Ef yw nawddsant y ddinas, ac un o'r saint sydd uchaf eu parch yn Iwerddon, yn enwedig yn y de-orllewin. Yn y 6ed ganrif, pan oedd Dewi Sant yn efengylu yng Nghymru, gwnaeth Sant Finbar ei gartref ar ynys fechan mewn llyn yn Gougan Barra, i fyny yn y mynyddoedd lle y mae tarddle afon Lee (caf sôn am y llecyn bendigedig hwnnw eto). Gadawodd y sant y lle hwn, a sefydlodd fynachlog ar lan yr afon yn agos i'r môr, sef yn ymyl 'Cors (Corsach) Fawr Munster' a dyna sut y cafodd y ddinas a adeiladwyd yno ei henw, 'Corc'.

Yr eglwys gadeiriol oedd un o'r eglwysi harddaf a welais erioed. Y mae'r cerfwaith sydd o amgylch y prif borth yn ddigon ynddo'i hun i wneuthur yr adeilad yn hynod. Cerfwaith mewn carreg ydyw, debyg iawn, ond yr oedd peth ohono'n waith mor fain a chywrain nes bron fy nhwyllo i gredu mai cerfwaith coed ydoedd.

Clywsom ddarlledu gwasanaeth o'r eglwys hon ar ôl dod adref. Dyna un peth sydd yn ychwanegu at swyn taith fel hon, ein bod yn medru cadw mewn cysylltiad â'r lleoedd wedyn drwy gyfrwng y radio.

Pennod 13

Gadael Corc

Yr oedd yn ddiwrnod poeth iawn pan oeddem yng Nghorc a gwaith llychlyd a chwyslyd ydoedd trampio'r strydoedd yno. Ar ein ffordd tua Choleg y Brifysgol, aethom drwy heolydd lle'r oedd y gwragedd yn sefyll ar bennau'r drysau, neu'n eistedd ar yr hiniog, â siolau duon dros ei pennau, a'r plant yn chwarae'n goesnoeth, droednoeth, ar ganol y stryd. Edrychai pawb yn hapus, ac mewn tymer dda. Yr oedd llawer o'r tai yn rhai mawrion, ac y mae'n ddiamau fod mwy nag un teulu'n byw ymhob un.

Saif y coleg ar y llecyn lle y sefydlodd Sant Finbar ei fynachlog gynt. Ychydig ohono sydd i'w weld o Ffordd y Coleg, gan fod wal uchel yn ei amgylchu yr ochr honno. Ond wedi inni agor drws yn y wal a mynd trwodd, dyna lle'r oedd y coleg o'n blaenau, a thir glas a gerddi lawer o'i gwmpas. Adeiladwyd ef ar dipyn o lechwedd uwchben afon Lee, ac y mae golygfa eang a hardd i'w gweld ohono. Yr oedd y gerddi a'r tai gwydr yn eang ac yn ddiddorol.

Mewn cyntedd mawr, hir, gwelsom gasgliad rhagorol o gerrig ac arnynt ysgrifen Ogam. Ysgrifau hen iawn oedd arnynt, wedi'u torri'n llinellau unionsyth ar draws cornel carreg â chornelau sgwâr iddi. Yng Ngholeg Corc y mae un o'r casgliadau gorau ohonynt, mi dybiwn i. Gwelsom wyth ar hugain yno, fel cerrig beddau mawrion, neu byst llidiardau.

Wedi croesi'r afon, a dringo'r llechwedd yr ochr draw, aethom i mewn i ddwy eglwys arall sef Eglwys Fair, y Brifysgol Babaidd, ac Eglwys Shandon. Clychau Shandon sydd yn enwog, a bydd ymwelwyr o bob rhan o'r byd yn dringo'r clochdy yma, ac yn talu chwech am glywed y clychau yn canu. Pan aethom allan o'r eglwys, fe'n hamgylchwyd gan blant yn gweiddi arnom i daflu ceiniogau iddynt. Y mae'n amlwg fod Americanwyr cyfoethog yn arfer dod yma i weld Eglwys Shandon, ac i wrando ar y clychau, a'u bod yn cael hwyl wrth weld y plant yn ymgiprys am y ceiniogau. Ni welais ddim byd tebyg i hyn yn unman arall yn Iwerddon, ond ymddygiad llednais a boneddigaidd bob amser. Cofiais weld plant yng Nghymru fwy nag unwaith yn cardota ceiniogau fel hyn oddi ar ymwelwyr Saesneg, ac yr oedd fy nghalon yn brifo wrth gofio am y peth. Gobeithio bod yr Urdd yn dysgu rhywbeth amgenach iddynt erbyn hyn.

Ar ôl cael te, ac ymdroi hyd lan yr afon, aethom i nôl ein beiciau a daeth swyddog y CTC am dro i'n cyfeirio tua lle i babellu. Gŵr o Rochdale, yn Lancashire, ydoedd ef; dywedodd iddo fod yn yr un ysgol â Gracie Fields, ac ar yr un amser, ond ei fod o yn hŷn na hi. Ar derfyn y Rhyfel Mawr, bu'n gweithio am flynyddoedd yng Nglyn Ebwy, yn Neheudir Cymru, ac yr oedd ganddo ef a minnau lawer o atgofion i'w hadrodd am y Symudiad Llafur yn y De. Aeth â ni tu allan i'r ddinas, ar hyd yr 'hen ffordd' rhwng Corc a Dulyn. Clywais pan oeddwn yn blentyn am y 'rocky road to Dublin' – rhaid mai hon oedd hi. Ffordd arw garegog, a gallt serth iawn. Wedi cyrraedd y man y cyfeiriwyd ni iddo, cawsom hen felin a thŷ mawr, a thiroedd a gerddi eang o'i gwmpas. Dangoswyd inni le i babellu, mewn cae lle'r oedd yr adladd yn dechrau tyfu ar ôl y cynhaeaf gwair, a chysgodai coed uchel ni uwchben. Rhedai afonig ar hyd gwaelod y llechwedd odanom, a chawsom ffynnon o ddŵr glân ryw hanner y ffordd i lawr.

Sŵn ysguthanod a glywem dros bob man yn y bore, ac yn wir, buom yn gwrando arnynt gryn lawer yn ystod y nos. Daethom yn gynefin iawn â'u clywed y dyddiau hyn.

Taith ar hyd ffordd wledig, ag olion cario gwair ar y gwrychoedd a'r cloddiau, a gawsom yn gyntaf peth y bore yma, ac yna i lawr gallt serth, esmwyth, nes dyfod i'r briffordd a arweiniai tua Blarney a Macroom a Glengariff. Troi tua'r gorllewin wedyn, a'n golwg bellach ar rannau mwyaf rhamantus Iwerddon, mynyddoedd Kerry, baeau a chreigiau glannau Môr Iwerydd, a llysoedd Killarney cyn diwedd yr wythnos.

Pennod 14

Inchigeelah

Yr oedd yn gynhaeaf ŷd gwyllt yn Sir Gorc, a'r haul yn boeth iawn, fel y beiciem tua'r gorllewin. Troes lliw ein crwyn yn felyn, felyn, ac yr oedd llosg haul a gwynt ar war a chorun, ar dalcen a thrwyn. Teimlwn braidd yn anghyfforddus wrth drio gorwedd ar fy ochr yn y nos, ac o'r diwedd sylweddolais mai fy nghlustiau oedd wedi llosgi yn yr haul, a'u bod mor ddolurus â phetasai llosg eira arnynt. Daethom i ymgynefino â'r anghysonderau bychain hyn yn fuan, ac ymhen deuddydd neu dri fe ddiflanasant.

Gwenith a cheirch yn eu styciau ar y meysydd, mwyar duon ar y llwyni, a chloddiau gleision yn doreithiog o lysiau a blodau gwylltion – dyna a welem wrth hwylio ar ein taith drwy'r wlad. Hyd ochrau'r ffyrdd yr oedd y gwyddfid yn bêr, ac mewn rhai lleoedd coed fuschia oedd deunydd y gwrychoedd am lathenni – fuschia gwyllt, a'r blodau cochion yn hongian fel clychau arnynt. Gwelsom, ddydd Sadwrn, ar y ffordd i Gorc, lawer iawn o wyddfid yn disgyn yn rhaffau persawrus oddi ar bennau coed uchel.

Ymlaen â ni heddiw am bentref Blarney, ryw chwe milltir o Gorc. Pentref bychan digon diolwg oedd Blarney. Tybiai Arial fod ei olwyn flaen yn colli peth o'i gwynt, a phan aethom drwy'r pentref i'r pen arall, dyma orffwyso yn ymyl ffos o ddŵr i chwilio am y twll yn y rwber, ond yr oedd yn rhy fychan inni gael hyd iddo. Canlyn afon Lee yr oeddem ar hyd y ffordd heddiw, ac mewn rhai mannau yr oedd y golygfeydd yn ardderchog. Cofiaf am un tro pan ddringem i fyny rhyw allt, rhwng Blarney a Dripsey, a gweld yr afon i lawr yn isel odanom ar y chwith, a llechweddau coed o boptu iddi, a hithau yn adlewyrchu glas yr awyr a golau'r haul uwchben; yma ac acw ar hyd-ddi gwelem draeth graean a gro yn y troadau, a gwartheg yn sefyll yn llonydd at eu pennau gliniau yn y dŵr.

Croesi pont fechan ymhellach, ac ymdroi arni i wylied yr afonig islaw. Ar un ochr iddi, safai tair wal goncrit fawr yn gwneuthur tair ochr sgwâr, a netin weiar uwchben, ac ar ddarn o bren yr oedd yn brintiedig y geiriau 'Support Old Gaelic Pastimes', a llythrennau Gwyddeleg a arwyddai yr un peth yn yr iaith honno, y mae'n ddiamau. Lle i chwarae pêl ydoedd, mi dybiwn i.

Tua diwedd y prynhawn, yr oeddem ddeng milltir ar hugain o Gorc, ac yn nesu at Macroom. Gwelsom dŷ ffarm ar ochr y ffordd, a thu draw iddo yr oedd gardd, yn llawn o *dahlias* ysgarlad a *gladioli* pinc, a chlawdd glas trwsiadus rhyngom a hi. Ar y clawdd hwn, o dan gysgod coed 'pren mwnci' eisteddasom i gael bwyd, ac yr oedd pistyll ar draws y ffordd oddi wrth lidiart y buarth. Euthum i'r ffarm i geisio prynu llefrith, ond ychydig oedd ganddynt i'w hepgor cyn amser godro; cawsom yr ychydig hwnnw am ddim ganddynt, a benthyg llestr i gario dŵr. Yr oedd y ddwy wraig yn ddigon parod i sgwrsio, a theimlent ddiddordeb mawr yn gwrando arnom yn ailadrodd hanes ein taith.

Buasai'n dda gennyf gael mynd i mewn i bentref Macroom, am mai yno y ganed William Penn, y Crynwr enwog, ac un o arloeswyr Cymdeithas y Cenhedloedd, ond yr oedd ein ffordd ni yn troi i'r chwith, ryw filltir neu ragor cyn cyrraedd yno.

Wedi gadael y groesffordd am Macroom, daethom yn fuan iawn i wlad ramantus y mynyddoedd. Yr oedd y ffordd yn arwach erbyn hyn, mwy o gerrig mân yn rhydd ar hyd yr wyneb. Dechreuais deimlo hiraeth am Fwlch Llanberis, wrth weld y llechweddau grug ac eithin ar y dde, a meini mawrion llwydion yn cyfodi o'u canol, a chen cerrig arnynt.

Yr oeddem yn nesáu at Inchigeelah yn awr, a throesom i dŷ ffarm ar fin y ffordd i ofyn am le i babellu. Cyfeiriwyd ni i gae pori gwastad ar gyfer y tŷ, ac yna codasom ein pabell yr ochr arall i'r gwrych. Llifai afon Lee drwy'r cae hwn, ryw ugain llath o'r ffordd, afon lydan, fas, araf, a'i cheulannau isel yn fylchau i gyd, ac yn torri'n fân ffrydiau caregog, a llawer o ynysoedd bychain yn agos i'r lan, a choed gwern yn tyfu arnynt.

Ar gyfer y llidiart yr oedd pwll yn yr afon, lle y cyrchai'r teulu ei ddŵr slabro; yr oedd y ffynnon ddŵr glân ychydig yn uwch i fyny'r cae. Bu Ffion yn golchi dillad yn yr afon, 'a'u sychu ar y llwyni gwyrddion'. Cefais innau hyd o'r diwedd i'r lle yr oedd olwyn Arial yn gollwng gwynt, a thrwsiais ef; ac yn y bore ymolchi a siafio yn yr afon.

Gŵr a gwraig ifanc oedd yn cadw'r ffarm, a chanddynt un

plentyn, Michael, newydd gael y cowpog, ac yr oedd mam y wraig yno yn ymweld â hwy. Pan ddechreuodd nosi, daeth y gŵr atom i'r cae am sgwrs. Gorweddodd ar y glaswellt tu allan i'r babell, a ninnau'n cael ein swper y tu mewn. Yr oedd yn dywyll pan adawodd ni, ac am y tro cyntaf yn Iwerddon bu raid inni gael goleuni cannwyll i fynd i'n gwelâu.

Gŵr ieuanc a siriol a deallus oedd Mr O'Riordan, a chafodd ef a ninnau sgwrs ddifyr. Cofiai'r 'Black and Tans' yng Ngorllewin Iwerddon, ac wrth inni ei holi, soniodd am y difrod a wnaethant, ac am yr helynt a fu drachefn rhwng y Gwyddelod a'i gilydd ar ôl arwyddo'r Cytundeb Heddwch â Phrydain Fawr. Yr oedd hen eglwys yn Inchigeelah, ryw chwarter milltir i ffwrdd, a llosgodd y Gwyddelod honno i'r llawr, rhag i filwyr Prydain ei meddiannu, a'i defnyddio fel lle i wersylla.

Soniodd gryn lawer am berthynas wleidyddol Iwerddon â Phrydain Fawr, ac yr oedd yn ŵr pur rhesymol ei farn; nid oedd dim chwerwedd na chasineb yn ei ysbryd o gwbl – neu o leiaf, ni ddangosodd ddim ohono i ni. Dywedodd fod pob Gwyddel yn barod i siarad am bolitics drwy'r dydd, a phob dydd, a gofynnodd am ba bethau y byddai gweithwyr Cymru'n siarad. Soniais innau wrtho am gytiau bwyta'r chwarelwyr, a dywedais eu bod hwythau'n trafod llawer ar wleidyddiaeth yn yr awr ginio. Byddant yn sôn am lyfrau hefyd, meddwn, ac am ddiwinyddiaeth a chrefydd, ac am bregeth y Sul. 'O,' meddai, 'ni chewch yr un Gwyddel byth i siarad am lyfrau; ac am grefydd, fyddwn ni byth yn sôn amdani, dim ond yn mynd i wasanaeth yr Offeren, yn gwneud fel y bydd yr offeiriad yn gorchymyn inni.'

Pennod 15

Gougane Barra

Cyn gadael ein llety yn Inchigeelah yn y bore, cawsom beth o gwmni pobl y fferm, a daeth y wraig, a'r baban Michael ar ei braich, am dro yn y cae i weld ein pabell. Yr oedd gafael Michael fel gefail am y swllt a roes Ffion yn ei ddwrn. Aethom ein tri i mewn i weld y tŷ. Llawr pridd oedd i'r gegin a'r aelwyd fawr, lydan, fel aelwyd Gymreig hen-ffasiwn. Ar lawr y gosodwyd y tân, heb na grât na dim, ond bod mawn ffres wedi'i drefnu'n gylch o'i gwmpas i'w gadw wrth ei gilydd. Ystafell wedi ei llorio oedd y parlwr, â linoleum ar y llawr, a lluniau'r teulu wedi eu fframio ar y waliau. Mewn cilfach yng nghornel y gegin, oddeutu uchder y ffenestr, yr oedd delw o Fair y Forwyn, a thân coch, coch, tanbaid, yn llosgi o'i flaen. Hon oedd cysegrfa y teulu; gwelsom lawer un gyffelyb ar ein taith ar ôl hyn. Ni allem lai na sylwi ar y cnewyllyn bach o goch disglair yng ngwyll yr ystafell wrth inni fynd heibio i ddrysau'r tai.

Ballingeary (neu Bellangeary yn hytrach) oedd y pentref nesaf yr aethom drwyddo; 'aber rhyd ger prysglwyn yr afon' yw ystyr yr enw, medden nhw. Yma siaredir yr iaith Wyddeleg yn gyffredin gan y bobl, ac y mae coleg yma lle y bydd dynion ifanc yn dyfod yn yr haf i astudio'r iaith a'i llên – rhywbeth tebyg i Goleg Harlech, efallai. Gwelsom yr adeilad wrth hwylio allan o'r pentref, adeilad newydd, un uchder, yn edrych yn debyg i un o'n hysgolion newydd ni.

Troesom i siop yng nghanol y pentref i brynu bwyd a phapur ysgrifen a holi'r wraig am yr iaith Wyddeleg. Wrth dderbyn newid ganddi, gofynnais iddi beth oedd hanner coron yn yr iaith honno, ac atebodd hithau, 'Iachroin'.

Wedi gadael y pentref dipyn, daethom at res o goed ar ben rhyw fymryn o allt, a llechwedd rhedyn caregog ar y dde odanom, a chysgod y coed yn ymestyn drosto. Yng ngwaelod y llechwedd yr oedd llwyni eithin, a ffrwd fechan o ddŵr yn llifo drwy eu canol.

Dyma le ardderchog ar lan y ffrwd i eistedd i gael tamaid, ac i lawr â ni ar ein hunion. Erbyn cyrraedd yno, rhyw hen ddŵr merddwr araf oedd y ffrwd, ac ni fynnem yfed ohono, a bu raid bwyta ein cinio yn sych.

Toc, gwelsom eneth fechan yn sefyll ar ben y clawdd uwch ein pennau. 'Helô,' meddai, a gofynnodd a gâi hi ddod i lawr atom. 'Dowch,' meddem ninnau, a dyma hi i lawr. Cerddai yn droednoeth, fel llawer o blant eraill a welsom yn Iwerddon. Tuag wyth neu naw mlwydd oed ydoedd, ond yr oedd yn barod iawn am sgwrs, ac ni wyddai fod y fath beth â swildod yn bod. Gwerthu ticedi raffl i ryw ysbyty yr oedd, ac er na fyddaf byth yn ymhél â phethau felly, ni allwn wrthod rhoddi ceiniog iddi am diced. Rhoddais ei henw hi arno, Joan O'Riordon, ac yna gofynnais beth oedd enw ei chartref. Wedi ei glywed, methais yn lân â chyfleu troadau chwim ei thafod ar bapur, a bu raid gofyn iddi ei sgrifennu drosti ei hun. Gwnaeth hynny, ac mi synnais ei gweld yn ei sgrifennu mewn llythrennau Gwyddeleg – llythrennau tlws, heb fod yn annhebyg i lythrennau'r iaith Roeg. Holodd lawer arnom, a ninnau arni hithau. Dywedodd ei bod yn dysgu'r Wyddeleg yn yr ysgol, ac yn ei siarad gartref. Dywedasom wrthi mai o Gymru y daethom ni, 'A glywsoch chi sôn am *Wales* erioed?' 'What is that?' meddai hithau – nid 'Where is that?' sylwch ond 'What is that?' Ni chlywsai erioed sôn am Gymru; pan eloch i'r ochr honno i Iwerddon, fe gewch fod ffenestri meddwl y bobl yn agored tuag America, nid tua Phrydain Fawr.

Byddai raid inni droi o'n ffordd am filltir a chwarter i weld Gougane Barra ('hollt craig Sant Barra'), ond fe'n rhybuddiwyd ymlaen llaw na ddylem ar un cyfrif golli'r cyfle i weld y lle hwnnw. Dyma yw fy nghyngor innau i bawb, a chyngor Ffion ac Arial hefyd. Ffordd wledig, gul, arw oedd yn arwain yno, yn tynnu ar i fyny, a bu raid cerdded peth arni. Yr oeddem yn awr yn dilyn afon Lee i'w tharddle, ac ar ei ffordd i lawr, megis o ris i ris, ymagorai'r afon yn rhes o lynnoedd prydferth dros ben. Ymddangosai wyneb y dwfr bron yn gydwastad ag wyneb y tir brwynog oedd o'i gwmpas, ac mewn llawer man gorchuddid ef â chyflawnder cyfoethog o lili'r dŵr a blodau eraill.

Daliodd gweithiwr ni ar ei feic, a chawsom sgwrs ddifyr gydag ef eto. Pan ddeallodd mai Cymry oeddem, dywedodd ei fod yn mwynhau'n fawr wrando ar gorau Cymreig ar y radio, ac ar gorau o wledydd eraill yr un modd. Sylwodd mor werthfawr ydoedd y radio, a'i fod yn gyfrwng gwych i ddwyn pobloedd y byd at ei gilydd, a dysgu iddynt ddeall ei gilydd yn well. Ei syniadau ef ei hun oedd y rhain, cofiwch; rhyw daflu ambell 'Ie' ac 'Amen' i mewn yn awr ac yn y man oedd y cwbl a wnawn i. Gŵr meddylgar, a sylwedd yn yr hyn a ddywedai. Gweithiwr cyffredin ydoedd – y math o ddyn y cyfarfyddwch ag ef yn aml yng Nghymru, y dyn fydd yn troi pethau drosodd yn ei feddwl pan fo ar ei ben ei hun, y dyn y mae ei feddyliau yn wreiddiol iddo, pa mor debyg bynnag fônt i feddyliau pobl eraill. Byddaf wrth fy modd yn cael sgwrs â dyn felly.

Soniodd hefyd am y bechgyn ifainc yn y cylchoedd o gwmpas oedd yn dysgu canu'r pibau, ac yn beicio milltiroedd i gael practis gyda'i gilydd yn yr hwyr. Y mae ganddynt fand pibau erbyn hyn, ac efallai y caf eu clywed yn canu o Orsaf Athlone cyn bo hir. Bydd gwrando ar fand pibau yn un o'm hoff bleserau. Soniais innau wrth y gŵr am Fand Nantlle, ac am bobl yn ymgasglu y tu allan i 'Gwt y Band' yn Nhal-y-sarn gyda'r nos i wrando arno'n practeisio, ac am y nodau aflafar a ddeuai ambell noswaith oddi ar y llechweddau pan fyddai rhyw chwythwr ifanc yn practeisio ar ei ben ei hun. Gwrandawai'r gŵr ar yr hanesyn hwn â diddordeb mawr, a phan soniai am fand ei gyd-ardalwyr gloywai ei lygaid yn ei ben gan ei frwdfrydedd.

A dyma Gougane Barra o'r diwedd, a phwy a all byth anghofio'r olygfa? O'n blaenau, ymestyn llyn tywyll, a mynyddoedd uchel yn ei amgylchu ar bob ochr ond yr ochr lle safwn ni; dyma waelod y cwm, lle yr ymarllwys y dyfroedd i roddi cychwyn i afon Lee. Atgoffeir ni bob un am Lyn Idwal, yn Eryri, ond nid oes ffordd feic yn arwain at y llyn hwnnw, a hyd y gwn i, nid oedd Gegin y Cythraul ym mhen draw Cwm Gougane Barra. Pwll dwfn yn y ddaear sydd yma, wedi ei gafnio yn Oes y Rhew, a hwnnw wedi ei lenwi â dwfr.

Y mae ynys werdd yn agos i'r lan ar yr ochr dde inni, a sarn wedi ei chodi i gerdded trosodd ati. 'There is a green island in lone Gougane Barra', chwedl y bardd. Dyma lle y gwnaeth Sant Ffinbar (Fionn Barr, neu Barra) ei gartref cyn symud oddi yma i sefydlu Mynachlog Corc. Gwelsom weddillion hen eglwys, a chelloedd yn yr ochrau, a mân offrymau wedi eu gosod ar astell yma ac acw ac adfeilion lluniau wedi eu cerfio mewn cerrig ar yr ochrau. Yr oedd hysbysiad mewn argraff gerllaw: 'Yma y safai, yn y 6ed ganrif, Gell Sant Ffinbar, esgob cyntaf Corc'; ac ychydig yn nes i'r lan yr oedd Eglwys Goffa fechan newydd, odiaeth o hardd.

Fe wnaethom grwydro o dan y coed ym mhen draw'r ynys, a gweld lle mor ardderchog ydoedd i bysgota. Ceisio dychmygu pa fath o le ydoedd yn y chweched ganrif, pan oedd yr unigedd a'r distawrwydd heb ei dorri gan brysurdeb ymwelwyr chwilfrydig, a chan sŵn cyrn moduron. Lle bendigedig i feudwy i ymneilltuo i fyfyrio. Ac O'r tawelwch a'r harddwch! Gwyn fyd na fuasai gennyf ddiwrnod neu ddau yn rhydd i gerdded i ben pellaf y cwm, o sŵn a golwg pawb, heb neb ond dyfroedd glas tywyll y llyn, a'r mynyddoedd urddasol yn gwmni imi. Dyna oedd gwynfyd yr hen sant.

Nodyn o'r dyfodol:

Yn 2016, wedi darllen y bennod hon, dyma geisio canfod rhywbeth am y bobl hyn 77 mlynedd yn ddiweddarach. Cyfeiriais lythyr at y 'Ballingeary Historical Society, Cork, Ireland', a wir i chi, cefais ateb gan yr ysgrifennydd. Oedd, roedd o'n gwybod am Siobhan O'Riordon, y ferch yn y stori. Roedd hi wedi marw, ond roedd wedi pasio'r wybodaeth i'w chwaer, Ebhelin. Dychmygwch fy mhleser yn derbyn llythyr ganddi hi o Inchigeelah, y pentref nesa. Meddai, 'A what we suffered in Ireland during that war, food was very scarce and it was rationed. Our mother died in 1930 when Siobhan was three years old, and our father was left with six of us. Our friends reared us and we were scattered like feathers.' Yna, daethom o hyd i'r 'baban Michael' y cyfeirir ato ar ddechrau'r bennod. Yr oedd o'n feddyg, a chefais ohebiaeth ganddo yntau hefyd.

Heb wybod dim o hyn, mae'n ddifyr mai i'r ardal hon, ddeuddeg milltir i'r de, y deuthum yn 1990 i ysgrifennu Si Hei Lwli. Yma yn Swydd Corc hefyd y mae gwreiddiau fy ng r. Rhaid bod rhywbeth yn fy nhynnu yma!

Pennod 16

Glengariff

Daethom yn ein holau i'r briffordd ar ôl gadael Gougane Barra, a chyn hir yr oeddem yn cyfeirio am Fwlch Keimaneigh ('bwlch y ceirw') rhwng mynyddoedd uchel creigiog ar bob ochr, tebyg i'r llechwedd sydd ar y chwith i Nant Ffrancon wrth fynd o Fethesda am Lyn Ogwen.

Creigiau gwyllt, ysgythrog oedd o boptu i'r ffordd, a meini mawrion hyd y godre, a choed gleision a grug yn tyfu yma ac acw ar hyd y llechweddau – golygfa ramantus, a gogoneddus o brydferth. Ar yr ochr dde i'r ffordd llifai ffrwd hoyw, groyw, loyw gan ddawnsio rhwng y cerrig, a chanu'n llawen ar ei thaith. Ymestynnai craig fawr dros y ffrwd mewn un lle, a dyma ni'n croesi o garreg i garreg, ac eistedd ar y lan yr ochr draw, i fwyta ein tamaid o dan ei chysgod. Nid â'r hyfrydwch a brofasom o ymdroi yma yn sŵn y ffrwd yrhawg o'n cof.

Taith ar i lawr a gawsom, gan mwyaf, ar ôl mynd tros Fwlch Keimaneigh, a gorfod cerdded llawer ohoni, am fod y ffordd mor arw a llychlyd. Wrth groesi pont dros afon Owvane, gwelsom gerflun marmor o Sant Finbar mewn darn o dir glas ar ochr y ffordd. Ymlaen wedyn i gyfeiriad Bantry, ond troi ar y dde hyd lan y môr cyn cyrraedd yno, a chroesi pont arall dros afon a lifai i Fae Bantry. Dyma ni o'r diwedd ar draethau Gorllewin Iwerddon yma'n dyfod i mewn i'r tir am ugain milltir. Golygfa wych i gyfeiriad y môr, a'r tir yn ymestyn o boptu iddo cyn belled ag y gallem weld. Dywaid rhai pobl mai yma, ac nid ym Mae Dulyn, y glaniodd Padrig Sant, pan ddaeth i Iwerddon gyntaf, gan farchogaeth ar gefn morfil. Yr ochr arall i'r bont, arweiniai ffordd gul, dywodlyd, at lan y dŵr; yr oedd car motor yno, a phobl yn ymdrochi. Troesom tuag ato, ac eistedd ar y creigiau yng ngwres haul y prynhawn, ac aroglau'r gwymon yn ein ffroenau, a heli tair mil o filltiroedd o gefnfor yn curo'n ysgafn ar ein gruddiau.

Bwriadem gyrraedd Glengariff ('glyn garw') cyn nos; hwn yw un o'r lleoedd enwocaf am ei harddwch yn holl Iwerddon.

Ar gainc o Fae Bantry y saif Glengariff yntau, ond bu raid dringo a disgyn eto cyn cyrraedd yno, sef croesi'r gefnen o ddyffryn un afon i'r llall. Gwlad wyllt, fynyddig, fel Eryri, oedd o'n cwmpas ar bob llaw. Wrth inni fynd i fyny gallt yn araf, dyma ni'n cyfarfod â dwy eneth o ddeg i ddeuddeg oed yn cerdded ar hyd y ffordd galed, a'r ddwy yn droednoeth. Nid oedd golwg dlawd arnynt o gwbl; gwisgai'r ddwy ffrogiau heirdd trwsiadus, o liw glas golau, tebyg i'r dillad fydd gan enethod Cymru i fynd i'r Ysgol Sul yn yr haf. Daethom yn ddigon cynefin â gweld plant yn cerdded yn droednoeth yn ystod ein taith yn Iwerddon. Cyn cyrraedd Corc, gwelsom fechgyn yn chwarae pêl mewn cae (rhywbeth a edrychai yn debyg i *rounders*), ac yr oedd y rheiny'n droednoeth. Ar y ffordd fynyddig i lawr am Kenmare, gwelais ddau hogyn yn dyfod â llwyth o dail o'r cae mewn trol a mul, a throednoeth oedd yr un a ddaliai ben y mul. Rhwng Foynes a Limerick, cawsom wersylla mewn cae yn agos i ffarm lle'r oedd llawer o blant; mynnai un ohonynt gael cario'r llefrith inni, am fod arni eisiau gweld ein pabell, a cherddodd ar draws y cae yn droednoeth. Nid oedd arni ddim o ofn yr ysgall, meddai hi.

Safai coed uchel rhyngom a Glengariff wrth inni ddynesu ato. Yr hyn a erys ddyfnaf yn fy nghof i am y daith hon ydi beicio i lawr gallt serth iawn o dan y coed, a gweiddi ar y plant bob dau funud am iddynt gadw yn araf, a dal eu gafael yn dynn yn y breciau. Petruso braidd a fyddai hi'n ddiogelach inni gerdded i lawr ai peidio. Yn y gwaelod, dyma gyrraedd Glengariff, a mynd heibio i lawer o westai mawrion gwych, a cherbydau motor a allai fod yn eiddo i filiwnyddion. Y mae Glengariff erbyn hyn yn gyrchle ffasiynol, a llawer o gyfoethogion o Brydain ac America yn ymgasglu yma bob haf, ac ariangarwch, y mae arnaf ofn, yn bygwth andwyo ysbryd hynaws y trigolion.

Yr oedd yn hwyrhau erbyn hyn, ac ni chaem weld y lle yn ei ogoniant tan yfory. Ymgasglai nifer o gychwyr mewn un man, a chyfarwyddodd un ohonynt ni at le i babellu, ar gyrion y pentref. Addawodd wylied amdanom yn y bore, mewn gobaith am inni logi cwch ganddo, ac yr oedd arnom braidd flys i wneud hynny.

Cawsom babellu mewn cadlas fechan, ar godiad tir o'r ffordd, a gwair odanom i orwedd arno. Cyn inni osod ein pabell i fyny, rhybuddiodd yr hen ŵr ni yn daer rhag smocio a thanio matshis. Buom yn sgwrsio cryn dipyn ag ef yn y bore, hen ŵr heini dros ei bedwar ugain oed, y fo'n siarad Gwyddeleg â ni, a ninnau'n siarad Cymraeg ag yntau. Pan soniasom am Gymru wrtho, gofynnodd ai rhywle yn agos i Lundain ydoedd. Rhodiai o amgylch yn llewys ei grys, a het fawr lydan yn cysgodi ei ben rhag yr haul, ac yr oedd yn brysur iawn gyda'r cynhaeaf gwair.

Ar y ffordd tua glan y môr, gwelsom lawer o fustych ar eu taith i ffair Bantry, a'r gwŷr yn eu gyrru. Daeth y cychwr i'n cyfarfod – yr oedd wedi ein rhybuddio neithiwr rhag y cychwyr eraill, y buasent fel cigfrain, yn barod i dynnu ein llygaid o'n pennau er mwyn ein hennill yn gwsmeriaid iddynt hwy. Cymerodd ni ar y dŵr, a'n rhwyfo rhwng y lliaws ynysoedd oedd yno. Cymeriad digon diddan ydoedd, at ei gilydd, er y buasai'n dda gennyf petasai'n tewi weithiau. Fe'i galwai ei hun 'The Bard of Glengariff' a chynigiai gyfrol o'i farddoniaeth ar werth. Dangosodd lythyr gweddol hir a gawsai oddi wrth Bernard Shaw, hwnnw'n diolch iddo am ei gwmni a'i wasanaeth. Yr oedd ganddo syniad lled uchel am ei bwysigrwydd ei hun, ac mi debygwn mai cymydog digon cecrus ac anodd dygymod ag ef fyddai.

Rwy'n anobeithio medru disgrifio harddwch y lle hwn, a hyfrydwch yr awr neu ddwy a dreuliasom yn y cwch. Nid yw'n rhyfedd yn y byd fod awduron ac eraill yn ei foliannu, a'i alw'n 'baradwys'. Mewn hinsawdd dyner, lle tyf cyflawnder o bob gwyrddlesni, ceir bae cysgodol yn llawn o fân ynysoedd creigiog, coediog, fel gemau wedi eu gosod mewn saffir. Ond buasai'n well gennyf pe cawswn ei weld gan mlynedd yn ôl yn ei lendid naturiol, cyn i'r torfeydd heidio yno. A phetaswn yn adnabod y lle yn ddigon da, carwn heddiw i'r plant a minnau gael hwylio'r bae yn ein cwch ein hunain, wrth ein pwysau, a chrwydro'r ynysoedd, a gorweddian yno yn yr haul, a threulio dyddiau felly, yn lle gorfod prysuro ymaith ymhen ychydig oriau.

Pennod 17

Kenmare

Gadawsom Glengariff tuag amser cinio, a chael bwyd ar lan ffrwd fynyddig yng nghanol coed ryw filltir neu ddwy tu allan. Dringo wedyn am chwech neu saith milltir – ffordd dda, a gallem feicio ar hyd-ddi ar brydiau – ac wrth ymdroi ac edrych yn ôl, gwelem olygfeydd mor ardderchog o brydferth, mi gredaf na all yr un ohonom byth eu hanghofio.

Odanom yr oedd panorama gwych – Bae Glengariff a'r ynysoedd gwyrddion, paradwysaidd ar ei fron ddisglair, a'r môr glas yn ymestyn i'r dde a'r aswy oddi wrtho; Bae Bantri oedd hwn, a llinell faith y tir yn codi ohono yr ochr draw. Yn nes atom, yr oedd coedwigoedd tewfrig, a phennau'r coed yn edrych yn debyg i glustog o fwsogl bras; bron na allwn fy ngweld fy hun yn gawr anferth yn gorweddian arno. Codi a chodi yn uwch o hyd ar hyd y ffordd droellog, a'r mynyddoedd o'n cwmpas ar bob tu, a dal i sefyllian ac edrych yn ôl mewn mwynhad, nes o'r diwedd ddyfod tro yn y ffordd yn agos i ben yr allt, a chau'r cwbl oddi wrthym. Er hardded ydoedd Glengariff yn ei ymyl yn y bore, yr oedd yr olwg a gawsom arno o bell yn ystod y milltiroedd olaf hyn yn anhraethol harddach.

Rhoddai gweithwyr wyneb newydd ar y ffordd yn y tro lle y collasom olwg ar Glengariff, ac yr oedd gennym dros filltir o daith wedyn i ben y brig. Ffordd wastad, fwy na heb, weithiau ar i lawr dipyn, ac yna codi drachefn. Ar y chwith inni, ymagorai ac ymganghennai cymoedd eang heirdd, fel Dyffryn Maentwrog neu Nant Gwynant, gan ymestyn draw i'r pellter. Ar ein cyfer, ar draws y glyn, gwelsom lynnoedd tywyll mewn hafnau crynion, yn uchel, uchel yn y mynydd.

Trwy dwnnel dros ganllath o hyd y rhedai'r ffordd o un ochr i'r mynydd i'r llall, o Sir Gorc i Sir Kerry, a thoc daethom i olwg hwnnw, a chroes farmor ar y brig uwchben, a nifer o bobl yno'n cerdded o gwmpas. Cyn cyrraedd ato, dyma eistedd ar y llechwedd am bryd o fwyd, a bustych cochion yn pori ac yn prancio rhwng y grug, a nant y mynydd, â'i mân bistylloedd a llyn bach gloyw wrth droed pob un, yn sisial ganu wrth fynd heibio, a ninnau'n gwneud diod lemon o'r dyfroedd. Ar ochr y ffordd, y tu yma i'r twnnel, yr oedd y gwrych yn goed fuschia am ddegau o lathenni.

Ac yn awr, dyma'r twnnel o'n blaenau, yn dywyll y tu mewn, ond bod golau dydd i'w weld trwyddo. Diferai'r to, ac yr oedd y ffordd anwastad yn llynnoedd dwfr yma a thraw. Nid oedd dim amdani ond anelu am y golau, ac osgoi'r pyllau dwfr orau y gallem. A dyma ni allan yr ochr arall i'r mynydd, a'r ffordd o'n blaenau yn mynd ar i lawr drwy ddau neu dri o dwnelau bychain diniwed ar ochr y llechwedd, a gwlad braf yn ymagor gerbron ein llygaid ar y dde sef dyffryn afon Sheen, a mynyddoedd newydd, dieithr, yn y pellter tu draw iddo. Ar i lawr â ni bellach am filltiroedd lawer, i lawr ac i lawr, a'r beic yn mynd ei hun heb fawr o ddim i ni i'w wneud ond llywio a brecio.

Wedi beicio ar hyd ychydig o dir gwastad o dan goed yn y gwaelod, dyma ni'n cyrraedd cainc arall o'r môr, tebyg i Fae Bantri. Bae Kenmare oedd hwn, ond 'Afon Kenmare' y'i gelwir ef. Daethom yn fuan i Kenmare (sef, o'i gyfieithu 'pen môr), pentref o lai na mil o drigolion. Yr oedd yn dechrau nosi erbyn hyn, a dyma droi i siop fechan, oedd yn llythyrdy hefyd, i brynu bwyd a stampiau. Ymhlith pethau eraill, cawsom focs o gaws, chwarter pwys wedi ei rannu'n chwe darn fel cynion, am dair ceiniog. Chwecheiniog ydi pris bocs felly yn y wlad hon.

Caws Iwerddon ydoedd hwn, wedi ei wneud yn Hufendy Mitchelstown, Sir Gorc. Sylwais fod y Gwyddyl yn gwerthu cryn dipyn o nwyddau cartref. Yr wyf wedi sôn o'r blaen am ffisig annwyd Mr Corrageen, a brynais yn Arklow. Gwelais 'Shamrock Petrol' ar werth yn Enniscorthy; ac yn Bellangeary prynais baced o bapur ysgrifennu ac amlenni wedi eu gwneud yn Iwerddon, 'genuine Irish parchment', a llun Croes Geltaidd o'r 10fed ganrif tu allan.

Petasem wedi dilyn y rhaglen a drefnwyd inni gan y CTC, canlyn glan y môr a wnaethem o Kenmare, nes cyrraedd y cefnfor agored ryw bum milltir ar hugain i ffwrdd; yna troi i'r gogledd ac amgylchu'r trwyn tir sydd rhwng afon Kenmare a Bae Dingle – taith oddeutu tridiau i gyd. Y mae'n sicr y buasai hon yn siwrnai wyllt a difyr dros ben, a chawsem basio drwy bentref Cahersiveen, lle y ganed Daniel O'Connell, arweinydd mawr y Gwyddyl yn Senedd Prydain tua chanol y ganrif o'r blaen. Ond nid da rhy o ddim, a theimlo yr oeddem er cyn cychwyn fod gennym ddigon o daith fel yr oedd hi.

Yng Ngorllewin Iwerddon, Sir Gorc a Sir Kerry, siaredir yr iaith Wyddeleg yn gyffredin gan y bobl. Ni lefarodd Daniel O'Connell yr un iaith ond honno pan oedd yn fachgen bach yn Cahersiveen. Clywsom ddigon o bobl yn siarad yr iaith yn ystod yr wythnos y buom ni yn y parthau hyn. Cyfarchai gweithwyr ei gilydd yn y Wyddeleg ar y ffordd yn union fel y bydd gweithwyr Cymru yn galw 'Bore da' ar ei gilydd. Ceir enwau Gwyddeleg, 'Cill Airne' yn lle Killarney, er enghraifft – ar y pyst cyfeirio, 'Botar ar Deis' neu 'Cie' am 'Tro i'r Dde' neu'r 'Chwith', a 'Bosca da Leitriac' ar y pyst llythyrau. Ond pan oedd ar Gyngor Sir Corc eisiau hysbysu'r ffermwyr am reolau dipio defaid, yn Saesneg yr argraffwyd yr hysbyslenni iddynt hwy.

Yn ein blaenau yr aethom ni o Kenmare ar hyd ffordd Killarney. Croesi'r mynydd fyddai raid inni, fel y gwnaethom eisoes o Glengariff, ond ni allem groesi cyn y bore. Toc, teimlem ei bod yn hen bryd chwilio am le i babellu, rhag inni ddringo'n rhy uchel, ac o gyrraedd y ffermydd. Daethom i olwg tŷ ac ychydig adeiladau o'i gwmpas, a hysbysiad ar bostyn i ddweud mai ffatri frethyn oedd yno. Trois i ofyn a wyddent am ffarm yn ymyl lle y caem godi'n pabell, a dyma'r wraig yn dweud bod croeso inni babellu yn un o'i chaeau hi. Nid oeddwn wedi meddwl bod caeau'n perthyn i'r lle, ond gwelais wedyn fod yno feudy bychan.

Prynais lefrith, a chefais fenthyg piser i gario dŵr o'r ffynnon; dangosodd y wraig y llwybr a arweiniai ati. Ar hyd llechwedd fwsoglyd, gorsiog, yr ochr uchaf i'r ffordd, yr oedd yn rhaid cerdded yno, a chael hyd iddi o dan gysgod criafolen hardd. Cloddiau cerrig mynyddig oedd o boptu i'r ffordd, ac aethom dros y clawdd i'r cae yr ochr isaf, i wersyllu yng nghysgod llwyn drain. Rhedai afon gref ryw ddau can llath oddi wrthym, a seiniai ei chân yn ein clustiau drwy'r nos.

Yn y bore, dyma dalu am y llefrith, ond ni chymerai'r wraig ddim am le i babellu. Gwraig weithgar, a chymeriad cryf, talcen da, a digon o led rhwng y llygaid. Yr oeddwn wedi gweld bachgen bach o gwmpas y buarth, a gofynnais a gawn i roddi rhywbeth iddo ef. 'O na,' meddai hithau, 'dydi o ddim wedi gwneud dim byd i chi' gan edrych arnaf gyn sythed â bwled. Ac yna ychwanegodd yn ddigon caredig, 'Fyddwn ni byth yn cymryd tâl am wersylla yn y parthau yma.'

Pennod 18

Killarney

I fyny'r mynydd yr aethom o Kenmare, ar hyd y ffordd tua Killarney, heb ddim neilltuol yn digwydd. Pan ddaru ni gyrraedd pen y mynydd, nid trwy dwnnel yr oedd yn rhaid mynd y tro hwn, ond trwy fwlch a dorrwyd yn y graig – 'Yr Adwy Wynt' (Windy Gap) y gelwid ef. Wedi mynd trwyddo, ymagorai gwlad eang o'n blaenau, a mynyddoedd yn ei hamgylchynu. Dyma ffatri frethyn eto ar fin y ffordd yn ymyl, a gwelsom ambell un arall yn ystod y dyddiau hyn. Yn y ffatri gyntaf yn y bore, hongiai llawer o gnuau gwlân oddi ar y lein, ond yn y ffatri hon, darnau o frethyn, *tweeds*, oedd yn hongian, a rygiau mawr plod. Ni synnwn i ddim nad oes ryw gymdeithas yn ceisio atgyfodi'r hen ddiwydiannau gwledig yng Ngorllewin Iwerddon, ac efallai eu bod yn disgwyl i ymwelwyr ariannog roddi eu bryd ar frethyn cartref.

Troesom ar y dde ar i lawr, a chyn hir gorffwyso i gael 'cinio' ar lan ffrwd fynyddig. Ysywaeth, yr oedd ein hymenyn, a phopeth arall bron, wedi darfod amser brecwast, ac nid oedd gennym ddim i'w fwyta na'i yfed ond bara a chaws a dŵr. Gwnaethom ein gorau â'r rheini; yr oeddynt gystal â gwledd mewn lle fel hwn. Draw o'n blaenau, dyrchafai'r mynyddoedd eu pennau, y mynyddoedd sy'n amgylchu Killarney – yn arbennig McGillicuddy's Reeks, a'r pigyn, Carrantuohill (Cairn Toul), 3,414 troedfedd o uchder, y mynydd uchaf yn Iwerddon. Buom yn syllu llawer ar y mynydd ardderchog hwn, ac yn methu â chael golwg hollol glir ar ben Carrantuohill, gan fod cwmwl ysgafn yn hofran drosto, fel y dukkeripen a welodd Sinfi Lovell ar ben yr Wyddfa gynt.

Cof gennyf ddysgu am McGillicuddy's Reeks yn y wers ddaearyddiaeth pan oeddwn yn hogyn ysgol; yr oedd rhywbeth yn ddigrif yn yr enw. Wrth edrych arnynt, meddyliais am y stori a glywais yr adeg honno am gamp hen saethwr Cymreig, y dywedir amdano mai ef oedd y gorau am drin bwa a saeth yn yr holl wlad.

Yr oedd aderyn yn sefyll ar ben McGillicuddy's Reeks, medden nhw, a'r saethwr yn anelu ato o Ogledd Cymru, ac fe saethodd mor fedrus nes bod y saeth yn taro'r aderyn yn ei goes, a gwahanu rhwng y gewyn a'r asgwrn.

Cefais hyd i'r stori hon wedi hynny yn un o'r 'Areithiau Prôs' a oedd mor boblogaidd yn yr Oesoedd Canol; ceir hi mewn llawysgrif a sgrifennwyd o leiaf dair canrif a hanner yn ôl. Sonnir ynddi am Fydr vab Mydrydd, 'y gŵr a vedrodd saethu a tharaw y dryw drwy ieuyn i ddwygoes o Gaenoc yn nyffryn Klwyd hyd yn Esgair oervel yn y Werddon.' Ceir ffurf arall ar y stori yn Llyfr Coch Hergest, sydd dros saith gan mlwydd oed.

Ar un ochr i'r mynyddoedd uchel hyn, yr oedd bwlch dwfn, sêl 'Bwlch Dunloe' (The Gap of Dunloe), un o'r lleoedd prydferth y bydd llawer o gyrchu iddynt gan ymwelwyr.

Buom yn meddwl am fynd drwy Fwlch Dunloe mewn jaunting car, ond dyma ddarllen mewn rhyw lyfryn fod y llwybr drwyddo yn rhy arw i gerbydau, ac mai yn brin y gallai beicwyr gerdded y ffordd honno, a bod y ffordd o Killarney ac yn ôl dros ddeng milltir ar hugain. Deallaf yn awr fod y llyfryn hwnnw wedi gorliwio cyflwr y ffordd yn ddirfawr, ond nid oedd yn ddrwg iawn gennym gael esgus dros adael y rhan hon o'r daith allan, gan fod y cartref yn dechrau tynnu.

Wedi gorffen cael bwyd, yng ngolwg Bwlch Dunloe, dyma ailgychwyn ar i lawr. Cyn hir daeth y ffordd yn ddigon agos i'r ymyl inni fedru gweld y llynnoedd. Dyma gerdded dros ychydig o rug a cherrig, ac edrych i lawr i'r dyffryn oedd ar y chwith rhyngom a McGillicuddy's Reeks. A dyna lle'r oedd y llynnoedd yn llenwi'r dyffryn am filltiroedd lawer, yn annisgrifiadol o dlws. Yr olygfa harddaf o'r fath a welswn i hyd yn hyn oedd Llyn Padarn yn Eryri, oddi ar y llechwedd islaw Dinorwig; rhyw ddarganfyddiad a wnaethom ein tri drosom ein hunain un prynhawn Sadwrn oedd hwnnw. Anodd, mi gredaf, fyddai cael un lle harddach nag ef yn yr holl fyd, ond yr oedd yr olygfa heddiw yn llawer ehangach beth bynnag, ac yn werth teithio cannoedd o filltiroedd i'w gweld. Fe'm hatgoffai o luniau a welswn o lynnoedd Gogledd yr Eidal, wrth droed mynyddoedd yr Alpau. Dygai'r olygfa swynol enwau meddal fel Lugano ac Interlaken i'm meddwl.

Meddyliwch amdanom yn sefyll ar fin y dibyn grugog uwchben y tri llyn, y mynyddoedd uchel, serth, coediog yn ein hwynebu yr ochr draw, yr heulwen 'yn gynnes fel serch dros y byd' chwedl W. J. Gruffydd, ac odanom y gemau paradwysaidd hyn, yn las ac yn loyw, a'r ynysoedd gwyrddion yn codi ohonynt, a'r dwfr yn adlewyrchu llun y mynyddoedd a'r ynysoedd yn ei ddyfnderoedd tawel. 'Beauty's home, Killarney' meddai'r gân. Digon gwir.

Ymdroesem lawer gwaith ar y ffordd i lawr i gael golwg ar y llynnoedd o safleoedd gwahanol, ac yr oedd yn rhaid cerdded weithiau, am fod y ffordd mor ddrwg. Mynd heibio i ambell drofa neu hysbysiad oedd yn cyfeirio at Raeadr Torc neu Fynachlog Muckross, neu rywle nodedig arall, ond yn ein blaenau yr aethom ni. Tyfai pob math o wyrddlesni yn agos i waelod y dyffryn, gan gynnwys llawer o lysiau dieithr, ac o'r diwedd dyma gyrraedd y pentref. Troi i'r llythyrdy i holi am lythyrau, ac yna ar ein hunion am westy – yr oedd eisiau bwyd arnom.

Dewisodd Ffion a minnau gael ham oer, ond yr oedd Arial yn fwy anodd i'w blesio. Awgrymodd y wraig iddo naill beth ar ôl y llall, ac yna cynigiodd rywbeth na ddeallais yn iawn beth ydoedd y tro cyntaf na'r ail (swniai yn debyg i 'Russian eggs') ond o'r diwedd deallais mai gofyn yr oedd a gymerai ef 'rasher 'n eggs'. 'The very thing,' gwaeddais innau yn orfoleddus (cofiwch am y bara a chaws a dŵr ar ben y mynydd), a dyma ordro ham ac wyau inni ein tri.

Tra bu'r wraig yn paratoi'r bwyd, cawsom gyfle i ymdrwsio. Y fath amheuthun oedd cael ymolchi unwaith eto mewn dŵr cynnes, a thrin ein gwalltiau mewn drych oedd yn fwy na drych poced. A chyn hir dyma'r bwyd ar y bwrdd. Buasai'n werth i chi weld wyneb Ffion pan ddaeth y wraig i mewn â dau wy bob un ar blatiau Arial a minnau, a'i phlât hi heb ddim ond un wy arno. Haws fyddai ganddi ddygymod â thri! Yr oedd blas ar gwpanaid o de ar ôl teithio drwy'r gwres, a chyn inni roi'r gorau iddi yr oedd pob peth wedi ei glirio oddi ar y bwrdd, y bara, yr ymenyn, a'r jam, a'r cwbl. Wedyn, ymdroi i orffwyso a sgrifennu ar bostgardiau, a diogi tipyn cyn troi allan.

Pan aethom i dalu ein bil, dau swllt y pen oedd y gost i gyd. Os dymunech chwithau gael bargen gyffelyb, dyma'r cyfeiriad – Spillanes, Killarney; ond cofiwch fod yn rhaid i chwi fod wedi eich hanner-llwgu fel ninnau i brofi llawn werth y fargen.

Pennod 19

Inchinwyma

Tref fechan o siopau a gwestai ydi Killarney, a chanddi oddeutu 6,000 o drigolion. Ysgrifennir yr enw yn 'Cill Airne', neu 'Cill Aerneadh', yn yr iaith Wyddeleg; mi ddarllenais mai 'eglwys yr eirin perthi' ydi ei ystyr – neu 'eirin tagu', chwedl plant Sir Gaernarfon.

Ac yn awr, dyma ddyfod at y peth rhyfedd iawn a ddigwyddodd ynglŷn â'n hymweliad â'r lle hwn. Pan oeddem yn trefnu i ymweld ag Iwerddon, ar Killarney y rhoesom ein bryd yn arbennig am ein bod wedi clywed cymaint o sôn am ei harddwch ac eto, wedi inni gyrraedd yno, aethom drwodd heb aros dim ond amser i gael bwyd. Pam tybed? Wel, nid am ein bod wedi ein siomi, y mae hynny'n ddigon siŵr, ond yr oedd cartref yn tynnu, ac yr oeddem eisoes wedi gweld y llynnoedd yn eu gogoniant – dyna'r peth pwysicaf yn Killarney. Fe gymerai ddyddiau i weld holl olygfeydd enwog y lle. Nid oedd gennym galon i gychwyn ar dasg mor fawr. Cerddasai'r prynhawn ymhell pan ddaru ni gyrraedd yno, ac wedi inni gael bwyd, a'r haul erbyn hyn wedi suddo'n isel yn yr awyr, ni fyddai dim yn werth i'w weld y noswaith honno. Beth am fynd yn ein blaenau ar ein hunion, ynteu?

Edrychai Ffion ymlaen at fod gartref cyn diwedd y mis, i wybod a oedd hi wedi llwyddo ai peidio yn Arholiadau *Higher* y Bwrdd Canol Cymreig; efallai y cyhoeddid y rhestr ar ddydd Sadwrn olaf y mis, Awst 26. Yn ôl ein rhaglen, dydd Mawrth y cyrhaeddem adref, ond dyma ni wedi ennill diwrnod trwy beidio â mynd trwy Fwlch Dunloe a golygai hynny gyrraedd Dulyn fore dydd Sul, pan fyddai pob man wedi ei gau. Ni thalai hynny ddim. O'm rhan fy hun, rhoeswn fy mryd yn ddistaw bach, heb sôn wrth y plant, ar lanio adref ddydd Sadwrn, sef ymhen wythnos. Ymlaen â ni felly, y nos Sadwrn honno, o Killarney a hwylio ein camre i gyfeiriad Tralee.

Gwelsom arwyddion fod yr IRA ar waith yn y rhan hon o'r wlad. Hwy ydi'r bobl a fu'n gwneud cynnwrf a difrod yn y wlad hon yn ddiweddar, ac yn Iwerddon yr un modd, y bobl a fynnai gael Iwerddon yn gwbl annibynnol ar Brydain a'i brenin, ac sy'n anfodlon o achos darfod ei gorfodi i dderbyn telerau Prydain pan roddwyd ymreolaeth iddi. Gwrthwynebant yn chwerw rannu Iwerddon yn ddwy ran – 'The Partition', fel y galwant ef. Dyma rai o'r lliaws brawddegau a welsom wedi'u hargraffu mewn gwyngalch ar lawr y ffyrdd ac ar y waliau: 'England is the Enemy', 'Treason to the IRA will be punished by Death', 'Wear the Lily, Smash Partition', 'Wear an Easter Lily, Remember Ireland's Dead' a llun y lili wen wedi ei dynnu ynghanol y geiriau.

Fe wnaeth y 'Black and Tans' ddinistr mawr yng Ngorllewin Iwerddon yn ystod yr Helynt o 1920 hyd 1922. Gwelsom lawer iawn o weddillion tai ac adeiladau eraill a losgwyd i'r llawr yr adeg honno yn aros yn gofgolofnau i'r difrod. Nid oes amheuaeth nad oes gan lawer o'r bobl ryw ddirgel-gydymdeimlad â bechgyn yr IRA, er iddynt anghymeradwyo eu gweithredoedd. Mewn ymddiddan â hwn a'r llall, clywais rai'n dweud eu bod yn ofni i ddigofaint yn eu herbyn gadw ymwelwyr o Loegr rhag dyfod i Iwerddon ar eu gwyliau – rheswm go sâl – ond teimlant tuag atynt mi gredaf, rywbeth yn debyg i'r modd y teimlai'r Cymry at y cenedlaetholwyr a roes yr ysgol fomio ar dân yn Llŷn beth amser yn ôl.

Wedi mynd ymlaen rai milltiroedd, gwelsom Groes Geltaidd ar ochr y clawdd pridd ar y chwith, wedi'i chodi er cof am 'Michael O'Ryle, who died for the Republic', ar ryw ddydd yn 1922. Yr oedd dwy eraill ar yr ochr arall i'r ffordd ychydig lathenni ymhellach ymlaen. Rhaid bod ysgarmes wedi digwydd yma rhwng y Gwyddyl a'r milwyr, a bod rhai o'r Gwyddyl wedi'u lladd. Daeth dyn ifanc i gyfarfod â ni ar feic ac wrth fynd heibio i'r croesau, tynnodd ei gap.

Gwelsom gae gwair gwastad ar ochr y ffordd, a rhywun yn llwytho'r das. Barnem fod yno le i babellu ac wedi inni alw yn nrws y ffarm, anfonwyd ni i'r cae i ofyn am ganiatâd y ffarmwr. Cawsom hwnnw'n ddigon rhwydd a digonedd o wair i orwedd arno – taenodd y ffarmwr ef ar lawr â'i bicfforch. Cefais gryn dipyn o sgwrs â'r ffarmwr hwn y noswaith honno ac yn y bore.

Clamp o ddyn cryf ydoedd, wedi troi canol oed, ac wyneb crwn siriol ganddo – gŵr hoff o siarad, ac yn cymryd diddordeb mewn gwleidyddiaeth, fel pob Gwyddel os gwir y stori. Anghymeradwyai weithredoedd yr IRA am eu bod yn gweithredu o'u pennau eu hunain; yr oedd gan Iwerddon ei llywodraeth i lefaru drosti erbyn hyn, a chan honno yr oedd yr hawl i roddi llais i gwynion y genedl. Yr oedd ganddo, er hynny, ddwy gŵyn yn erbyn 'Lloegr', a theimlai yn ddigon chwerw o'u herwydd, sef pwnc y Blwydd-Daliadau Tir a phwnc Talaith Ulster.

Rai blynyddoedd yn ôl, am fod y Gwyddyl a'u landlordiaid yn methu â chytuno â'i gilydd, rhoes Llywodraeth Prydain fenthyg miliynau o bunnau i helpu'r ffermwyr Gwyddelig i brynu eu ffermydd gan orfodi'r landlordiaid i'w gwerthu. Telid yr arian yn ôl yn daliadau blynyddol, a phan arwyddwyd y Cytundeb yn 1922 i sefydlu'r Dalaith Rydd (Eire) yn Iwerddon, cytunwyd i dalu'r Blwydd-Daliadau hyn yn rheolaidd i Lywodraeth Prydain nes talu'r cwbl. Gwrthododd yr Arglwydd De Valera barhau i'w talu, ac aeth yn ymrafael rhwng y ddwy wlad. Dadleuwyd bod yn deg i'r Gwyddyl dalu'r arian a roes Llywodraeth Prydain ar fenthyg iddynt, ond dadleuent hwy, ar yr ochr arall, mai landlordiaid Seisnig oedd wedi dwyn y tir oddi arnynt ac os oedd ar 'Loegr' eisiau digolledu disgynyddion y landlordiaid hynny, y dylai wneud ar ei chost ei hun. Pan ddadleuir y dylent gadw y Cytundeb a arwyddwyd ganddynt yn 1922, etyb De Valera ei fod wedi gwrthod arwyddo, a bod y lleill wedi arwyddo am fod Prydain Fawr yn bygwth rhyfel os gwrthodent, megis y bydd dyn yn addo rhywbeth i leidr pen ffordd â gwn yn ei law; ac y mae hynny'n hollol wir, ond nid y gwir i gyd ydyw. Pa beth bynnag a fo'n barn am ddadleuon y Gwyddyl, y mae'n ffaith eu bod hwy wedi cynnig i Lys Barn Gydwladol, neu ryw lys arall, dorri'r ymrafael a bod Llywodraeth Prydain wedi gwrthod y cynigiad.

Cwynai'r ffarmwr yma hefyd yn erbyn 'Partition', sef yn erbyn i Dalaith Ulster fod o dan lywodraeth wahanol i Lywodraeth Eire. Y mae ar y Gwyddyl eisiau gweld Iwerddon yn un wlad gyfan, debyg iawn. Dywedais wrtho fy mod yn credu'n siŵr y buasai pawb ym Mhrydain yn falch iawn o weld y Gwyddyl oll yn dyfod i gytundeb heddychlon â'i gilydd, ond ni fynnai ef gredu hynny am y Saeson. Dadleuais na fyddai'n deg gorfodi pobl Ulster i ymuno â'r Dalaith Rydd yn erbyn eu hewyllys, ddim mwy nag yr oedd yn deg gorfodi'r Gwyddyl i berthyn i Lywodraeth Prydain Fawr. Cytunodd â hynny, ond haerodd y byddai'n hawdd iddynt hwy ddyfod i gytundeb â phobl Ulster petai Lloegr yn peidio ag ymyrryd; fod honno'n cyfrannu miloedd lawer o bunnau bob blwyddyn tuag at Gyllid Ulster, er mwyn ei breibio i gadw ar wahân. Ni allwn wadu ei ffeithiau, ond teimlwn fod y casgliadau a dynnai oddi wrthynt yn afresymol braidd. Bûm yn chwilio i mewn i'r mater ar ôl dyfod adref, a theimlo yr wyf yn awr fod y ffarmwr yn gwybod mwy am y pwnc nag a wyddwn i.

Aethom i sôn am yr iaith Wyddeleg. Medrai yntau ei siarad, ond ni theimlai gymaint o ddiddordeb yn niwylliant y genedl ag yn ei gwleidyddiaeth. Dywedais wrtho ein bod ni yng Nghymru yn glynu wrth ein hiaith, am ei bod yn ein helpu i deimlo mai ni'n hunain oeddem, ac nid rhywun arall. Soniais am gyfoeth llenyddol yr iaith, a sylwais ein bod ni'n fwy ffodus na'r Gwyddyl yn hyn o beth, gan mai yn Saesneg yr ysgrifennai eu llenorion hwy. Ac ar y gair, mi gofiais am Pearce Beasley a'i gyfoedion, fydd yn canu yn yr Wyddeleg, a dechreuais sôn wrth y ffarmwr am y cyfieithiadau o'i waith i'r Gymraeg a wnaethai'r Athro T. Gwynn Jones. Toc, fe wawriodd ar ei feddwl at bwy yr oeddwn yn cyfeirio. 'O,' meddai, 'Pearas Beaslai ydech chi'n feddwl' (gan roddi'r enw yn ei ffurf Wyddeleg) ac yna ychwanegodd, â balchder yn ei lais, 'Un o Kerry oedd o' ('He was a Kerry man'). Ac fe gynhesodd fy nghalon ato wrth weld ei fod yntau yn caru ei fro ei hun, ac yn ymfalchïo ynddi. Y mae'r teimlad hwnnw'n fwy cywir a gwreiddiol na'r gwladgarwch sentimental, ymfflamychol, fydd yn ei borthi ei hun ar gasáu a dirmygu cenhedloedd eraill.

Gofynnais iddo beth oedd enw'r lle yr oedd yn byw ynddo, ac atebodd 'Inchinwyma'. Dywedodd mai 'dôl y dail mefus' oedd ystyr yr enw. Gobeithio ei fod yn iawn; y mae'r esboniad yn rhy dlws i beidio â bod yn wir.

Pennod 20

Ballybunnion

Bore Sul yn Inchinwyma, bu raid inni aros braidd yn hir i gael gafael ar rywun o'r teulu cyn cychwyn i ffwrdd. Wedyn, ymlaen ar hyd ffordd Tralee. 'Traeth Li' ydi ystyr yr enw, meddir; sonnir mewn hen lawysgrif am 'Draeth Li fab Dedad'. Fel y nesaem at y lle, cofiai'r plant am gân boblogaidd, 'The Rose of Tralee', a chofiwn innau am y ffatri gig moch oedd yno, wedi'i hadeiladu gan y Gymdeithas Gydweithredol Seisnig (y CWS) dros drigain mlynedd yn ôl.

Yr oedd olion prysurdeb cynhaeaf gwair ym mhob man, a sŵn y gwylanod i'w glywed uwchben y meysydd. Er pan ddaethom i gyrraedd y môr y dyddiau diwethaf yma, distawodd cwynfan y sguthanod, a daeth clegar y gwylanod i gymryd ei le. Ffordd wledig dawel, a geifr a mulod a merlod yn pori'r cloddiau. Yr oedd yr anifeiliaid hyn yn gyffredin iawn ymhob rhan o Iwerddon, o ran hynny. Ar ganol y ffordd heddiw, gwelsom ddau ful bach yn llyfu gwarrau ei gilydd, ac aethom heibio heb aflonyddu dim arnynt. Yr un dydd, os wyf yn cofio'n iawn, safodd hen hwch fawr, hir, ar draws y ffordd, heb adael dim ond prin ddigon o le inni fynd heibio ar ein beiciau rhwng blaen ei thrwyn a'r clawdd; ni symudodd blewyn arni, ac y mae'n amheus gennyf a ddarfu iddi gymaint â symud amrant.

Dyma gyrraedd Tralee, tref oddeutu maint Bangor, ac un o'r trefi mwyaf yng Ngorllewin Iwerddon. Yr oedd cryn dipyn o ôl adeiladu newydd yma, llawer o'r tai wedi ei gwneud o goncrit, a byngalos modern yn lled gyffredin yn y maestrefi. Strydoedd prysur ar fore Sul. Gwelsom ambell offeiriad ifanc yn cerdded yn hoyw yn ei siwt ddu, a dyma gyfarfod nifer o leianod yn eu cyflau duon a'u brestiau gwynion, a'u hwynebau cyn laned ag y medrai dŵr a sebon a phurdeb buchedd eu gwneuthur.

Troesom i lawr ffordd ddall ar y chwith i weld Neuadd y Sir.

Llosgwyd yr hen adeilad i'r llawr yn ystod yr Helynt, ac y mae adeilad gwych, urddasol, o dywodfaen lliw clared wedi ei godi yn ei le. Dyma gerdded o'i amgylch, ac yn ôl. Ar yr heol a arweiniai ato yr oedd cof-ddelw fawr, 'A godwyd gan Genedlaetholwyr Kerry i gofio dewrion 1798, 1803, 1848 a 1867, a'r Gwyddyl eraill a aberthodd eu bywyd a'u rhyddid tros Iwerddon.' Rhaid bod y ddelw hon wedi ei gosod i fyny cyn yr helyntion diweddar, ac y mae'n rhyfedd na fuasai wedi'i niweidio. Ar ochrau'r garreg sgwâr sydd yn ei chynnal, fe gerfiwyd darnau o areithiau rhai o arwyr rhyddid yn Iwerddon.

Geiriau Robert Emmet, a grogwyd am arwain Gwrthryfel 1803: 'Pan fo f'ysbryd wedi ymuno â'r lluoedd merthyri a gollodd eu gwaed, ar y crocbren neu ar faes y frwydr, wrth amddiffyn eu gwlad, hwn yw fy unig obaith – y bydd fy enw a'm coffadwriaeth yn ysbrydoliaeth i'r rhai a ddaw ar fy ôl'. Dyfynnir geiriau o eiddo John Mitchel, a alltudiwyd am arwain gwrthryfel yn 1848, blwyddyn y chwyldroadau yn Ewrop; a geiriau eraill a lefarwyd gan Allen, Larkin, ac O'Brien, tri a grogwyd yn Manchester yn 1867, am ladd plismon yn anfwriadol wrth geisio rhyddhau Kelly a Deasy, dau o'r Ffeniaid, ar eu ffordd i'r carchar. Y mae Iwerddon yn byw ar gofio hanes y gwŷr a gollodd eu bywydau yn ymladd drosti.

Wrth adael Tralee, arweiniai ein llwybr ni o'r briffordd, ac ar hyd ffordd gul, arw, er mwyn inni gael dilyn glan afon Shannon bob cam o'i haberiad yn y môr hyd Limerick. Gwelid llawer o adeiladau a ddinistriwyd yn yr Helynt yn aros yn furddunnod moelion hyd ochrau'r ffyrdd. Aethom heibio i Ardfert ('bryncyn y bedd'), lle y gwnaethpwyd peth niwed i hufendy yr adeg honno. Y mae ffermwyr Iwerddon wedi ymuno mewn cymdeithasau cydweithredol llwyddiannus iawn, a gwerthant eu llefrith i'w hufendai canolog eu hunain, lle y gwneir caws ac ymenyn ohono. Gwnânt werth dros filiwn o bunnau o fusnes bob blwyddyn. Llosgwyd tros ddeugain o'r hufendai hyn i lawr gan y 'Black and Tans' yn enwedig yn siroedd Kerry, Limerick a Tipperary.

Canlyn glannau gogleddol Bae Tralee yr oeddem, a chan fod y tir yn isel iawn mewn mannau, fel tir Holand, caem gipolwg drwy fwlch weithiau ar y môr, yn disgleirio cyn lased â saffir. Trodd cainc o'r ffordd tua'r chwith i bentref bychan Ballyheige, ar lan y môr; gwelsom ef yn ein hwynebu cyn dyfod ato, a'r tai'n ymddangos fel gwragedd yn gwisgo ffedogau gwynion.

Cawsem ginio ychydig cyn hyn, ond troesom i Ballyheige am stoc newydd o fwyd, ac am *ice cream*; yna cyfeirio tua'r traeth – neu'r *strand*, fel y gelwir ef yn aml yn Iwerddon. Dyma lan môr bach bendigedig, a llawer o bobl yn mwynhau prynhawn Sul yno. Nid dieithriaid o bell oeddynt, at ei gilydd, cyn belled ag y medrwn i farnu, ond pobl o'r ardal a'r cylch, er bod llawer o gerbydau motor wedi parcio gerllaw. Yng Nghymru, byddai llawer ohonynt yn yr Ysgol Sul ar brynhawn fel hwn, ond yma deuent yn lluoedd, yn wŷr, gwragedd a phlant i gadw gŵyl ar lan y môr. Yma y treuliasom ninnau ddarn go helaeth o'r prynhawn hwnnw, yn yfed awelon y môr, ac yn llosgi ein hwynebau yn yr haul, yn gwrando ar y bobl o'n cwmpas yn sgwrsio, a gwylied y plant yn chwarae ar y traeth. Ar draws y dwfr gwelem fynyddoedd gorynys Dingle, a dygent ar gof inni fynyddoedd yr Eifl uwchben Llanaelhaearn.

Aethom drwy lawer pentref o'r enw *Bally* heddiw – Ballymaquin, Ballyheige, Ballynaskreena, Ballyduff ('y dref ddu'), Ballyconry a Ballybunnion. Ffordd wledig, a pheth ohoni'n anghyfforddus o arw, nes ei bod yn boen teithio ar hyd-ddi. Yr oedd mor ddrwg nes penderfynu ohonom beidio â throi i'r chwith tua Ballybunnion yn ôl y rhaglen, ond mynd yn syth yn ein blaenau yn ôl y map, nes cyrraedd ffordd well. Eithr wedi inni ddyfod i Ballyconry, dyma ffordd dyrpeg braf yn cyfeirio tua Ballybunnion, ac ar hyd honno yr aethom. Yr oedd y ffordd yn orlawn o gerbydau motor a beiciau, a cherbydau eraill, yn teithio i'n cyfarfod wrth y cannoedd. Rhaid bod ffair neu gymanfa neu rywbeth yn Ballybunnion heddiw, ond fe fyddai'r cwbl drosodd cyn inni gyrraedd, yn ôl fel yr oedd pobl yn troi tua chartref.

Ar ôl swper, aethom am dro tua'r pentref, a chawsom olygfa a'n syfrdanodd bron. Pentref bach o ryw bum cant neu chwe chant o boblogaeth ydyw, ond yr oedd y strydoedd yn berwi o bobl yn gwau drwy'i gilydd fel ffair, a phob twll a chornel wedi ei lenwi â cherbydau motor, a llawer o'r rheini'n rhai mawr gorwych. O'm rhan fy hun, prin y gwn i'r gwahaniaeth rhwng Rolls-Royce ac Awstin Sefn, ond y mae'r cwbl gan Ffion ac Arial ar flaenau eu bysedd. Nhw ddywedodd fod llawer o'r ceir motor gorau a drutaf – 'Ford V8' gan mwyaf – ymhlith y rhai a barciwyd ar ochrau'r heolydd, ac ar bob clwt gwag. Yr oedd y tafarnau'n orlawn hyd i'r drysau, a phob sedd y tu allan wedi ei llenwi. Gwelsom ambell lanc â thipyn o effeithiau diod arno, ond nid ymddygai neb yn anweddus. Cynhelid dawns mewn neuadd fawr, a'r ticedi'n hanner coron yr un, a dylifai pobl wrth yr ugeiniau i mewn i honno.

Gwelais ddau o'r Civic Guard (plismyn) yn sefyll ar ochr yr heol, a throis atynt a gofyn beth oedd yn bod. Chwarddodd un ohonynt yn galonnog, ac yna gwenu o glust i glust. 'Dim byd,' meddai; 'Ballybunnion ydi'r lle yma' ('This is Ballybunnion'), fel petasai hynny'n egluro'r cwbl. 'Ydi hi fel hyn bob amser yma?' gofynnais yn syn. 'Bob nos Sul yn ystod tymor yr haf,' meddai, ac yna ychwanegodd y byddai'r tymor yn dod i ben ymhen wythnos neu ddwy. 'Ond o ble bydd yr holl bobl yma'n dŵad?' gofynnais wedyn. 'O'r holl wlad o amgylch,' meddai; 'bydd llawer ohonynt yn dŵad o gyn belled â Dulyn yn eu ceir motor.' Y mae Dulyn dros gant a hanner o filltiroedd i ffwrdd.

Aethom yn ein blaenau tua glan y môr, ac yr oedd yn dechrau tywyllu erbyn hyn. Tyrfaoedd yma eto, ac ar y penrhyn uwchlaw'r dŵr. Ymhell draw, ar drwyn o dir yn Connaught ar y dde, yr oedd goleuni goleudy'n fflachio. Penderfynu dod yma drachefn yn y bore. Bu raid inni gael cannwyll i fynd i'n gwelâu y noswaith hon eto.

Pennod 21

Afon Shannon

Wedi canu'n iach i'r ffarmwr caredig roddodd le inni wersylla, aethom i lan y môr yn Ballybunnion, a threulio darn o'r bore yno. Tywod melyn, môr glas, rhes o greigiau draw, a chesig gwynion yn neidio drostynt, heulwen gynnes ac awel. Yr oedd plant hanner noeth, a'u crwyn o liw'r tan, yn rhedeg hyd y traeth, ac yn ymdrochi yn nyfnderoedd Môr Iwerydd, a phobl mewn oed yn rhodianna, neu'n eistedd ar y creigiau.

Saif Ballybunnion a'i wyneb tua'r gorllewin, yn wynebu'r cefnfor mawr, heb ddim ond môr rhyngddo ag America, dair mil o filltiroedd i ffwrdd. Draw ymhell ar y chwith, gwelir Penrhyn Kerry, yr ochr arall i Fae Tralee, ac ychydig ar y dde yr un modd, filltiroedd i ffwrdd, dacw Loop Head, yn Connaught, lle y gwelsom y goleudy neithiwr.

Ar hyd glannau Shannon yr oedd ein taith i fod heddiw, ffordd wledig o Ballybunnion, drwy Beal, nes dyfod i olwg yr afon ei hun.

Adroddir yn y Mabinogi hanes Brân Fendigaid yn croesi drosodd o Gymru i Iwerddon, i ddial cam ei chwaer Branwen. Ciliodd y fyddin Wyddelig rhagddo dros afon Llinon (sef oedd honno, afon Shannon), gan dorri'r bont ar eu hôl, ac yr oedd 'main sugn' yng ngwaelod yr afon i rwystro llongau (yr oedd hyn cyn amser y 'magnetic mines'!) Sut y gallai Brân a'i wŷr fynd trosodd? 'Nid oes,' eb yntau, 'namyn a fo pen bid pont; mi a fyddaf pont'; ac wedi gorwedd ohono ar draws yr afon, aeth ei luoedd ef 'ar ei draws drwodd.' Edrychasom ar yr afon loyw oedd o'n blaen, ac ar fythynnod gwyngalchog Sir Clare yn wynebu'r haul yr ochr draw, a cheisio dyfalu ymhle, tybed, yn yr hanner can milltir oedd rhyngom a Limerick, y bu'r rhyfeddod mawr hwn.

Yr oedd y gwres yn llethol heddiw, a'r ffordd yn llychlyd, ac yr oedd yn anodd cael diod. Cyfeiriai nifer o nentydd bychain tuag afon Shannon, ond yr oeddynt i gyd yn hesb, neu yn byllau merddwr. Bu raid bodloni ar dun o *pineapple chunks* i dorri ein syched amser cinio, ond wedi mynd trwy Ballylongford dyma gael ffynnon ddofn gysgodol, ar ochr gallt, a drachtio'n helaeth o ddiod lemon. Daethom i'r ffordd dyrpeg yn Tarbert, a throi i siop am *ice cream* a phethau eraill. Lled sychlyd a digroeso oedd gwraig y siop yma, ac fe'i teimlem yn fwy am fod y profiad yn un mor newydd inni. Efallai bod yn gas ganddi ein gweld, gan dybied mai Saeson oeddem, neu efallai bod rhyw hen ofid cudd yn ei blino.

Naw milltir ymhellach, dyma bentref diolwg Askeaton, a'r ffordd yn mynd ar i lawr at y bont tros afon Deel. Y mae yma hen abaty Ffransisgaidd, â bwâu a cholofnau prydferth iawn, a barnu wrth eu llun. Troesom ar y dde drwy fuarth budr tua rhyw adeilad, gan dybied mai'r abaty oedd, ond yn lle hynny, hen blasty mawr Teulu Desmond ydoedd hwn. Cainc o Deulu'r Geraldines oedd y Desmondiaid, disgynyddion nain i'r gŵr a frwydrodd fel llew dros hawliau'r Eglwys Gymreig yn y G12, sef 'Gerallt o Gymru', fel y'i galwai ei hun. Bu'r teulu hwn yn llywodraethu mewn rhwysg brenhinol yn Iwerddon am ganrifoedd, a disgynnydd arall o'r tywysogion Cymreig, y Frenhines Bess, a dorrodd ei grib yn y diwedd.

Y mae gweddillion y plasty a gododd y Desmondiaid yn y G15 yn werth i'w gweld eto, ac oddi yno aethom i gael golwg ar yr abaty, a adeiladwyd oddeutu'r un amser. Yr oedd yn dechrau llwyd-dywyllu erbyn hyn, ac felly ni welsom y lle ar ei orau, a siomwyd ni ynddo. Codasom ein pabell am y nos yn fuan wedi gadael y pentref hwn. Ymgasglai cymylau uwchben yn ystod y prynhawn heddiw, ac yr oedd arnaf ofn i'r tywydd droi, ond fe fachludodd yr haul yn loyw ac yn hardd odiaeth.

Pennod 22

Limerick

Aed ymlaen nes cyrraedd dinas Limerick. Ar ôl gadael hen furiau'r dref, troesom i mewn i Eglwys Gadeiriol Sant Ioan gerllaw. Esgob yr Eglwys hon, Dr O'Dwyer, oedd y gŵr y bu Michael Davitt yn ymaflyd codwm ag ef, pan geisiodd wrthsefyll ymyriad trahaus rhai o'r offeiriaid yng ngwleidyddiaeth Iwerddon. 'Peidiwch chi â chamgymryd, Fy Arglwydd Esgob Limerick,' meddai wrtho, 'Gwerinlywodraeth sydd yn mynd i deyrnasu yn y gwledydd hyn.' Y mae Limerick yn enwog am harddwch ei heglwysi, ac yr oedd arnom eisiau gweld un eglwys arall cyn gadael y dref.

Yr awr ginio oedd hi yn awr, a deuai gweithwyr yn eu dillad gwaith, a'u capiau yn eu dwylo, a genethod y siopau, a gwragedd ag wynebau rhychiog a sholiau duon dros eu pennau, i mewn i ddweud eu paderau o flaen rhai o'r delwau, delw o Grist neu Fair y Forwyn, neu, efallai, o un o'r seintiau. Ar eu beiciau y deuai llawer ohonynt, a'r lleill ar draed. Hyd ochrau'r eglwys, yr oedd celloedd coed, fel cypyrddau mawr, wedi eu gosod, ac arnynt enwau y Tad hwn a'r Tad Arall, a cherdyn i ddweud a oedd y Tad i mewn ai peidio. Y cyffesgelloedd oedd y rhain, ac y mae'n debyg fod pob pechadur yn arfer mynd at ei gyffeswr priod ei hun i wneud ei gyffes. Ni welsom neb yn mynd tra buom ni yno.

Wedi mynd allan, daethom yn fuan at Siop Woolworths, ie, ym mhendraw Iwerddon, a'i llythrennau aur ar gefndir coch, megis y gwelir hwynt ym Mangor a threfydd eraill yng Nghymru. Rhaid troi i mewn yma. Y peth cyntaf i sylwi arno yw bod y prisiau'n mynd i fyny i naw ceiniog yn lle y chwech – y tollau ar nwyddau tramor sydd yn cyfrif am hynny. Draw yn y gornel acw y mae delwau plastr gwyn o Fair y Forwyn a'r mab bychan yn ei breichiau; a llun yr Iesu, a barf felyngoch, a'r goron ddrain ar ei ben, a'i galon yn y golwg yn diferu gwaed; a phaderau lu fel gleiniau ar linynnau. Ar wahân i'r pethau arbennig hyn, yr un amrywiaeth nwyddau sydd yma ar y stondinau lluosog, yr un pethau yn union ag a welais ganwaith ym Mangor.

Synfyfyrio uwchben pethau fel hyn, a meddwl fel y bydd y siopau mawrion yma – Woolworth, Lipton, Burton a'r lleill – a'u lliaws canghennau yn gwneud cartrefi'r bobl, a'u gwisgoedd, yn debyg iawn i'w gilydd ymhob rhan o'r wlad. Yn lle'r hen ddodrefn a'r llestri cartref, a'r rheiny'n dwyn delw yr ardal, bydd gwydrau a llestri o'r un patrwm ar y byrddau o Ben Caergybi hyd afon Llundain, ac o Ucheldiroedd Sgotland hyd Fynyddoedd Kerry yn Iwerddon. Llestri heirdd iawn, bid siŵr, a llawer o amrywiaeth patrymau, a phob math o gyfleusterau alwminiwm a *bakelite* o bob lliwiau i wneud cartref y gweithiwr yn gyfforddus, ond y mae'n ddiamau bod yn rhaid dioddef rhyw golled am bob ennill. Ni cheir *mass production* a nwyddau rhad, heb ddysgu dygymod â rhywfaint o unffurfiaeth. Os teimlwch awydd grwgnach, meddyliwch am hapusrwydd gwraig y gweithiwr pan wêl y gall wneud ei chartref, am ychydig geiniogau yr wythnos, yn gysurus ac yn hardd.

Yn nesaf, dyma ni'n cyfeirio tuag at ddarn o'r ddinas sydd megis ynys fawr rhwng dwy gainc o'r afon, wedi ymganghennu ohoni yn uwch i fyny. 'Ynys y Brenin', neu'r 'Dref Seisnig' y gelwir y darn hwn. Ar y ffordd tuag yno, gwelsom ddau boster newydd yn sôn am 'Russia's new pact with Germany' a 'Hitler's new pact startles Europe'. Brawychwyd ni wrth weld bod y wlad hon wedi colli'r cyfle i wneud cytundeb â Rwsia a bod perygl Rhyfel Mawr yn agosáu. Teimlo bod y cymylau yn ymgasglu, ond heb gredu eto chwaith fod y perygl yn un gwir ddifrifol.

Wedi prynu copi o'r *Daily Herald*, aethom dros Bont Rutland i Ynys y Brenin. I fyny gallt ar hyd Heol y Bont, ag Eglwys Gadeiriol Sant Mair, y Brifeglwys Brotestannaidd, ar y chwith inni, ac ar y dde Ysgolion Coffa Gerald Griffin y nofelydd. Troi ar y chwith ar ben yr allt, ac yna wrth inni fynd i lawr yr allt nesaf tua Phont Thomond, dyma hen gastell y Brenin John ar y chwith eto. Adeiladwyd hwn yn 1210, i wylied y rhyd tros Afon Shannon, ac y mae ei furiau yn ddeg troedfedd o drwch. Troesom i mewn yma, ac arweiniodd y gofalydd ni o amgylch. Yr oedd y castell mewn cywair rhagorol ac yn werth i'w weld, y tyrau trwchus, y garchargell ddofn arswydus, y grisiau cerrig troellog, a'r olygfa o'r ddinas a'r afon a gawsom o'i ben.

Dyn lled ddeallus, yn tynnu at ganol oed, oedd y gofalydd.

Soniais wrtho am berthynas Cymru ac Iwerddon, gan ddweud bod y ddwy genedl yn arfer â chefnogi ei gilydd. 'Fuaswn i ddim yn sôn am hynny wrth bobl Limerick, petaswn i yn chi,' meddai yntau, 'fe wnaeth y *Welch Fusiliers* enw drwg iawn iddyn nhw'u hunain pan oeddyn nhw yma yn amser yr Helynt,' ac yna aeth ymlaen i adrodd peth o'u hanes. Yr oedd yn ddrwg gennyf glywed hyn amdanynt, o achos bu fy mrawd ieuengaf yn perthyn iddynt yn ystod y Rhyfel o'r blaen, a heblaw hynny, y mae gan bob Cymro, beth bynnag a fo'i syniadau am ryfel, ryw ddiddordeb cynnes yn y gatrawd Gymreig enwog hon. Ond dyna ichwi'r caritor a gefais iddi yn Limerick, ac yr oedd y gŵr a'i rhoes imi yn dweud y caswir (os gwir hefyd) mewn ysbryd hollol ddiwenwyn. Soniais wrtho wedyn am y gefnogaeth a roes Cymru i hawliau cenedlaethol Iwerddon yn Senedd Prydain, ac fe ymddangosai yn eithaf cynefin â'r hanes hwnnw.

Aethom dros Bont Thomond, lle'r arferai bod rhyd, i Sir Clare, yn Connaught. Ar ben y bont, gwelsom garreg arw ar flocyn mawr sgwâr; 'Carreg y Cytundeb' y gelwir hon, a dywedir mai arni hi yr arwyddwyd y Cytundeb ar ddiwedd Gwarchae Limerick yn 1691. Mynd ymlaen wedyn ar hyd glan yr afon, a chroesi Pont Sarsfield yn ôl i'r dref. Yr oedd rhai o'r pontydd hyn yn lluniaidd dros ben.

Pennod 23

Lough Derg

Dywedir mai 'Llyn y Llygad Coch' ydyw Lough Derg. Yn ôl hen chwedl Wyddelig, yr oedd unwaith frenin unllygeidiog yn byw yn Connaught, a'i un llygad yng nghanol ei dalcen. Deuai beirdd a cherddorion i'w lys i'w ddifyrru, ac yn unol â'r rheolau moes yn Iwerddon, os rhoddai bardd fwynhad i'w noddwr, gallai ofyn am y peth a fynnai, a'i gael. Gofynnodd un bardd maleisus i'r brenin hwn am yr un llygad a oedd yn ei ben, ac yn hytrach nag iselhau ei urddas, tynnodd ei lygad allan a'i roddi iddo. Yna aeth i ymolchi yn y llyn gerllaw, nes bod y dwfr yn goch gan ei waed, ac am hynny dywedodd yntau, 'Galwer y llyn o hyn allan yn Loch Deirgdheic'. Erys yr enw hwnnw arno hyd heddiw, yn rhybudd i bawb rhag cymryd eu llygad-dynnu gan fardd.

Bore di-wlith ydoedd bore heddiw eto, ond yr oedd y niwl wedi ymgasglu dros y llyn yn ystod y nos. Aethom at y tŷ i nôl llefrith, ac i dalu amdano. Gwraig lednais a boneddigaidd oedd gwraig y ffarm, a thybiais y noswaith gynt – ni wn i ddim paham – mai gwraig weddw ydoedd. Efallai fy mod yn iawn, ond daeth dyn ar wib yn y bore heibio i'r cae lle'r oeddem yn pabellu – pa un ai gŵr y tŷ ai'r hwsmon oedd, ni wn. Canmolodd y tywydd yn fawr iawn, a dywedodd fod y cynhaeaf yn un o'r rhai gorau a gawsant erioed.

Cawsom daith hyfryd dros ben y bore yma, ar hyd ffordd wledig gyda glan y llyn, gan ddringo'n raddol wrth fynd ymlaen. Edrychai llechweddau'r mynyddoedd yr ochr draw yn ddigon tebyg i rai o lechweddau Cymru, a brithid ambell un â bythynnod gwyngalchog. Wrth edrych yn ôl, wedi dringo tipyn, cawsom olygfa anghyffredin o ddiddorol a phrydferth, gweld y niwl yn codi yn ei gorffolaeth yng ngwres yr haul, ac wyneb y llyn yn wyn, wyn oddi tanodd. Golygfa nas anghofir gennym yrhawg. Edrych ymlaen, a gweld y llyn yn ymledu fel yr ymagorai'r cwm ac yn ymestyn i'r pellter am filltiroedd lawer. O boptu i'r cwm canol, ymganghennai cymoedd eraill, a llenwid y rheini hefyd gan ddŵr y llyn, nes bod map o'r llyn yn edrych rhywbeth yn debyg i lun deilen rhedyn.

I fyny ac i lawr yr aethom, rhwng cloddiau gleision, ac o dan goed uchel ambell dro, a gorfod cerdded i fyny gallt weithiau. Gweld rhyw ryfeddod newydd ar y llyn o hyd. Gwelsom fwthyn odanom ar fin y dŵr, ymhell o bob man, a theimlo y carem dreulio mis yno yng ngwres a heulwen yr haf, a cheisio dyfalu pa fath gartref a fyddai yno, tybed, yn nhywyllwch a rhew a stormydd y gaeaf. Profiad i'w gofio fyddai bwrw un gaeaf yno, ac nid un cwbl ddibleser chwaith, y mae'n siwr. Beth pe cawsem ein magu mewn cartref fel hwn?

Bu raid troi i'r dde tua'r dwyrain ar ôl teithio rhai milltiroedd, a gadael y llyn. Mynd trwy bentref Portrea, a thu draw i hwnnw sylwais ar res o dai newyddion i weithwyr, a gardd flodau helaeth o flaen pob un, a gardd datws yn y cefn; yr oedd y gerddi i gyd mewn cywair da, a phlant yn chwarae o gwmpas y tai. Pan ddaru ni gyrraedd Nenagh, yn Sir Tipperary, yr oeddem unwaith eto ar y briffordd i Ddulyn. Gwelsom hysbysiad ar boster o flaen siop bapur newydd, 'Britain calls up all Land, Sea and Air Forces'. Yr oedd cymylau rhyfel yn ymgasglu'n dywyllach ac yn dduach o hyd.

Tref o ryw 5,000 o boblogaeth ydyw Nenagh; 'y ffair war/heg' (An aenach) ydyw ystyr yr enw, ac y mae'n lle enwog eto am ei ffeiriau. Dinistriwyd adeiladau'r Gymdeithas Gydweithredol yma gan filwyr Prydeinig yn ystod yr 'Helynt'. Gwelsom y Tŵr Crwn yng nghanol y dref; dywedir mai hwn ydyw'r mwyaf yn Iwerddon. On' 'doedd o'n drueni na fuaswn i'n gwybod ymlaen llaw mai yn y dref hon y ganed Jack Jones, yr Aelod Llafur a ymneilltuodd o'i le yn y Senedd rai misoedd yn ôl? Yr hen Jack, a'i ddywediadau ffraeth! Yn enwedig y tro anfarwol pan ddywedodd wrth Ganghellor y Drysorfa ei fod mor grintachlyd â'r Ysgotyn hwnnw a ddefnyddiodd ddafaden ar ei war yn lle stydsen.

Yn ôl y syniad cyffredin am y Gwyddel, gŵr diarhebol o ffraeth ydyw, ond yn rhyfedd iawn, ni chlywsom ni yr un gair ffraeth gan neb tra fuom yn Iwerddon – naddo, ddim hyd yn oed gan y cychwr siaradus yn Glengariff, a'i lygaid glas melltennog, er paroted ei dafod ydoedd hwnnw. Ond petaswn wedi meddwl am dynnu ffrae ag ef, efallai y cawswn glywed rhywbeth gwerth gwrando arno. Synnwn i ddim.

Sylwais ar ambell arferiad diddorol wrth deithio'r ffyrdd. Pan dywysir ceffyl ar y ffordd fawr yn ein gwlad ni, cerdded ar yr ochr dde i'r ffordd ydyw'r rheol, ond gwelsom ei dywys ar y chwith yn amlach nag ar y dde yn Iwerddon. Sylwais hefyd ar ymddygiad y gwragedd priod pan gyfarchwn hwynt ar yr heolydd (neu efallai mai dychmygu yr oeddwn, nid wyf yn siwr). Yr oedd yn arfer gennyf alw 'Bore Da' neu 'Brynhawn Da' ar y bobl a welwn ar y ffordd, a chawn ateb parchus ganddynt hwythau. Atebai'r merched ifainc a'r hen wragedd yn eithaf rhwydd a siriol ond mi dybiais fod y gwragedd a oedd wedi peidio â bod yn ifainc, a heb gyrraedd canol oed, yn troi eu llygaid i lawr yn wylaidd cyn ateb. Efallai eu bod yn rhy fodest i hoffi cael eu cyfarch gan ŵr dieithr ar yr heol, ond eto yr oeddynt yn rhy foneddigaidd i beidio â rhoddi eu 'Good day, sir' yn ateb iddo.

Ymlaen â ni, a chyn cyrraedd Roscrea gwelsom olygfa anghyffredin mewn cae gwair. Eisteddai'r gweithwyr, yn wŷr a gwragedd, wrth draed un o'r mydylau, yn bwyta eu tamaid, ac yn gwrando ar fiwsig oddi wrth ramoffon law a oedd ar y glaswellt yn eu hymyl. Mynd trwy bentref bychan Borris-in-Ossory gyda'r nos, ac yn fuan wedyn troi i dŷ ffarm, a chael cennad i wersyllu yn y gadlas. Yr oedd gennym ddigon o wellt glân, sych, i'w daenu o danom, ond bu agos i Arial dorri ei galon wrth geisio rhoi'r babell i fyny. Yr oedd llawr yr ydlan yn un palmant o gerrig, ac ni allai yn ei fyw wthio pegiau'r babell i mewn i'r ddaear. Cyfarwyddais ef o'r diwedd i'w gwthio cyn ddyfned ag yr aent (rhyw fodfedd neu ddwy oedd hynny), ac yna rhoesom gerrig trymion o fôn y das arnynt i'w dal yn eu lle. Atebodd hynny'r diben.

Nos Fercher oedd hi yn awr, ac yr oedd gennym ryw chwe milltir a thrigain eto i ddyfod i Ddulyn. Tybed a allem ni gyrraedd Caergybi ddydd Sadwrn, i weld a oedd Ffion wedi 'pasio'r Higher' ai peidio?

Pennod 24

Kildare

Dyma fore dydd Iau, a chwaneg o afalau ym mhocedi Arial wrth inni ganu'n iach i wraig garedig y ffarm. Byddwn yn anesmwyth dipyn o weithiau yn ystod yr wythnos hon, rhag ofn glaw, wrth weld y cymylau'n ymgasglu uwchben; ond fe ddaliai'r gwynt i chwythu o'r dwyrain, a da oedd gennym hynny, er inni orfod beicio i'w erbyn. Cliriodd y cymylau cyn hanner dydd. Ar y briffordd i Ddulyn yr oeddem yn awr, a chartref yn tynnu fel drafft mewn ffwrnais. Yr oedd y ffordd yn dda ac yn hawdd ei thramwy, ac nid oedd llawer o leoedd diddorol i'n hatal, na golygfeydd rhamantus i'n swyno; felly er inni deithio'n eithaf hamddenol, yr oeddem dros drigain milltir yn nes adref ar ddiwedd y dydd nag yr oeddem yn y bore.

Fe wnaeth tros bythefnos o feicio cyson gryn lawer i ystwytho cymalau pob un ohonom. Teimlad braf ydoedd teimlo mor hoyw ac ysgafn, a medru dal ati am oriau heb flino. Cofiaf un tro, pan oeddwn yn tynnu at ben gallt go serth, imi glywed Arial yn galw y tu ôl i mi. 'Dad,' meddai, â sŵn cerydd yn ei lais, 'wyddoch chi ych bod chi wedi dod i fyny'r allt yna yn y gêr ucha?' 'Do,' meddwn innau, yn ddigon talog, 'doedd o ddim yn werth gen i newid gêr.' Y drydedd wythnos y digwyddodd hynny, gallwch fod yn siŵr, ac nid yr wythnos gyntaf.

Pan ddaethom i Maryborough (Port Laoghaire), dyma chwilio am siop bapurau, a phrynu papur newydd. 'Hitler's Curt Reply to Britain' oedd y poster y bore yma. Gwelsom lawer o filwyr mewn khaki yn gwibio'n brysur i fyny ac i lawr y ffordd heddiw ar eu motor beiciau, a llawer lyrri filwrol a cherbyd arfog hefyd. Efallai imi weld rhai ddoe, o ran hynny, ond nid wyf yn cofio. Heddiw hefyd y gwelsom yn rhywle ar y ffordd ddau ar bymtheg o eifr a mynnod gyda'i gilydd yn cerdded ar ben y clawdd glas tan bori, ac yr oedd tri bwch neu bedwar yn eu plith. Du a gwyn oedd lliw pob un.

Cyn hir, dyma gyrraedd dref bwysig Kildare. 'Eglwys y dderwen' ydyw ystyr yr enw, a cheir dwy sillaf y gair yn yr enwau Cymraeg 'Cil Rhedyn' ac 'Aber Dâr'. Dywedir bod derwen fawr yn tyfu yma ganrifoedd lawer yn ôl, a bod Sant Brigid ('San Ffraid' yn Gymraeg) wedi ei bendithio, a sefydlu ei chell o dan ei chysgod. Yno yr oedd y dderwen mor ddiweddar â'r G10, o leiaf, ac ni feiddiai neb ei chyffwrdd ag erfyn, gan mor gysegredig ydoedd.

Mi wyddwn ein bod yn teithio drwy Esgobaeth Ossory, ac y mae'n ddrwg iawn gennyf na fyddwn wedi sylweddoli mai yn Kildare yr oedd yr Eglwys Gadeiriol, achos bu mwy nag un Esgob Ossory â chysylltiadau rhyngddo a Chymru, a charwn fynd i'r eglwys i chwilio am eu cofgolofnau. Yr oedd un esgob, Dr Pocock, yn gyfaill i William Morris Caergybi, a cheir cyfeiriadau mynych ato yn 'Llythyrau'r Morrisiaid'. Bu'r Cymro, Dr Griffith Williams, o blwyf Llanrug, Sir Gaernarfon, yntau yn esgob yno yn amser Siarl y Cyntaf. Un o deulu Penmynydd ym Môn ydoedd ef ar du ei fam; bu'n rheithor Llanllechid, yn gaplan i'r brenin, ac yn Archddiacon Môn. Dioddefodd lawer am ei ffyddlondeb i'w frenin, ond cafodd fyw i weld Siarl yr Ail yn dyfod i'r orsedd. Claddwyd ef yn Kildare ym 1672, yn bump a phedwar ugain oed. Credaf i mi ddarllen hanes Cymro arall a fu'n Esgob Ossory yn nheyrnasiad Elisabeth, os wyf yn cofio'n iawn.

Y mae'n ffaith nodedig fod cryn nifer o wŷr o waedoliaeth Gymreig wedi bod yn amlwg yn hanes Iwerddon yn ystod y ganrif o'r blaen. Gŵr galluog iawn o'r enw Robert Jones oedd arweinydd y gwrthryfelwyr Gwyddelig ychydig cyn canol y ganrif. Yr oedd gwaed Cymreig yng ngwythiennau'r Tad Mathew hefyd, yr Apostol Dirwest a wnaeth gymaint i sobri Iwerddon am gyfnod; gwelsom gofgolofn iddo ef ar ganol Heol Patrick, yn nhref Corc, ac y mae ei goffadwriaeth yn annwyl iawn yn Iwerddon hyd y dydd heddiw. Cymro o waed ydoedd Arthur Griffith yntau, arweinydd galluocaf y Sinn Feiniaid, a Phrif Weinidog cyntaf Iwerddon ar ôl sefydlu'r Dalaith Rydd yno yn 1922.

Un o darddiad Cymreig eto oedd Thomas Davis, y soniais amdano fwy nag unwaith o'r blaen. Cyfeiriai at ei waedoliaeth Gymreig ambell dro, ac yr oedd iddo ddiddordeb mawr yn hanes a chaneuon Cymru. Dywedir mai ef ydoedd un o ddau hoff awdur Tom Ellis (Joseph Mazzini oedd y llall). Gwnaeth Charles Gavan Duffy ac yntau, a nifer o ddynion ieuainc eraill, ymdrech frwdfrydig tua chanol y ganrif i godi'r Mudiad Cenedlaethol yn Iwerddon i dir uwch, ac i roddi iddo weledigaeth ehangach a delfrydau purach. Bu eu hesiampl yn ysbrydoliaeth, mewn cyfnod diweddarach, i Gymry ieuainc fel Tom Ellis ac O.M. Edwards, a Lloyd George a Llywelyn Williams, i gychwyn Mudiad Cenedlaethol cyffelyb yng Nghymru; dyna ddechrau mudiad 'Cymru Fydd' ryw bum mlynedd a deugain yn ôl.

Trwy gyfrwng eu cylchgrawn, *The Nation*, y cyrhaeddodd plaid Young Ireland glust a chalon y bobl, a buont unwaith yn allu grymus yn y wlad. Dyfynnais ddarnau o farddoniaeth Thomas Davis droeon yn y nodiadau hyn. Nid oedd yn fardd mawr wrth natur, ond ymdrechodd i ganu caneuon gwladgarol, am y credai y gallai ysbrydoli ei genedl drwyddynt. Fe lwyddodd ambell dro i gyrraedd nodyn telynegol a oedd yn farddoniaeth bur, megis yn ei gân, 'Cwyngan am Owen Roe O'Neill'. Arweinydd y Gwyddyl yn erbyn Olfyr Cromwel oedd O'Neill, a phan fu farw credid unwaith mai ei elynion a'i gwenwynodd. Dyma un pennill o gân Thomas Davis iddo:

> We thought you would not die - we were sure you would not go,
> And leave us in our utmost need to Cromwell's cruel blow -
> Sheep without a shepherd, when the snow shuts out the sky -
> Oh! Why did you leave us Owen? Why did you die?

Y mae'r trydydd linell yn un na fyddai achos i'r bardd gorau yn y byd deimlo cywilydd o'i harddel.

Canodd hefyd i faner werdd Iwerddon. Gwyddoch am y gerdd boblogaidd, 'The Wearing of the Green', sydd yn sôn am roddi cosb marwolaeth ar bawb a feiddiai wisgo ruban gwyrdd:

> It's the most distressful country that ever yet was seen,
> For they're hanging men and women for the wearing of the green.

'The Green above the Red' ydyw teitl cân Thomas Davis; hiraethu y mae am weld baner werdd Iwerddon yn uwch na baner goch Lloegr:

> And 'twas for this that Owen fought, and Sarsfield nobly bled,
> Because their eyes were hot to see the green above the red.

Rhydd dro arwyddluniol i'r ymadrodd mewn un pennill, gan sôn am yr amser y bydd gwyrddlesni bendithiol yn tarddu o'r tir a fwydwyd â gwaed hunan-aberth:

And 'tis for this we think and toil, and knowledge strive to glean,
That we may pull the English red below the Irish green,
And leave our sons sweet liberty, and smiling plenty spread,
Above the land once dark with blood - the green above the red.

Bûm yn darllen hanes Thomas Davis ers blynyddoedd, ac yn casglu ei weithiau, ac o'r diwedd mi lwyddais, wedi blynyddoedd meithion o chwilio, i ddyfod o hyd i gopi ail law o'i Gofiant, gan Gavan Duffy. Fe'i gwerthfawrogaf yn fwy am ei fod mor brin, ac am imi gael cymaint o drafferth i ddyfod o hyd iddo. Edrychais ymlaen at gael ymweld â bedd Thomas Davis ym Mynwent Glasnevin, Dulyn, heb gofio mai ym Mynwent Mount Jerome, ac nid yng Nglasnevin, y claddwyd ef. Rhaid i mi weld honno y tro nesaf y croesaf i Iwerddon.

Ymlaen â ni i Kildare, ac yn fuan yr oeddem yn croesi'r Curragh, tir uchel, gwastad, glaswelltog, lle y megir ceffylau rasus. Bu hwn yn lle pwysig iawn unwaith i Lywodraeth Prydain hyfforddi ei meirch-filwyr; fe gofiwch i rai o'r swyddogion milwrol yma fygwth gwrthryfela ym 1914 os rhoddai Senedd Prydain Ymreolaeth i Iwerddon. Y mae Iwerddon yn enwog am ei cheffylau rasus, a dywedir bod rhywbeth yn ansawdd tir y Curragh sydd yn fantais i'w magu. Glaswellt mân, esmwyth, sydd yn tyfu yma, cannoedd o aceri o dir gwastad; rhed y briffordd drwy ei ganol, heb na gwrych na chlawdd, ac yma a thraw ymhob man fe welwch resi o hyrdlau coed i'r ceffylau neidio drostynt.

Dyma gyrraedd y tu allan i Ddulyn cyn y nos, a gwersyllu yng nghornel cae pori yn ymyl ffarm fawr iawn. Edrych ymlaen at gael trampio o gwmpas y dref yfory – gweld Llyfr Kells yn Llyfrgell Coleg y Drindod, a Glasnevin, a Pharc Phoenix – a chychwyn adref fore dydd Sadwrn.

Pennod 25

Dulyn

Yn gynnar fore dydd Gwener, Awst 25, dyma ni'n cyrraedd Dublin – sef Dulyn (Llyn Du) yn Gymraeg, ac yn llythrennol 'Blackpool' yn Saesneg. Sylfaenwyd y ddinas gan y Llychlynwyr a ymsefydlodd yn Iwerddon yn y G10, ac a wnaeth gymaint o ddifrod ar lannau Môn a Llŷn a Phenfro, fel y croniclir yn 'Brut y Tywysogion'. Ond nid ar y materion hyn yr oedd ein meddyliau ni heddiw wrth feicio i mewn iddi.

Hwylio ar hyd heolydd clonciog, a llawr sets arnynt, a darllawdai eang Guinness o boptu, ydyw un o'r pethau cyntaf a gofiaf am Ddulyn. Yr oedd aroglau porter yn llond pob man, yn ddigon i godi eisiau bwyd ar ddyn. Teimlwn fod yr aroglau yn fy llenwi, a chredaf yn siwr, petawn i'n byw yn un o'r ystrydoedd hyn, yr awn yn dew ar yr aroglau yn unig. A hoffwn i ei flas ai peidio, wel, cwestiwn arall ydi hwnnw, oblegid nis profais erioed. Diod y gwragedd ydyw porter medden nhw. Pa sawl gwraig gweithiwr yng Nghymru, tybed, a fu'n ddiolchgar am 'botel o borter' ar fore Llun, i'w nerthu i wynebu diwrnod golchi go drwm? Anodd fyddai i ddirwestwr addef bod dim rhinwedd yn y porter ei hun, y mae'n siwr, ac anodd fyddai gan lawer o'r gwragedd hyn goelio nad oes. Fe adawn ni rhyngddynt hwy a'i gilydd.

Cyn hir, yr oeddem yn troi cornel ar y chwith, heibio i Fanc Iwerddon, sydd yn cyfateb yn Eire i Fanc Lloegr yn Llundain, a gwelsom Goleg y Drindod yn ein hwynebu yr ochr arall i'r stryd. Dyma groesi'r bont i Heol O'Connell (sef Heol Sackville cyn sefydlu'r Dalaith Rydd), ac wedi rhoddi ein beiciau i gadw, troi'n ôl tua Choleg y Drindod, a'n bryd ar weld 'Llyfr Kells' yn fwy na dim arall. Saif rhes o gerfluniau o flaen y coleg, yn wynebu'r brif heol, lluniau gwŷr o Wyddyl a wnaeth enw iddynt eu hunain yn y byd – Edmund Burke, Henry Grattan, Oliver Goldsmith, Thomas Moore, Daniel O'Connell, a llawer yn chwaneg. Aethom i mewn o dan y bwa maen i'r cwadrangl, a chyfeirio tua'r llyfrgell; yr oedd yno nifer o bobl eraill yn troi i mewn fel ninnau.

Llyfr nodedig o brydferth a sgrifennwyd ar femrwn yn un o fynachlogydd Iwerddon dros fil o flynyddoedd yn ôl ydyw Llyfr Kells, un o'r llyfrau harddaf yn y byd. Peintiwyd y llythrennau yn bob lliwiau, ac addurnwyd hwy â phob math o ddyfais gywrain a phrydferth. Bu'r llyfr ar goll am flynyddoedd lawer, a chuddiwyd ef yn y pridd am dymor, ond o'r diwedd cafwyd hyd iddo, yn ddigon drwg ei gyflwr, a rhwymwyd ef mewn rhwymiad cryf o ledr drud, cain. Hwn ydyw un o drysorau celfyddyd gwerthfawrocaf Iwerddon.

Holi'r gofalydd am y llyfr hwn oedd y peth cyntaf a wnaethom ar ôl mynd i mewn i'r llyfrgell, a dyna lle'r oedd wedi ei gloi mewn câs gwydr. Dwy dudalen ohono yn unig a ddangosir mewn diwrnod, a throi un ddalen drosodd bob bore. Gellir gweld copïau o lawer o'r priflythrennau, a'u haddurnwaith, yma a thraw ar hyd yr ystafell. Buom ni'n hynod o ffodus heddiw, oblegid fe ddigwyddodd fod clerigwr go bwysig wedi dyfod yn unswydd i weld Llyfr Kells, ac felly estynnodd un o'r llyfrgellwyr ef allan o'r câs gwydr, a throi'r dalennau i ddangos y cwbl iddo, a chawsom ninnau ei weld yn ei gysgod. Diddorol iawn ydoedd gwrando arno'n adrodd hanes rhwymo'r llyfr, a'r rhwymwyr yn ôl eu harfer yn tocio'r ymylon, a thrwy hynny'n anafu llawer arno. Nid bendithion a alwai'r llyfrgellydd i lawr ar bennau'r fandaliaid dienwaededig.

Ychydig amser a allem hepgor i edrych am drysorau eraill y llyfrgell – megis enghraifft o argraffwaith William Caxton, argraffiadau cyntaf o weithiau Shakespeare, a phethau felly. Ymhlith y creiriau mwyaf annisgwyliadwy, dangoswyd inni 'Lawysgrif y Gŵr Drwg' (The Devil's Autograph), ac mi synnais braidd wrth weld nad oedd fawr o gamp ar yr ysgrifen, ac yntau'n cael yr enw o fod yn ŵr bonheddig mor gelfydd.

Yr oedd yn dda gennym gael cinio o datws a chig a phwdin mewn gwesty yn Heol O'Connell, ar ôl bod hebddynt gyhyd, ac yna aethom tua Glasnevin a Pharc Phoenix – cerdded yno er mwyn gweld y dref, a chymryd bws i ddyfod yn ôl. Yn ymyl mynwent Glasnevin y mae'r Gerddi Llysieuaeth, tebyg i Erddi Kew tu allan i Lundain; cawsom dro drwyddynt, a rhyfeddu at yr holl ryfeddodau sydd yno.

Mynwent Glasnevin sydd yn cyfateb yn Iwerddon i Fynachlog

Westminster yn Lloegr; yma y mae beddau prif arwyr y wlad, yn enwedig ei harwyr gwleidyddol. Ar Wolfe Tone a Thomas Davis a James Connolly y rhoeswn i fy mryd yn bennaf, ond ysywaeth, nid oedd yr un o'r tri wedi ei gladdu yng Nglasnevin. Cawsom hyd i garreg fedd Charles Gavan Duffy yn fuan: cyfaill a chofiannydd Thomas Davis ydoedd ef, ac un o arweinwyr plaid 'Young Ireland', a bu wedi hynny yn Brif Weinidog un o Daleithiau Awstralia. Dyma eto garreg er cof am James Stephens, pennaeth Brawdoliaeth y Ffeniaid, ond nid yma y claddwyd ef chwaith.

Ychydig ymhellach, dyma 'Lannerch y Gweriniaethwyr Gwyddelig' (Irish Republican Plot). Cynnwys fedd O'Donovan Rossa, yr hen Ffeniad, a fu farw yng nghyflawnder ei ddyddiau yn America, ac a gladdwyd yng Nglasnevin yn 1915. Cynnwys hefyd feddau nifer o aelodau o'r IRA, a wrthwynebodd delerau'r Cytundeb â Phrydain Fawr yn 1922 – Patrick O'Brien, 'a laddwyd yn Enniscorthy wrth ymladd dros y Weriniaeth Wyddelig', Commandant Pedar Breslin, a saethwyd yng Ngharchar Mountjoy, ac eraill.

Wedi ymdroi peth, dyma ofyn i ŵr ein cyfarwyddo tua bedd Arthur Griffith, ac ambell un arall. Cerdded ar fusnes yr oedd y dyn, ac nid crwydro o gwmpas, ond er hynny daeth o'i ffordd i ddangos llawer o leoedd inni, a cholli cryn lawer o'i amser wrth y gwaith. Wedi gweld carreg fedd Arthur Griffith, a braslun o'i hanes arni, dyma holi am fedd Connolly, ond yng Ngharchar Mountjoy, lle y saethwyd ef, y claddwyd hwnnw. Ond y mae yng Nglasnevin ddelw hardd o farmor er cof amdano ef a phawb arall a fu farw dros Iwerddon yng Ngwrthryfel Pasg 1916, a phenillion wedi eu cerfio arni o waith y bardd Gwyddelig, Mrs Dora Sigerson Shorter. Ei gwaith hi yw'r ddelw hefyd, os wyf yn cofio'n iawn.

Arweiniodd y dyn ni wedyn at garreg hollol newydd a osodwyd ar fedd Parnell. Maen hir o wenithfaen heb ei naddu ydyw'r garreg hon a'r gair 'Parnell' yn unig wedi ei dorri ar ei thalcen mewn llythrennau euraid breision. Yr oedd colofnau byrion o garreg yn ei chynnal, ac y mae'n debyg gennyf y cuddir y rheini â phridd cyn bo hir, ar batrwm y cromlechi, fel yr oeddynt gynt cyn i'r tywydd eu dinoethi.

Cyn ymado, cyfarwyddodd y gŵr ni sut i ddod o hyd i fedd Michael Collins, y Prif Weinidog a ddilynodd Arthur Griffith, ac a saethwyd yn farw gan ddichell gwŷr yr IRA. Yr oedd carreg fedd newydd yma eto, 'wedi ei chodi gan ei frodyr a'i chwiorydd', a darn helaeth o dir o'i chwmpas, a blodau ffres arno. Gresyn na buasai Llywodraeth Eire yn ddigon mawrfrydig i roddi carreg ei hun ar fedd Mike Collins, er iddo ef a De Valera fod yn wahanol eu barn ar y Cytundeb a wnaed â Phrydain Fawr pan sefydlwyd y Dalaith Rydd.

Pennod 26

Diwedd y daith

O Fynwent Glasnevin aethom tua Pharc Phoenix. Aderyn mewn chwedloniaeth ydyw'r 'Phoenix', ond nid ar ei ôl ef yr enwyd y parc hwn, yn ôl yr hyn a ddarllenais, er bod yr enw hwnnw, y mae'n ddiamau, wedi effeithio ar y sillafiad. 'Fionn uisg' neu 'feenisk' (dwfr clir) ydoedd yr enw i ddechrau, meddai un ysgolhaig Gwyddelig; enw ydoedd ar ffynnon a welir eto yn y parc yn agos i Blasty'r Arglwydd Raglaw.

Yr oedd llawer iawn o bobl yn rhodianna yn y parc y prynhawn hwn. Cofgolofn Wellington ydoedd y peth cyntaf a welsom bron; y mae hon yn anferth o uchel, ac yn urddasol dros ben, a chylch o risiau llydain iawn yn sylfaen o dani. Ond ag un digwyddiad arbennig y mae Parc Phoenix wedi ei gysylltu yn fy meddwl i, sef llofruddiaeth a fu yno yn y flwyddyn 1882, pan laddwyd yr Arglwydd Frederick Cavendish, Prif Ysgrifennydd newydd Materion Gwyddelig, a'i ben-swyddog, Mr Burke. Digwyddodd hyn, ysywaeth, yn union ar ôl arwyddo'r Cytundeb rhwng Gladstone a Pharnell, pan addawodd Gladstone ollwng Parnell yn rhydd o Garchar Kilmainham, a diwygio Deddfau Tir Iwerddon. Gwaith penboethiaid ynfyd ydoedd y llofruddiad hwn; nid oedd gan y Blaid Wyddelig na rhan na chyfran ynddo, ond er hynny, fe effeithiodd yn andwyol ar achos Iwerddon yn Senedd Prydain am dymor.

Gofynnais i rywun a oedd cofgolofn, neu ryw arwydd arall, wedi ei godi i nodi'r man lle llofruddiwyd y ddau ddyn. Atebodd nad oedd, ac mi dybiwn i fod Llywodraeth Iwerddon heddiw yn dymuno gollwng y digwyddiad i dir angof. Ond dywedodd y gŵr wrthym fod rhywun neu'i gilydd o hyd yn marcio'r lle â chroes yn y glaswellt, a chyfarwyddodd ni ymha le i gael hyd iddi. Dyma gerdded ar hyd y brif rodfa am oddeutu milltir, nes dyfod bron ar gyfer plasty'r Arglwydd Raglaw, ac yno'r oedd y groes, fel petasai rhywun wedi cicio'r glaswellt â'i sawdl.

Yn ôl yn y dref, ac i'r Prif Lythyrdy. Gofynnais am 'newid' am fod arnaf eisiau dyfod â darnau o arian Iwerddon adref i'm canlyn, ac yr oedd y clarcod yn hynod garedig a chwrtais. Y llythyrdy hwn oedd pencadlys James Connolly, a'i gymrodyr, pan gyfodasant faner gwrthryfel yn erbyn Llywodraeth Prydain yn ystod wythnos y Pasg 1916. Bu raid dinistrio'r adeilad yn llwyr cyn i filwyr Prydain gael y llaw uchaf ar y gwrthryfelwyr, ac ni adawyd dim ond y muriau moelion yn sefyll. Gofynnais heddiw i ddau lanc ifanc ar y palmant tu allan a oedd rhywfaint o ôl yr ymladd i'w weld ar yr adeilad, a dyma nhw'n dangos inni ôl y bwledi ar y colofnau Groegaidd oedd o flaen y drws. Yn Heol O'Connell yr oedd hyn, heol fawr lydan, a llawer iawn o gofddelwau gwych ynddi. Rhaid i mi beidio ag anghofio un digwyddiad bychan a barodd gryn lawer o ddifyrrwch inni. Amser te, mynnai Arial gael pryd iawn o *fish and chips*, a phan ddaeth gŵr y gwesty heibio i'n bwrdd, a'i weld yn eistedd yno mor hapus â chi uwchben asgwrn, gwenodd yn braf, a dywedodd, 'Dyna ddyn wrth fodd fy nghalon i.'

Ni thâl imi geisio sôn am bob man arall a welsom cyn gadael Dulyn. Gwelsom hen garchar Kilmainham ar gyrion y ddinas, wrth feicio iddi yn y bore, a chawsom gipolwg wrth fynd heibio ar Gastell Dulyn, prif gynrychiolydd awdurdod a gallu Prydain yn nyddiau'r gormes. Buom yn sefyll tu allan i'r Abbey Theatre, â'i hatgofion am ddrama Wyddelig, Synge a Yeats, a Lady Gregory, a'r dramodwyr eraill. Cawsom olwg hefyd ar yr ysbyty enwog, Ysbyty Mater Misericordiae (Mam Trugaredd, sef Mair), ac ar y College Green a'r Senedd-dŷ lle cyferfydd y 'Dáil'.

Tua diwedd y prynhawn, dyma gychwyn tua Dŵn Lare, gan fwriadu pabellu mewn rhyw gae rhwng Dulyn a'r lle hwnnw, ond cawsom fod y ddwy dref wedi tyfu'n un, a chyn inni adael y tai yr oeddem yn y porthladd. Holi amser y llong yn y bore, ac yna chwilio am le i godi pabell. Dyma'r ymchwil fwyaf anobeithiol a gawsom ar hyd ein taith, a phetasai wedi digwydd inni y noswaith gyntaf yn lle'r noswaith olaf, buasai'n ddigalon iawn arnom. Aethom ddwy filltir neu dair allan i'r wlad, gan holi a holi, a hynny'n ofer.

Cyfarwyddwyd ni gan rywun i roddi cynnig ar blasty bychan ar ochr y ffordd, ond yr oedd yr hen wreigan grach-fonheddig a agorodd y drws yn ddirmygus iawn pan ein gwelodd ni. Yr oeddem yn lled flinedig erbyn hyn, ac amser goleuo'n nesáu, a ninnau heb lampau, ac yr oedd Ffion bron torri i wylo gan ludded a siom, ond ofer ydoedd pob ymbil yma. Cefais eglurhad digon naturiol wedi hynny am ymddygiad digroeso ac anghwrtais yr hen wraig, ac felly nid yw mor gas gennyf edrych yn ôl arno.

Ymhellach ymlaen, gwelsom ŵr yn lladd gwair ar gwr cae, ac yr oedd rhan arall o'r cae yn cael ei fydylu. Gofyn iddo am gennad i babellu yma, ond gwas oedd ef, ac yr oedd ei feistr yn byw cryn bellter oddi yno. Pa beth a wnaem? Gŵr caredig oedd y ffarmwr, meddai'r gwas, ac fe gaem ganiatâd ganddo yn ddigon rhwydd petai yno, ond yr oedd yn rhy hwyr i chwilio amdano bellach. Wrth weld y ffwdan yr oeddem ynddi, gofynnodd y gwas inni pa bryd y bwriadem gychwyn ymaith yn y bore, ac atebasom ninnau fod arnom eisiau mynd tua'r llong yn lled gynnar. 'Wel,' meddai yntau, 'os byddwch wedi mynd i ffwrdd cyn y neb ddŵad heibio yn y bore, pwy a fydd dim doethach?'

Ar bwys ei awgrym, dyma baratoi i babellu yng nghysgod un o'r mydylau, a daeth yntau yno i helpu i dynnu gwair o'r ochrau i'w daenu odanom, ac i dderbyn ei dipyn cildwrn am ei gyngor a'i gymwynas. Bydd yn gas gennyf yn fy nghalon gynnig cildwrn i weithwyr yn gyffredinol, rhag fy ngosod fy hun yn uwch nag ef, oblegid fe ddylai dyn fod cyn baroted i dderbyn cymwynas ag i'w gwneud. Ond nid oedd achos gofalu am ryw ystyriaeth felly y tro hwn.

Dyma ddeffro'n gynnar drannoeth, llyncu ein tamaid yn sych, ac yna gwib drwy awyr fain y bore tua'r llong. Cawsom yno ymolchi mewn dŵr cynnes, a gorffen ein brecwast yn hamddenol a gwylied y teithwyr eraill yn dyfod ar y bwrdd wrth yr ugeiniau. A dyma'r llong yn cychwyn – yr 'Hibernia' oedd hi. Y mae'n drist iawn gennym feddwl heddiw fod y 'Scotia', y llong hardd a aeth â ni drosodd o Gaergybi i Iwerddon, wedi ei suddo yn Dunkirk, a llwyth o filwyr Prydeinig ar ei bwrdd.

Edrych yn ôl ar Iwerddon – yr un olygfa yn union oedd o'n blaenau yn awr â'r un y buom yn syllu arni wrth nesáu tua Dŵn Lare dair wythnos ynghynt. Ond yr oedd wedi newid yn ddirfawr erbyn hyn i ni, oblegid nid gwlad ddieithr a welem ynddi mwyach. Dacw Fynyddoedd Wicklow, a gwyddem mai yn eu canol hwy yr oedd Powerscourt a Glendalough, a llawer llecyn swynol arall a arhosai yn hir yn y cof. A thu draw i'r rheini yr oedd Glengariff a Gougane Barra a Killarney, a llu o bobl fwyn, garedig, a roesant groeso cynnes odiaeth i ni ddieithriaid ar ein taith drwy eu gwlad. Yr oedd yn dda gennym droi tua chartref ond yr oedd ein hatgofion yn felys am y wlad a adawem ar ein holau.

Wedi mordaith gysurus a phleserus, ac Arial wedi crwydro i ben blaen y llong a chael sgwrs ddifyr â pheiriannydd y Radio, dyma gyrraedd Caergybi, ac yna rhuthro tua'r stondin bapurau newyddion am gopi o'r *Daily Post*. Tybed a fyddai hanes Arholiad yr 'Higher' ynddo heddiw? Ydyw, dyma fo, a dyma Ysgol y Genethod, Bangor, ac enw Ffion yn y rhestr. Hwrê! Ac ynghanol prysurdeb porthladd Caergybi, dyna lle'r oeddem, yn deulu bach o dri, wedi ymgolli yn ein llawenydd ein hunain, a llawer o'r bobl a gerddai heibio yn gwenu a llongyfarch. Dyma goron ardderchog ar ben y gwyliau hyfryd a dreuliasom gyda'n gilydd.

I ffwrdd â ni bellach i gael cinio mewn gwesty, ond cyn hynny rhaid hwylio tua'r llythyrdy. Yr oedd golwg garedig, lawn cydymdeimlad, yn llygaid yr eneth ifanc a safai tu ôl i'r cownter, pan oedd Ffion yn ysgrifennu ei thelegramau. Efallai iddi hithau gael yr un profiad ei hun ryw flwyddyn neu ddwy yn gynt.

Pan oeddem ar ein ffordd adref, dechreuodd y glaw ddisgyn a fu'n ein bygwth ers rhai dyddiau. Ymochel rhagddo weithiau, ond fe'n gwlychwyd fwy nag unwaith, a'r gwynt yn sychu ein dillad drachefn. Beth oedd rhyw fân helyntion felly o bwys, a ninnau'n hwylio tua chartref, a'n calonnau'n llawen? Cyrraedd Bangor tua phedwar neu bump o'r gloch.

Nos Sul, pan oedd y Parch R.W. Davies yn paratoi i ddechrau'r gwasanaeth yng Nghapel Horeb, cyn traddodi ei Bregeth Ffarwel yno, yr oedd tri phererin cartrefol, yn teimlo cyn iached â'r gneuen, a'u crwyn cyn felyned â'r gneuen wisgi, yn cerdded i lawr i'r capel i'w seddau i wrando arno. Dyna un rheswm arall paham yr oedd arnaf eisiau cyrraedd ddydd Sadwrn.